Dominique Fortier
Karine Pouliot
Denise Sabourin
James Rousselle

LA GRAMMAIRE

POUR LIRE

POUR ÉCRIRE

POUR PARLER

FRANÇAIS DEUXIÈME SECONDAIRE

LES ÉDITIONS CEC INC.

8101, boul. Métropolitain Est, Anjou, Qc, Canada H1J 1J9
Téléphone: (514) 351-6010 Télécopieur: (514) 351-3534

Directrice de l'édition
Emmanuelle Bruno

Directrice de la production
Lucie Plante-Audy

Chargées de projet
Raymonde Abenaim
Suzanne Berthiaume

Conception graphique
et réalisation technique

Illustrations
Philippe Germain
Philippe Berthiaume: page 14

Références photographiques
Denis Alix, Alpha Diffusion / Publiphoto: page 1
David Higham Associates Limited: page 45
Denoël: page 73
Photothèque des Musées de la Ville de Paris; A. Charpentier,
Musée Carnavalet: page 107
Bibliothèque nationale du Québec: page 141
Photothèque des Musées de la Ville de Paris / Publiphoto Édimédia: page 171
Charmet J.L., Explorer / Publiphoto: page 197
Pierre Charbonneau: page 219
Jacques Robert / Éditions Gallimard: page 249

Dans cet ouvrage, la féminisation des titres de fonction et des textes s'appuie sur les règles d'écriture proposées par l'Office de la langue française dans le guide *Au féminin*, Les Publications du Québec, 1991.

8101, boul. Métropolitain Est
Anjou (Québec) H1J 1J9

Dépôt légal: 3e trimestre 1998
Bibliothèque nationale du Québec
Bibliothèque nationale du Canada

ISBN 2-7617-1552-7

Imprimé au Canada
1 2 3 4 5 02 01 00 99 98

PROCÉDURE POUR REPÉRER UN VERBE CONJUGUÉ

1. **REPÈRE** un mot qui change de forme :
   - si on place devant des pronoms de conjugaison (*je, tu, il / elle / on, nous, vous, ils / elles*) ;
   - si on place devant les mots *hier, aujourd'hui, demain.*
2. **VÉRIFIE** si, dans la phrase, le mot relevé peut être encadré de *ne (n')... pas.*
3. Si le mot relevé est le verbe *être* ou le verbe *avoir*, **VÉRIFIE** s'il est accompagné d'un participe passé pour former le temps composé d'un verbe.

Attention ! Le verbe peut être accompagné d'un ou de plusieurs mots et former avec ce ou ces mots un verbe de forme complexe. **Ex. :** *Il a l'air doux. Il fait pitié.*

PROCÉDURE POUR IDENTIFIER UN GROUPE DU VERBE

VÉRIFIE si le verbe est accompagné d'éléments non déplaçables en début de phrase :

1. qui peuvent être remplacés par un groupe de l'adjectif (GAdj) ;

ou :

2. qui peuvent être remplacés par *QUELQUE CHOSE* ou *QUELQU'UN* ou par une préposition + *QUELQUE CHOSE / QUELQU'UN*, ou encore par *QUELQUE PART* ou *DE QUELQUE PART* ;

et :

3. qui peuvent être remplacés par un pronom comme *le (l'), la (l'), les, lui, leur, cela (ça), en, y* ou par un GPrép formé d'une préposition + *elle, lui, elles, eux* ou *cela (ça)* s'ils ne sont pas déjà l'un de ces pronoms ou l'un de ces GPrép.

Attention ! Le pronom *y* peut remplacer un groupe complément de phrase indiquant un lieu.

PROCÉDURE POUR IDENTIFIER UN GROUPE DU NOM SUJET

REPÈRE l'élément ou les éléments de la phrase :

1. qui peuvent être remplacés par *Qui est-ce qui... ?* (ou *Qu'est-ce qui... ?*) ;

et :

2. qui peuvent être mis en relief à l'aide de *C'est... qui* (ou de *Ce sont... qui*) ;

et :

3. qui peuvent être remplacés par un pronom de conjugaison (*je, tu, il / elle / on, nous, vous, ils / elles*), s'ils n'en sont pas déjà un.

PROCÉDURE POUR IDENTIFIER UN GROUPE COMPLÉMENT DE PHRASE

REPÈRE l'élément ou les éléments de la phrase :

1. qui sont déplaçables ;

et :

2. qui sont supprimables ;

et :

3. qui ne peuvent pas être remplacés par un pronom ;

Attention ! Le groupe complément de phrase indiquant un lieu peut être remplacé par le pronom *y*.

et :

4. qui peuvent être employés après la tournure *et cela...* ou *et cela se passe...*

POUR FAIRE LE PORTRAIT DE...

Peindre d'abord une cage
Une cage qui pourrait abriter
des mots
des groupes de mots
des phrases
des points
des virgules

Une cage solide
que l'on peut monter
et démonter
à volonté

Une cage ouverte
pour que les mots
les groupes de mots
les phrases
les points
les virgules
puissent entrer et sortir
à volonté
s'évader
se perdre et se retrouver

...

Puis trouver quelqu'un
pour transporter la cage

Quelqu'un
pour vous faire
découvrir
comment apprivoiser
les mots
les groupes de mots
les phrases
les points
les virgules

Inspiré du poème *Pour faire le portrait d'un oiseau*,
de Jacques Prévert.

TABLE DES MATIÈRES

Atelier 6

LA SUBORDONNÉE COMPLÉTIVE 171

Atelier 7

LA SUBORDONNÉE CIRCONSTANCIELLE 197

Atelier

LA PHRASE 1

La PHRASE DE BASE
Les types de phrases
Les formes de phrases

Je déteste être chez moi!
Je n'aime pas être chez moi!
À tel point que lorsque je vais
chez quelqu'un et qu'il me dit :
— Vous êtes ici chez vous,
je rentre chez moi!

Raymond Devos

je me rappelle...

En première secondaire, tu as appris que tu pouvais analyser la construction des phrases que tu lis ou que tu écris à l'aide d'un outil appelé PHRASE DE BASE. Tu as également découvert qu'une phrase est soit de type déclaratif, soit de type impératif, soit de type interrogatif, soit de type exclamatif et que, pour déterminer le type d'une phrase, on compare sa construction à celle de la PHRASE DE BASE. Vérifie si tu te rappelles la construction de la PHRASE DE BASE et les principales caractéristiques des quatre types de phrases.

LA **PHRASE DE BASE** ET LES QUATRE **TYPES DE PHRASES**

1 [A] **TRANSCRIS** les constructions en couleur ci-après, puis :

- **SOULIGNE** le verbe conjugué dans chacune d'elles;
- **ENCERCLE** le groupe du nom sujet (GNs);
- **METS** entre parenthèses le ou les groupes compléments de phrase (Gcompl. P) s'il y a lieu;
- **SURLIGNE** le groupe du verbe (GV).

① *Le langage est une drôle d'invention: sage ou fou, clair ou mystérieux, il peut embrouiller les choses les plus simples et nous faire croire même ce qui n'existe pas...*

② *Histoires drôles, monologues absurdes, pensées et proverbes surprenants, charades, devinettes et énigmes à dormir debout, comptines, poèmes et calligrammes... Dans le labyrinthe des mots, on risque d'avoir le vertige...*

③ *Est-ce que vous aimez les mots ?*

④ *Les lettres ont aussi leurs secrets... Prenez toutes les lettres d'un mot, disposez-les dans un ordre différent et vous obtiendrez peut-être un autre mot: ce sera une anagramme.*

[B] **DÉCRIS** la construction de la PHRASE DE BASE : **REPRODUIS** le schéma ci-dessous en mettant le symbole qui convient dans chacun des encadrés.

PHRASE DE BASE = ________ + ________ + ________

[C] Parmi les constructions en couleur en [A], **RELÈVE** celle qui correspond à la construction de la PHRASE DE BASE.

2 **A** En prenant la PHRASE DE BASE comme point de comparaison, **DÉTERMINE** le type de chacune des constructions en couleur du numéro **1** **A**, puis **CLASSE**-les dans un tableau semblable à celui ci-dessous.

Tu auras une dizaine de phrases à classer dans ce tableau : **PRÉVOIS** l'espace en conséquence.

Type de la phrase			
Déclaratif	Impératif	Interrogatif	Exclamatif

B La PHRASE DE BASE a les caractéristiques d'un des quatre types de phrases. De quel type s'agit-il ?

3 **A** Les CONSTRUCTIONS EN PETITES MAJUSCULES ci-après correspondent à la construction de la PHRASE DE BASE.

① ARISTOPHANE A ÉTÉ LE PREMIER AUTEUR COMIQUE
Qui a été le premier auteur comique ?

② RAYMOND QUENEAU A ÉCRIT LA MÊME HISTOIRE DE QUATRE-VINGT-DIX-NEUF MANIÈRES DIFFÉRENTES
Qui est-ce qui a écrit la même histoire de quatre-vingt-dix-neuf manières différentes ?

③ LE FAMEUX ROMAN SANS « E » S'APPELLE *LA DISPARITION*
Comment s'appelle le fameux roman sans « e » ?

④ TU AS RÉUSSI À FAIRE UNE ANAGRAMME AVEC LES LETTRES DE SON NOM
As-tu réussi à faire une anagramme avec les lettres de son nom ?

⑤ TU LUI COMPOSES UN ACROSTICHE AVEC LES LETTRES DE SON NOM
Compose-lui un acrostiche avec les lettres de son nom.

⑥ TU LUI AS COMPOSÉ UN DRÔLE D'ACROSTICHE
Quel drôle d'acrostiche tu lui as composé !

COMPARE la construction de chaque phrase en couleur à la CONSTRUCTION EN PETITES MAJUSCULES qui la précède, puis, s'il y a lieu, **INDIQUE** la ou les manipulations (effacement, déplacement, remplacement, addition) qui ont été effectuées.

Un élément qui en remplace un autre peut aussi être déplacé.

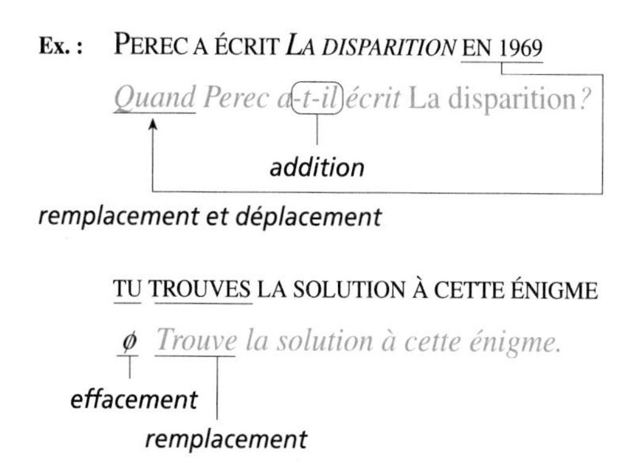

[B] En tenant compte de tes observations en [A], **DÉTERMINE** le <u>type</u> de chacune des phrases en couleur, puis **CLASSE**-les dans ton tableau sur les types de phrases.

4 [A] Voici quatre phrases de types différents.

① *As-tu trouvé très rapidement la solution de cette énigme ?* (type interrogatif)

② *Tu as trouvé très rapidement la solution de cette énigme.* (type déclaratif)

③ *Trouve très rapidement la solution de cette énigme.* (type impératif)

④ *Comme tu as trouvé rapidement la solution de cette énigme !* (type exclamatif)

RELÈVE le numéro de celle que tu emploierais pour :

ⓐ <u>constater</u> ou déclarer simplement quelque chose;

ⓑ <u>inciter</u> quelqu'un à agir;

ⓒ <u>savoir</u> quelque chose, obtenir une information;

ⓓ <u>constater</u> ou déclarer quelque chose en l'exprimant avec force.

[B] Voici quatre autres phrases.

① *J'aimerais beaucoup que tu fasses un acrostiche avec les lettres de mon nom.* (type déclaratif)

② *S'il te plaît, fais un acrostiche avec les lettres de mon nom.* (type impératif)

③ *Voudrais-tu faire un acrostiche avec les lettres de mon nom ?* (type interrogatif)

④ *Comme j'aimerais que tu fasses un acrostiche avec les lettres de mon nom !* (type exclamatif)

Emploierais-tu ces phrases pour :

ⓐ <u>constater</u> ou déclarer quelque chose ?

ⓑ <u>inciter</u> quelqu'un à agir ?

ⓒ <u>savoir</u> quelque chose, obtenir une information ?

j'observe et je découvre

En première secondaire, tu as observé qu'une phrase de type déclaratif, impératif, interrogatif ou exclamatif est :
- de forme positive ou de forme négative.

En deuxième secondaire, tu observeras qu'une phrase de type déclaratif, impératif, interrogatif ou exclamatif est aussi :
- de forme active ou de forme passive

et :
- de forme neutre ou de forme emphatique.

Pour poursuivre ton étude de la forme négative et découvrir les principales caractéristiques des formes passive et emphatique, tu te serviras du modèle de la PHRASE DE BASE, qui est une construction de type déclaratif, et de formes positive, active et neutre.

J'OBSERVE...

LES FORMES DE PHRASES	
POSITIVE OU NÉGATIVE	•
ACTIVE OU PASSIVE	
NEUTRE OU EMPHATIQUE	

LA FORME NÉGATIVE

Raymond Devos est un humoriste belge qui aime jouer avec les mots. **Lis** ci-dessous l'un de ses monologues.

TEXTE D'OBSERVATION

Je roule pour vous

L'artiste (tout en enfilant un baudrier et se saisissant d'un tambour):
Je vais faire quelques roulements de tambour
parce que je ne peux pas les faire chez moi.
Ça fait trop de bruit !
Alors, je viens les faire ici !
(Accrochant son tambour au baudrier:)
De toute facon, ① Je déteste être chez moi !
② Je n'aime pas être chez moi !
À tel point que lorsque je vais chez quelqu'un et qu'il me dit:
— Vous êtes ici chez vous,
je rentre chez moi !

Quand je vais chez quelqu'un et qu'il me dit:
— Faites comme chez vous,
je ne fais plus rien!
Forcément! Chez moi, c'est moi qui fais tout!
Alors, je ne vais pas aller tout faire
chez quelqu'un sous le prétexte qu'il m'a dit:
— Faites comme chez vous!

(Au public:) Vous non plus, vous n'aimez pas être chez vous, hein?
puisque vous avez payé pour être ici!
(Il exécute une suite de roulements.)
Je roule pour vous, messieurs-dames! On peut rouler très vite là-dessus!
On peut faire du soixante! Soixante-dix! Quatre-vingts!
Il ne faut pas monter au-dessus, ça peut être dangereux!
Parce que vous n'avez pas de frein sur un tambour!
Paradoxalement, sur une auto, vous avez des freins à tambour,
alors que sur un tambour, vous n'avez pas d'auto-frein!
Il y en a qui font les quatre cents coups à la minute!
On peut tout faire sur un tambour.
Par exemple: compter!
Vous savez qu'on peut compter plus vite
sur un tambour d'ordonnance que sur un ordinateur?
Je vais vous en administrer la preuve.
Si quelqu'un veut avoir l'obligeance de me donner un chiffre entre un et dix?
(Quelqu'un: «Huit!»)
Huit! Bon! *(Il les frappe sur son tambour.)*
Multiplié par… ? *(Quelqu'un: «Six!») (Il exécute une série de roulements.)*
Quarante-huit! … C'est exact?
Oh! je sais bien que vous savez que six fois huit, ça fait quarante-huit!
Mais vous le savez par ouï-dire, tandis que moi je les compte!
Pour diviser, encore plus rapidement!
Huit, par exemple… *(il les frappe sur son tambour)*… divisé par deux…
il y en a qui compteraient sur leurs doigts! Moi, d'une seule main…
(Il frappe quatre coups de baguette.)
Ça fait quatre!
On peut rédiger une déclaration d'impôts sur un tambour.
Pour calculer ses impôts, ça se fait à la feuille!
Tout d'abord, les salaires… *(il exécute un ra de cinq)*…
plus les honoraires… *(ra de trois)*…
plus les plus-values… *(ra de onze)*…
plus les revenus fonciers et immobiliers… *(Battements ternaires.)*
Vous additionnez le tout, ça vous donne… *(Il exécute une suite de roulements.)*
Ça chiffre, hein?
Ça fait du bruit, une feuille d'impôts!
Et encore, là, je n'ai pas compté les rappels!
Ah! j'ai oublié de déduire les dix pour cent! *(Il donne un léger coup sur le tambour.)*
On peut aussi raisonner sur un tambour.
C'est ce qu'on appelle «raisonner comme un tambour»!
Au début, je vous ai joué ceci… *(Il roule à nouveau le début.)*
Eh bien, cela veut dire en clair: «Nous en avons plein le dos! Plein le sac!
Plein le fond des godillots! Plein le fond des gamelles et des bidons!»
Je peux vous donner l'heure précise sur mon tambour:
Au troisième top, il sera exactement… *(il frappe trois coups)*
… neuf heures dix! *(Ou toute autre heure.)*
Regardez les aiguilles!
(L'artiste dispose les baguettes sur son tambour de la même manière que les aiguilles indiquant l'heure sur un cadran.)

Raymond Devos, *Sens dessus dessous*, © Stock, 1976.

1 **A** **OBSERVE** la construction des phrases ci-dessous, puis **RELÈVE** dans chaque phrase ⓑ les mots qui la distinguent de la phrase ⓐ à laquelle elle est opposée. Laquelle est de forme positive ? Laquelle est de forme négative ?

ⓐ *Il déteste être chez lui.*	ⓐ *Il aime être chez lui.*
ⓑ *Il ne déteste pas être chez lui !*	ⓑ *Il n'aime pas être chez lui !*

B Quelle différence de sens observes-tu dans chaque cas ?

C **OBSERVE** la construction des phrases ① et ② du texte d'observation. Laquelle est de forme positive ? Laquelle est de forme négative ?

D Les phrases ① et ② du texte d'observation ont-elles à peu près le même sens ?

E **OBSERVE** la construction (et non le sens) des phrases ci-dessous, puis **CLASSE**-les dans un tableau comme celui ci-après.

① *Cet homme est heureux chez lui.* ② *Cet homme n'est pas heureux chez lui.*
③ *Cet homme est malheureux chez lui.* ④ *Il n'accepte pas de tout faire chez les autres.*
⑤ *Il refuse de tout faire chez les autres.* ⑥ *Il accepte de tout faire chez les autres.*

Forme positive	Forme négative

2 Voici des phrases de différents types qui sont soit à la forme positive, soit à la forme négative.

Forme positive	Forme négative
Tu viens chez moi. (type déclaratif)	*Tu ne viens pas chez moi.* (type déclaratif)
Viens chez moi. (type impératif)	*Ne viens pas chez moi.* (type impératif)
Viens-tu chez moi ? (type interrogatif)	*Ne viens-tu pas chez moi ?* (type interrogatif)

A Quelle différence de sens observes-tu entre les deux phrases de type déclaratif ? Et entre les deux phrases de type impératif ?

B Observes-tu la même différence de sens entre les deux phrases de type interrogatif ?

3 Les CONSTRUCTIONS EN PETITES MAJUSCULES ci-après correspondent à la construction de la PHRASE DE BASE, qui est de forme positive. Les phrases en couleur, elles, sont de forme négative.

① IL EST TOUJOURS CHEZ LUI *Il n'est pas toujours chez lui.*	③ IL A REÇU UNE INVITATION *Il n'a reçu aucune invitation.*
② IL EST TOUJOURS CHEZ LUI *Il n'est jamais chez lui.*	④ TOUT LE MONDE EST ARRIVÉ *Personne n'est arrivé.*

COMPARE la construction de chaque phrase négative à la CONSTRUCTION EN PETITES MAJUSCULES qui la précède, puis, s'il y a lieu, **INDIQUE** la ou les manipulations (effacement, déplacement, remplacement, addition) qui ont été effectuées.

Ex. : IL FAIT QUELQUE CHOSE

Il (ne) fait rien.

addition (ne) — *remplacement* (rien)

J'AI DÉCOUVERT...

LA FORME NÉGATIVE

Sur le plan de la **construction**, la forme négative s'oppose à la forme positive. La phrase négative, contrairement à la phrase positive, est caractérisée par la présence de mots de négation (EX. : *Il* ✎ *est* ✎ *heureux*).

Sur le plan du **sens**, la phrase négative exprime généralement le ✎ de la phrase positive à laquelle elle s'oppose sur le plan de la construction. Par exemple, le sens de la phrase négative *Il n'est pas malheureux* est ✎ au sens de la phrase positive ✎.

Pour former une phrase négative à partir d'une phrase positive :

- on ✎ les mots de négation *ne... pas* (ou *ne... point*, *ne... guère*, etc.) dans le groupe du verbe de la phrase (EX. : *Tout le monde est heureux.* → ✎)

ou :

- on ✎ le mot de négation *ne* avant le verbe et on ✎ un mot de la phrase par un mot de négation comme *rien*, *personne*, *jamais*, *aucun*, etc. (EX.: *Tout le monde est heureux.* → ✎).

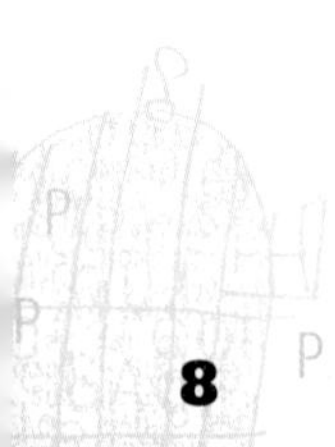

J'OBSERVE...

LA FORME PASSIVE

LES FORMES DE PHRASES	
POSITIVE OU NÉGATIVE	✔
ACTIVE OU PASSIVE	●
NEUTRE OU EMPHATIQUE	

Le Français Yak Rivais, en plus d'être instituteur et écrivain, est spécialiste des jeux littéraires. **LIS** cet article, qui est tiré d'un de ses livres humoristiques : le *Guide Zinzin des records*.

TEXTE D'OBSERVATION

La performance la plus spectaculaire

① La performance la plus spectaculaire fut réalisée par Lord Nick O'Rink. Ce champion de golf expédia par hasard et sans se faire aucun mal sa chaussure à plus de soixante mètres en croyant frapper la balle. Par la suite, à la demande d'un public de plus en plus exigeant, il essaya maintes fois de renouveler son exploit involontaire mais ne réussit qu'à se briser la cheville 35 fois, ce qui constitue un nouveau record. ② Un monument a été élevé par l'association des golfeurs britanniques à la mémoire de Lord Nick O'Rink.

D'après Yak Rivais, *Guide Zinzin des records*, © Hachette, 1988.

1 La CONSTRUCTION EN PETITES MAJUSCULES correspond à celle de la PHRASE DE BASE, qui est de forme active. La phrase en couleur ①, extraite du texte d'observation ci-dessus, est de forme passive.

LORD NICK O'RINK RÉALISA LA PERFORMANCE LA PLUS SPECTACULAIRE

① *La performance la plus spectaculaire fut réalisée par Lord Nick O'Rink.*

A **RELÈVE** le groupe du nom (GN) complément direct du verbe dans la CONSTRUCTION EN PETITES MAJUSCULES.

B **REPÈRE**, dans la phrase passive, le GN relevé en A ; quelle fonction ce GN a-t-il dans la phrase passive ?

C **RELÈVE** le groupe du nom sujet (GNs) dans la CONSTRUCTION EN PETITES MAJUSCULES.

D **REPÈRE**, dans la phrase passive, le GN relevé en C ; dans quel groupe constituant de la phrase passive ce GN se trouve-t-il : dans le GNs ou dans le groupe du verbe (GV) ?

E Par quelle préposition ce GN est-il introduit dans la phrase passive ?

F Le verbe de la phrase passive a-t-il la même forme que celui de la CONSTRUCTION EN PETITES MAJUSCULES ?

G **COMPARE** la construction de la phrase passive ②, extraite du texte d'observation, à la CONSTRUCTION EN PETITES MAJUSCULES qui la précède, puis, s'il y a lieu, **INDIQUE** la ou les manipulations (effacement, déplacement, remplacement, addition) qui ont été effectuées.

Ex. : LORD NICK O'RINK RÉALISA LA PERFORMANCE LA PLUS SPECTACULAIRE

① *La performance la plus spectaculaire fut réalisée par Lord Nick O'Rink.*

déplacement — remplacement — addition — addition — déplacement

L'ASSOCIATION DES GOLFEURS BRITANNIQUES A ÉLEVÉ UN MONUMENT À LA MÉMOIRE DE LORD NICK O'RINK

② *Un monument a été élevé par l'association des golfeurs britanniques à la mémoire de Lord Nick O'Rink.*

2 **OBSERVE** les verbes dans les phrases actives et dans les phrases passives ci-dessous :

Forme active	Forme passive
① *Personne ne détient le record de la bêtise.*	① *Le record de la bêtise n'est détenu par personne.*
② *Un Anglais réalisa cette performance.*	③ *Cette performance fut réalisée par un Anglais.*
③ *Cette association lui a élevé un monument.*	③ *Un monument lui a été élevé par cette association.*

A **TROUVE** le participe passé des verbes contenus dans les phrases actives (soit les verbes *détenir*, *réaliser* et *élever*).

B Pour former le verbe des phrases passives, un verbe (conjugué à un temps simple ou à un temps composé) a été ajouté devant le participe passé. Quel est ce verbe ?

C Le temps du verbe ajouté devant le participe passé pour former le verbe de la phrase passive est-il le même que le temps du verbe dans la phrase active ?

D À un temps composé, avec quel auxiliaire les verbes contenus dans les phrases actives s'emploient-ils : avec *avoir* ou avec *être* ?

E En tenant compte de ta réponse en D, **PRÉCISE** si, oui ou non, le verbe *être* dans les phrases passives est un auxiliaire servant à former un temps composé.

3 Les phrases passives du numéro **2** et la phrase active à laquelle chacune est opposée ont-elles un sens équivalent ?

Lis le texte ci-dessous, inspiré d'un texte de W.C. Field, un Américain auteur-acteur de cinéma qui a été le plus grand jongleur de son époque.

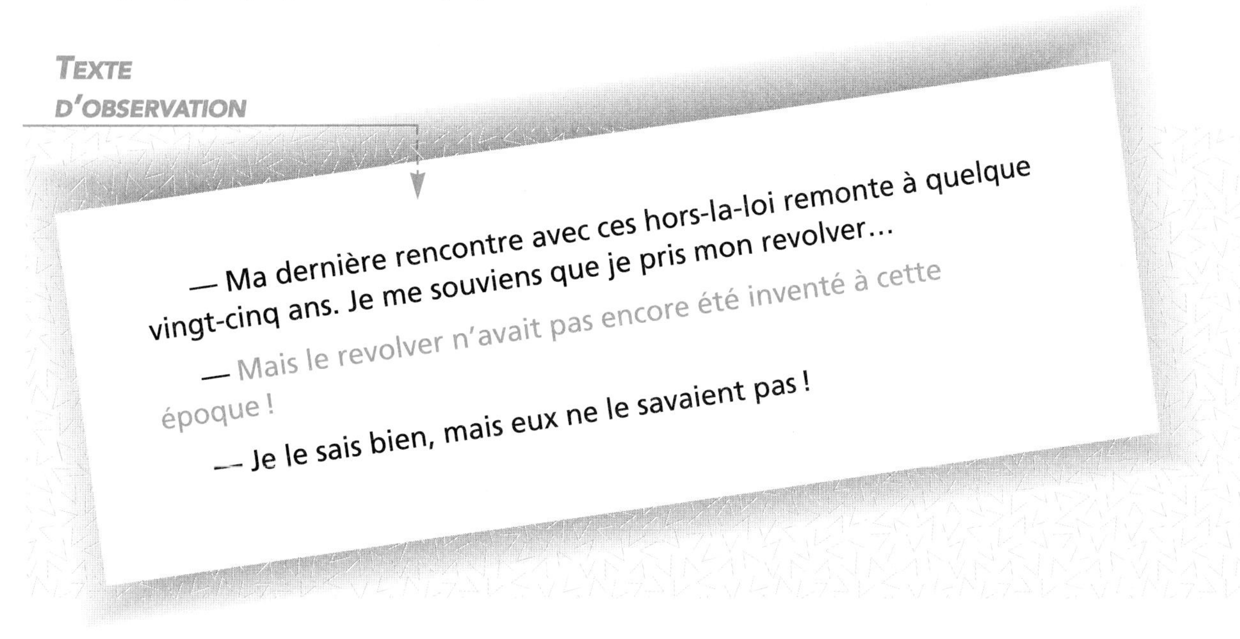

4 **A** **Compare** la construction de la phrase passive ci-dessous à celle de la phrase passive du texte d'observation. Que remarques-tu ?

Mais le revolver n'avait pas encore été inventé par les Américains à cette époque !

B **Compare** maintenant l'information contenue dans les deux phrases passives. Que remarques-tu ?

C Selon toi, l'auteur du texte ci-dessus a choisi d'employer une phrase passive incomplète, c'est-à-dire sans complément du verbe passif, parce que l'information qu'apporterait ce complément :

ⓐ est connue de tout le monde et se devine aisément;

ⓑ est jugée sans intérêt ou est inconnue;

ⓒ ne doit pas être sue.

5 **Détermine** le type des quatre constructions passives dans le dialogue ci-dessous et **précise** si chacune de ces constructions est de forme positive ou négative.

— ① Le record de la bêtise est-il détenu par quelqu'un ?

— ② Soyez rassuré : ③ ce record n'est encore détenu par personne...

— C'est que vous ne connaissez pas M. Alain Bécile... ④ Que de bêtises ont été commises par cet homme ! En plus, c'est un imbécile qui s'ignore... Un vrai imbécile, quoi !

— Présentez-le-nous : il pourrait bien être notre homme...

J'AI DÉCOUVERT...

LA FORME PASSIVE

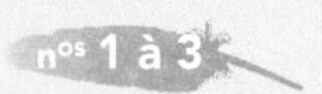

Sur le plan de la **construction**, la forme passive s'oppose à la forme active :

- le groupe du nom (GN) complément direct du verbe de la phrase active correspond au ✎ de la phrase passive (EX. : *Alain Bécile détient le record de la bêtise.* → ✎ *est détenu par Alain Bécile*);
- le groupe du nom sujet (GNs) de la phrase active se trouve dans le ✎ de la phrase passive et y est introduit (le plus souvent) par la préposition ✎ (EX. : *Alain Bécile détient le record de la bêtise.* → *Le record de la bêtise est détenu* ✎). Le groupe prépositionnel (GPrép) ainsi formé a la fonction de complément du verbe passif;
- le verbe de la phrase active se présente sous la forme d'un ✎ dans la phrase passive (EX. : *détient* → *est détenu*); ce ✎ est précédé du verbe *être*, conjugué au même temps que le verbe de la phrase active.

Sur le plan du **sens**, la phrase passive a un sens ✎ à celui de la phrase active à laquelle elle s'oppose sur le plan de la construction.

La phrase passive peut être incomplète, c'est-à-dire que le ✎ peut ne pas être exprimé. On emploie une phrase passive incomplète quand l'information qu'apporterait le ✎ est (entre autres) connue de tout le monde et se devine aisément, est jugée sans intérêt ou est inconnue, ou ne doit pas être sue.

Une phrase de type déclaratif, impératif, interrogatif ou exclamatif est de forme positive ou négative et de forme ✎ ou ✎.

J'OBSERVE...

LES FORMES DE PHRASES	
POSITIVE OU NÉGATIVE	✔
ACTIVE OU PASSIVE	✔
NEUTRE OU EMPHATIQUE	●

LA FORME EMPHATIQUE

Qui n'a jamais joué aux devinettes ? En voici deux pour toi. (N'oublie pas que dans ce jeu, parfois déroutant pour l'esprit, il faut un grain de folie !)

TEXTES D'OBSERVATION

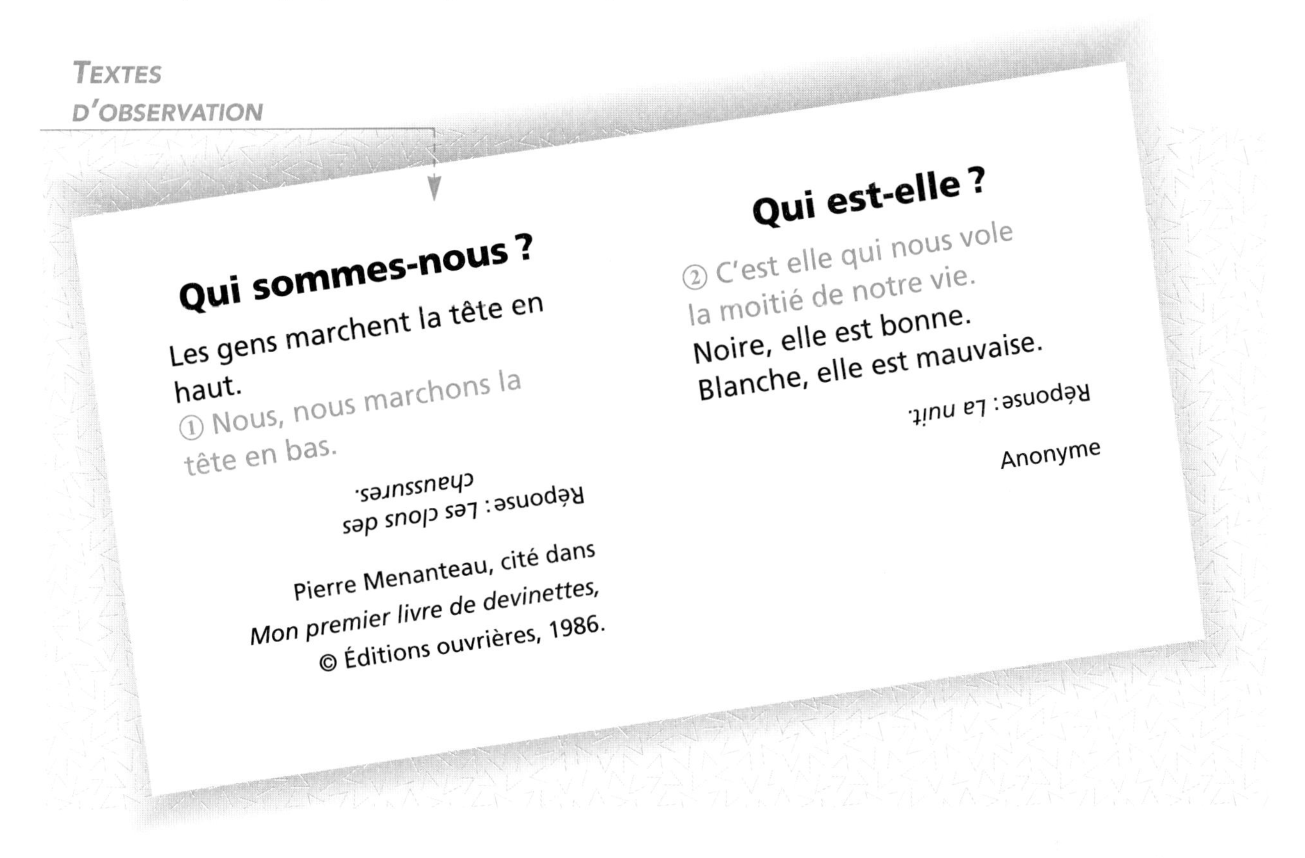

Qui sommes-nous ?

Les gens marchent la tête en haut.
① Nous, nous marchons la tête en bas.

Réponse : Les clous des chaussures.

Pierre Menanteau, cité dans *Mon premier livre de devinettes*, © Éditions ouvrières, 1986.

Qui est-elle ?

② C'est elle qui nous vole la moitié de notre vie.
Noire, elle est bonne.
Blanche, elle est mauvaise.

Réponse : La nuit.

Anonyme

1 A Les CONSTRUCTIONS EN PETITES MAJUSCULES correspondent à celle de la PHRASE DE BASE qui est de forme neutre. Les phrases en couleur ① et ②, extraites des textes d'observation, sont de forme emphatique.

NOUS MARCHONS LA TÊTE EN BAS
① *Nous, nous marchons la tête en bas.*

ELLE NOUS VOLE LA MOITIÉ DE NOTRE VIE
② *C'est elle qui nous vole la moitié de notre vie.*

COMPARE la construction de chaque phrase emphatique à la CONSTRUCTION EN PETITES MAJUSCULES qui la précède, puis **INDIQUE** quel élément a été ajouté dans la phrase emphatique.

B **COMPARE** la construction de chaque phrase emphatique ci-après à la CONSTRUCTION EN PETITES MAJUSCULES qui la précède, puis, s'il y a lieu, **INDIQUE** la ou les manipulations (effacement, déplacement, remplacement, addition) qui ont été effectuées.

Ex. : LES CLOUS DES CHAUSSURES REGARDENT RAREMENT LES ÉTOILES

Les étoiles, les clous des chaussures les regardent rarement.

addition *addition*

déplacement

① LA NUIT NOUS VOLE LA MOITIÉ DE NOTRE VIE

C'est la nuit qui nous vole la moitié de notre vie.

② LES CLOUS DES CHAUSSURES PRÉFÈRENT LA COURSE

C'est la course que les clous des chaussures préfèrent.

③ LES CLOUS DES CHAUSSURES ADORENT LA COURSE

La course, les clous des chaussures adorent ça.

[C] **ÉNUMÈRE** les éléments qui servent à mettre un groupe de mots en relief dans les deux premières phrases emphatiques en [B].

[D] Un mot a été ajouté dans la dernière phrase emphatique en [B]. **RELÈVE** le groupe de mots auquel ce mot fait référence dans la phrase.

[E] À quelle classe appartient le mot qui a été ajouté dans la dernière phrase emphatique en [B]?

2

TEXTE D'OBSERVATION

Voici le texte de la bande dessinée, modifié.

Est-ce que Rabelais a dit: «Le travail éloigne de nous trois grands maux: l'ennui, le vice et le besoin» ?

Mais non, Voltaire a dit cela.

Il ne devait pas faire du 9 à 5 au marteau-piqueur.

A **COMPARE** les phrases du texte d'observation aux phrases du texte modifié : lesquelles sont de forme emphatique ?

B Ces phrases ont-elles un sens équivalent ?

C Quel texte préfères-tu : le texte d'observation ou le texte modifié ? Pourquoi ?

3 **DÉTERMINE** le type des constructions emphatiques dans le dialogue ci-dessous et **PRÉCISE** si chacune de ces constructions est de forme positive ou négative et de forme active ou passive.

— ① Le record de la bêtise, pourquoi n'est-il détenu par personne ?

— Parce que chaque fois que l'on croit avoir trouvé un imbécile à qui remettre la couronne, il y en a toujours un autre pour faire mieux.

— C'est que vous ne connaissez pas M. Alain Bécile... ② Quel imbécile il est, cet homme ! En plus, c'est un imbécile qui s'ignore... Un vrai imbécile, quoi !

— Sait-on jamais ? ③ C'est lui qui pourrait enfin établir le record de la bêtise... ④ Cet Alain Bécile, présentez-le-nous : il pourrait bien être notre homme...

J'AI DÉCOUVERT...

LA FORME EMPHATIQUE

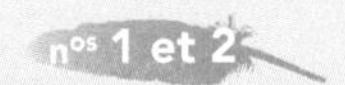

Sur le plan de la **construction**, la forme emphatique s'oppose à la forme neutre. La phrase emphatique, contrairement à la phrase neutre, est caractérisée par la mise en relief d'un groupe de mots :

- à l'aide de ✎ ou de ✎ (EX. : ***La nuit*** *nous vole la moitié de notre vie.* → ✎ ***la nuit*** ✎ *nous vole la moitié de notre vie*);
- à l'aide de son détachement et de l'ajout d'un ✎ faisant référence au groupe détaché (EX. : ***La nuit*** *nous vole la moitié de notre vie.* → ***La nuit,*** ✎ *nous vole la moitié de notre vie*).

Sur le plan du **sens**, la phrase emphatique a un sens ✎ à celui de la phrase neutre à laquelle elle s'oppose sur le plan de la construction. La forme emphatique permet de ✎ l'un des groupes de mots de la phrase.

Une phrase de type déclaratif, impératif, interrogatif ou exclamatif est de forme positive ou négative, de forme active ou passive et de forme ✎ ou ✎.

DÉJÀ VU

1 LA PHRASE DE BASE

1.1 LA CONSTRUCTION DE LA PHRASE DE BASE

La PHRASE DE BASE est un modèle de phrase qui illustre la construction la plus simple et la plus courante en français. Elle est constituée, dans cet ordre, de deux **groupes constituants obligatoires :** un groupe du nom sujet (GNs) suivi d'un groupe du verbe (GV), et d'un ou de plusieurs **groupes constituants facultatifs :** les groupes compléments de phrase (Gcompl. P).

La PHRASE DE BASE est décrite par la formule suivante :

GNs	+	GV	+	(Gcompl. P)

Remarque : Les parenthèses signifient que le ou les Gcompl. P sont facultatifs.

La PHRASE DE BASE est donc de **type déclaratif**. Elle a en plus les caractéristiques d'une phrase de **formes positive**, **active** et **neutre**.

Remarques :

1° Dans certaines grammaires, on attribue d'autres caractéristiques au modèle de la PHRASE DE BASE. Ces caractéristiques peuvent concerner, par exemple, l'ordre des mots ou des groupes de mots à l'intérieur des groupes constituants de la PHRASE DE BASE.

2° Dans le présent manuel, les constructions correspondant à celle de la PHRASE DE BASE sont représentées en petites majuscules grises.

1.2 LA PHRASE DE BASE : UN OUTIL POUR ANALYSER LA CONSTRUCTION DES PHRASES

La PHRASE DE BASE sert de point de comparaison pour analyser la plupart des phrases comprenant au moins un groupe du verbe (GV).

Recourir à la comparaison avec la PHRASE DE BASE peut nous aider, en lecture, à comprendre l'organisation des phrases pour mieux en saisir le sens et, en écriture, à réviser nos phrases pour les améliorer ou les corriger.

La construction d'une phrase qu'on lit ou qu'on écrit peut :

- correspondre à celle de la PHRASE DE BASE ;

- ne pas correspondre à celle de la PHRASE DE BASE ;

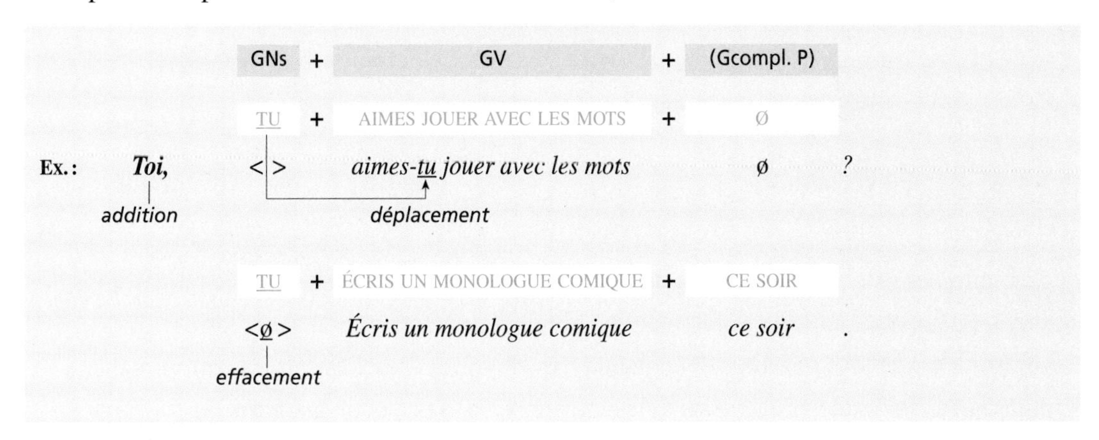

- comprendre plus d'une construction correspondant ou non à celle de la PHRASE DE BASE.

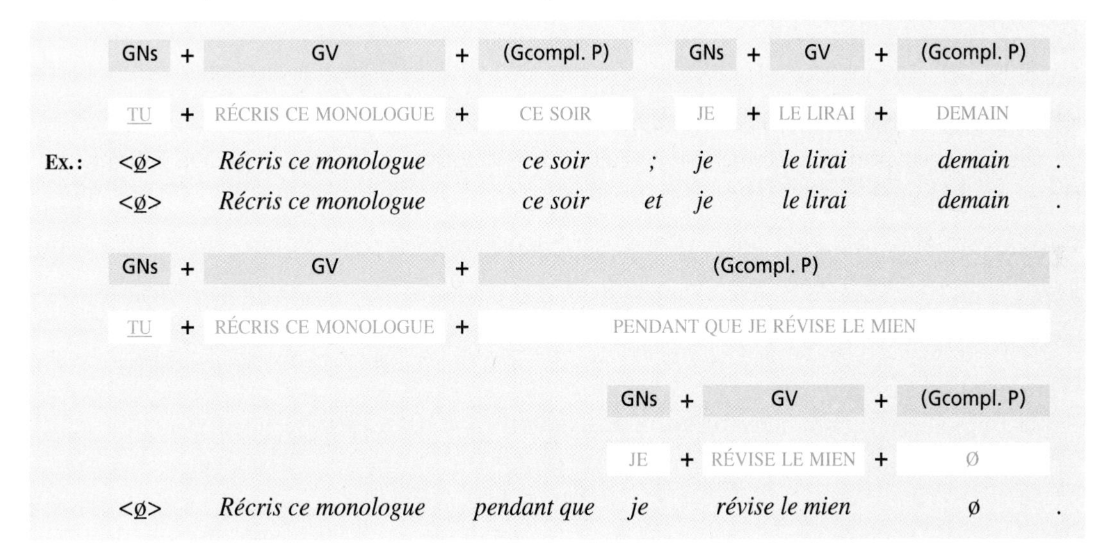

2 LES TYPES ET LES FORMES DE PHRASES

<table>
<tr><td colspan="2">Une construction qui contient au moins un groupe du verbe (GV) et que l'on peut comparer à la PHRASE DE BASE est:</td></tr>
<tr><td>de type</td><td>et de formes</td></tr>
<tr><td>déclaratif
ou
impératif
ou
interrogatif
ou
exclamatif</td><td>positive ou négative
et
active ou passive
et
neutre ou emphatique</td></tr>
</table>

Connaître les diverses possibilités dont nous disposons pour construire une phrase nous aide à mieux nous exprimer oralement ou par écrit et à corriger ou à améliorer nos phrases lorsque nous écrivons. Reconnaître à quel type et à quelles formes correspond une phrase peut nous aider à mieux saisir les intentions de la personne qui parle ou qui écrit.

2.1 LA CONSTRUCTION DES TYPES DE PHRASES

La ou les constructions correspondant à chacun des quatre types de phrases sont définies par comparaison avec le modèle de la PHRASE DE BASE, qui est de type déclaratif.

2.1.1 LE TYPE DÉCLARATIF

La phrase de type déclaratif (ou phrase déclarative) est caractérisée:

- par la présence des deux groupes constituants obligatoires: le groupe du nom sujet (GNs) et le groupe du verbe (GV)

et:

- par l'absence d'un mot interrogatif ou exclamatif en début de phrase.

TYPE DÉCLARATIF

	GNs	+	GV	+	(Gcompl. P)	
	L'HUMORISTE RAYMOND DEVOS	+	PROVOQUE LE RIRE	+	AVEC SES JEUX DE MOTS	
Ex.:	*L'humoriste Raymond Devos*		*provoque le rire*		*avec ses jeux de mots*	.

Remarque: La construction de la phrase déclarative ne correspond pas toujours à celle de la PHRASE DE BASE.

Ex.: DEVOS PROVOQUE LE RIRE AVEC SES JEUX DE MOTS → *Avec ses jeux de mots, Devos provoque le rire.*
LES RIRES DES SPECTATEURS FUSENT DANS LA SALLE → *Dans la salle fusent les rires des spectateurs.*

P À l'écrit, la phrase déclarative se termine le plus souvent par un point.

2.1.2 LE TYPE IMPÉRATIF

La phrase de type impératif (ou phrase impérative) est caractérisée :

- par l'absence d'un groupe constituant obligatoire : le groupe du nom sujet (GNs)

et :

- par la présence d'un verbe à l'impératif.

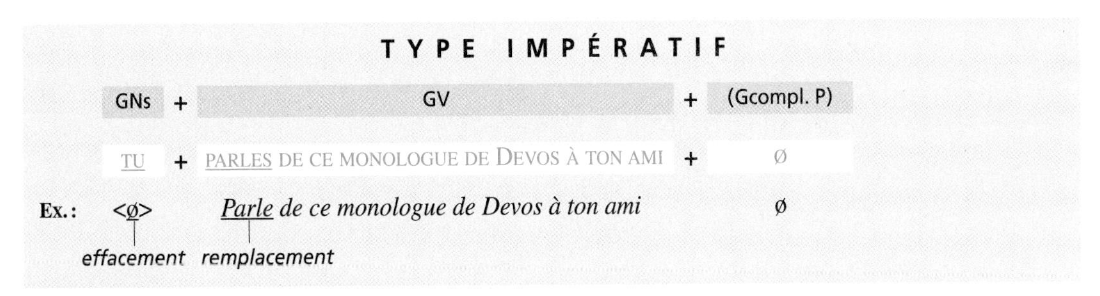

Remarques :

1º Le ou les pronoms qui sont placés devant le verbe dans le groupe du verbe (GV) de la construction correspondant à celle de la PHRASE DE BASE sont déplacés après le verbe dans la phrase impérative (sauf si elle est de forme négative) et sont joints à ce verbe par un **trait d'union**.

Ex. : TU LUI PARLES DE CE MONOLOGUE DE DEVOS → *Parle-lui de ce monologue de Devos.*
→ ***Ne** lui parle **pas** de ce monologue de Devos.*

TU LUI EN PARLES → *Parle-lui-en.*
→ ***Ne** lui en parle **pas**.*

2º Les pronoms *me (m')* et *te (t')* sont remplacés par *moi* et *toi* lorsqu'ils sont déplacés après le verbe de la phrase impérative.

Ex. : TU ME PARLES DE CE MONOLOGUE DE DEVOS → *Parle-moi de ce monologue de Devos.*
(Attention : TU M'EN PARLES → *Parle-m'en.* Et non : * *Parle-moi-z-en.*)

3º Les pronoms *le (l'), la, les* précèdent les pronoms *moi, toi, nous, vous, lui, leur* lorsqu'ils sont placés après le verbe de la phrase impérative.

Ex. : TU ME LE DÉCRIS → *Décris-le-moi.* (Et non : * *Décris-moi-le.*)

Attention ! Les verbes en *-er* à la 2e personne du singulier de l'impératif ne se terminent pas par un *-s* (sauf s'ils sont suivis des pronoms *y* ou *en*).

Ex. : TU PARLES DE CE MONOLOGUE DE DEVOS À TON AMI → *Parle de ce monologue de Devos à ton ami.*
TU EN PARLES À TON AMI → *Parles-en à ton ami.*

ANNEXE *Les terminaisons des verbes aux temps simples,* pages 307-308.

P À l'écrit, la phrase impérative se termine le plus souvent par un point.

2.1.3 LE TYPE INTERROGATIF

La phrase de type interrogatif (ou phrase interrogative) sert à poser une question. Sa construction est différente selon que la réponse à la question posée :

- est ***oui* ou *non***; on dit alors qu'il s'agit d'une **interrogation totale**.

Ex. : *Vont-ils au spectacle de Devos ce soir ?*

- n'est **ni *oui* ni *non*** ; on dit alors qu'il s'agit d'une **interrogation partielle**.

Ex. : *Quand vont-ils au spectacle de Devos ?*

L'**interrogation totale** est caractérisée :

- par la présence du groupe du nom sujet (GNs) après le verbe (ou par sa reprise par un pronom après le verbe)

ou :

- par la présence de *est-ce que* en début de phrase.

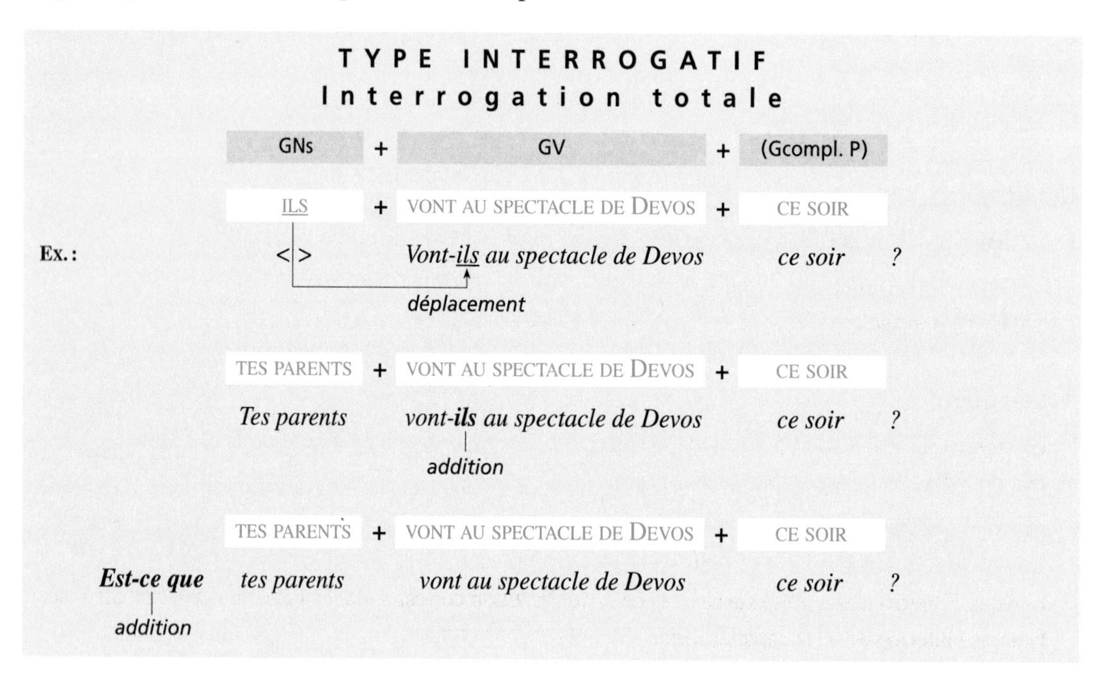

L'**interrogation partielle** est caractérisée :

- par la présence, en début de phrase, d'un mot interrogatif qui remplace un mot ou un groupe de mots de la construction correspondant à celle de la PHRASE DE BASE et, généralement, par la présence du GNs après le verbe (ou par sa reprise par un pronom après le verbe)

ou :

- par la présence, en début de phrase, d'un mot interrogatif qui remplace un mot ou un groupe de mots de la construction correspondant à celle de la PHRASE DE BASE, suivi de *est-ce que*.

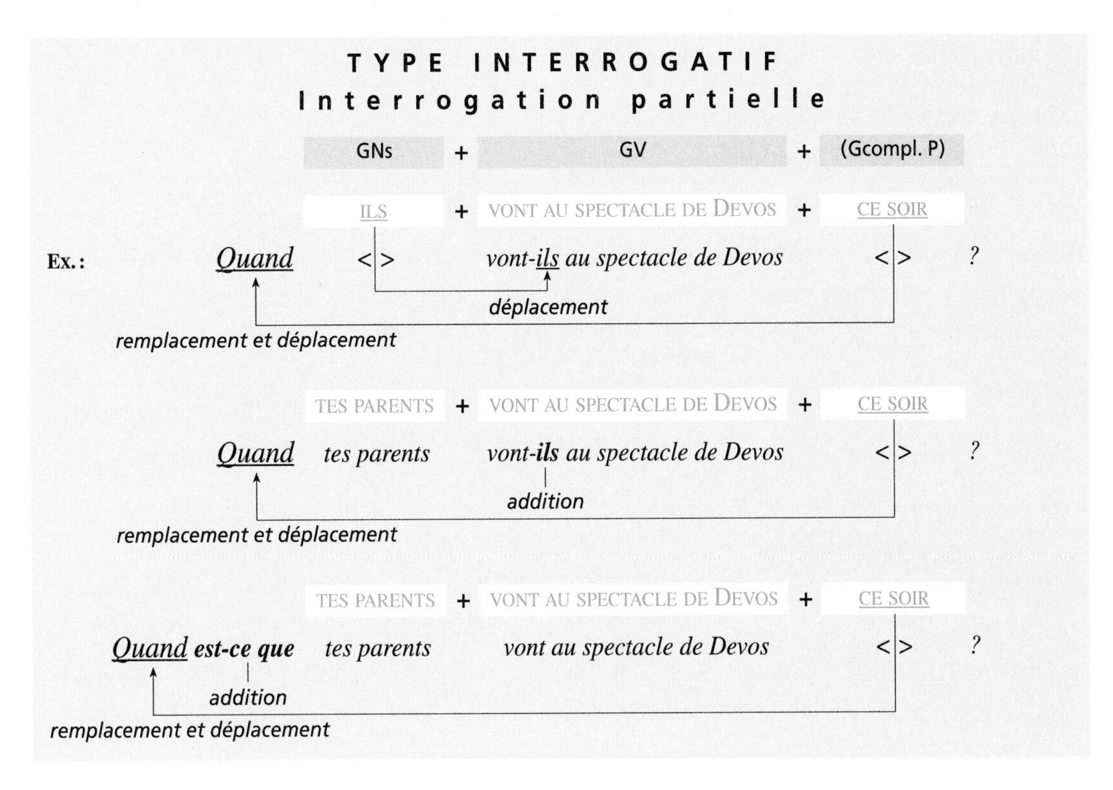

Remarques :

1º Le **mot interrogatif** est choisi en fonction des caractéristiques du mot ou du groupe de mots qu'il remplace dans la phrase interrogative.

ANNEXE *L'emploi des mots interrogatifs*, pages 315-316.

2º Lorsque l'interrogation porte sur le GNs de la construction correspondant à celle de la PHRASE DE BASE, la phrase interrogative est caractérisée :

- par la présence, en début de phrase, du mot interrogatif *qui* (qui remplace le GNs de la construction correspondant à celle de la PHRASE DE BASE)

ou :

- par la présence, en début de phrase, du mot interrogatif *qui* suivi de ***est-ce qui***.

Ex. : TON AMI VA AU SPECTACLE DE DEVOS CE SOIR → *Qui va au spectacle de Devos ce soir ?*
ou : *Qui **est-ce qui** va au spectacle de Devos ce soir ?*

3º Le groupe de mots sur lequel porte l'interrogation n'est parfois que partiellement remplacé par le mot interrogatif. Dans ce cas, le ou les mots qui restent dans le groupe de mots sont aussi déplacés en début de phrase.

Ex. : TU VAS AU SPECTACLE DE DEVOS AVEC TES AMIS → *Avec qui vas-tu au spectacle de Devos ?*
TU VAS AU SPECTACLE DE DEVOS AVEC CES AMIS → *Avec quels amis vas-tu au spectacle de Devos ?*

Attention ! Lorsqu'un pronom est déplacé ou ajouté après le verbe de la phrase interrogative (ou après l'auxiliaire si le verbe est à un temps composé), il est joint à ce verbe (ou à cet auxiliaire) par un **trait d'union**.

Ex. : TU AS AIMÉ LE SPECTACLE DE DEVOS → *As-tu aimé le spectacle de Devos ?*

Attention ! Lorsque le pronom *il*, *elle* ou *on* est déplacé ou ajouté après un verbe (ou après un auxiliaire) se terminant par une voyelle, un **t entre traits d'union** est intercalé entre le verbe (ou l'auxiliaire) et le pronom.

EX. : ELLE A AIMÉ LE SPECTACLE DE DEVOS → *A-t-elle aimé le spectacle de Devos ?*

P À l'écrit, la phrase interrogative se termine par un **point d'interrogation**.

Remarque : La façon dont on formule une question et le choix du mot interrogatif peuvent varier selon qu'on s'exprime oralement ou par écrit, et selon le registre de langue qu'on emploie.

INTERROGATION TOTALE			
EX. :	ORAL	ÉCRIT	REGISTRE DE LANGUE
*Vas-**tu** au spectacle de Devos ?*	•	•	soutenu ou neutre
***Est-ce que** tu vas au spectacle de Devos ?*	•	•	soutenu ou neutre
** Tu vas-**tu** au spectacle de Devos ?*	•		populaire

INTERROGATION PARTIELLE			
EX. :	ORAL	ÉCRIT	REGISTRE DE LANGUE
***Où** vas-**tu** ?*	•	•	soutenu ou neutre
***Où est-ce que** tu vas ?*	•	•	soutenu ou neutre
** Tu vas **où** ?*	•		familier
** **Où** tu vas ?*	•		familier
** **Où c'est que** tu vas ?*	•		populaire
** **Où que** tu vas ?*	•		populaire
** **C'est où que** tu vas ?*	•		populaire

2.1.4 LE TYPE EXCLAMATIF

La phrase de type exclamatif (ou phrase exclamative) est caractérisée :

- par la présence, en début de phrase, d'un mot exclamatif qui remplace un mot ou un groupe de mots de la construction correspondant à celle de la PHRASE DE BASE

et, le plus souvent :

- par la présence d'un mot marquant une appréciation (*beau*, *mauvais*, *bien*, *mal*, etc.).

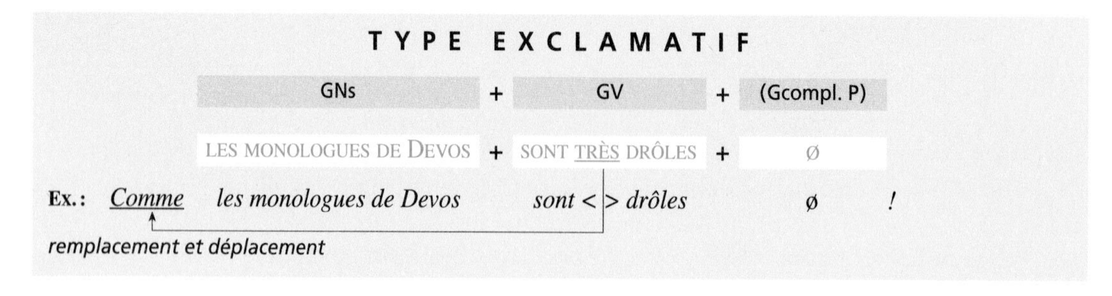

Remarques :

1° Le **mot exclamatif** est choisi en fonction du mot ou du groupe de mots qu'il remplace dans la phrase exclamative.

ANNEXE *L'emploi des mots exclamatifs*, page 317.

2° Le groupe de mots sur lequel porte l'exclamation n'est parfois que partiellement remplacé par le mot exclamatif. Dans ce cas, le ou les mots qui restent dans le groupe de mots sont aussi déplacés en début de phrase.

Ex. : IL A ÉCRIT DES MONOLOGUES COMIQUES → *Quels monologues comiques il a écrit !*

P À l'écrit, la phrase exclamative se termine par un **point d'exclamation**.

Remarque : Le choix du mot exclamatif peut varier selon qu'on s'exprime oralement ou par écrit, et selon le registre de langue qu'on emploie.

Ex. :	ORAL	ÉCRIT	REGISTRE DE LANGUE
Comme *ce monologue est comique !*	•	•	soutenu ou neutre
Que *ce monologue est comique !*	•	•	soutenu ou neutre
Ce que *ce monologue est comique !*	•		familier
Qu'est-ce que *ce monologue est comique !*	•		familier

2.2 L'EMPLOI DES TYPES DE PHRASES

Le plus souvent, nous employons la phrase :	
de type déclaratif	pour constater ou déclarer quelque chose, pour donner une information, pour exprimer un jugement. Ex. : *Raymond Devos a écrit des monologues comiques.*
de type impératif	pour inciter quelqu'un à agir, pour donner un ordre ou un conseil. Ex. : *Lis ce monologue de Raymond Devos.*
de type interrogatif	pour savoir quelque chose, pour obtenir une information. Ex. : *De quelle nationalité est Raymond Devos ?*
de type exclamatif	pour constater ou déclarer quelque chose en l'exprimant avec force. Ex. : *Quels monologues comiques il a écrit !*

Remarques :

- Pour inciter quelqu'un à agir, pour donner un ordre ou un conseil, on peut aussi employer :
  - une phrase de type déclaratif ;
    Ex. : *J'aimerais beaucoup que tu m'emmènes au spectacle de Devos.*
    Tu devrais m'emmener au spectacle de Devos.
  - une phrase de type interrogatif ;
    Ex. : *Voudrais-tu m'emmener au spectacle de Devos ?*
  - une phrase de type exclamatif.
    Ex. : *Comme j'aimerais que tu m'emmènes au spectacle de Devos !*

- Pour savoir quelque chose, pour obtenir une information, on peut aussi employer une phrase de type déclaratif.

  Ex. : *Tu connais Devos ?*
  Je t'ai demandé si tu connaissais Devos.

- Pour constater ou déclarer quelque chose et l'exprimer avec force, on peut aussi employer:
  - une phrase de type déclaratif;

    Ex. : *Je trouve Raymond Devos génial !*
  - une phrase de type interrogatif.

    Ex. : *Comment peut-on être aussi génial ?*

2.3 LA CONSTRUCTION DES FORMES DE PHRASES

Les constructions correspondant à la forme négative, à la forme passive et à la forme emphatique sont définies par comparaison avec le modèle de la PHRASE DE BASE, qui est de formes positive, active et neutre.

2.3.1 LA FORME NÉGATIVE

La forme négative s'oppose à la forme positive. La phrase de forme négative (ou phrase négative) est le plus souvent caractérisée:

- par la présence des mots de négation *ne (n')* et *pas* (ou *point*, *guère*, *nullement*, *aucunement*) dans le groupe du verbe (GV) de la phrase

ou:

- par la présence de *ne (n')* et d'un autre mot de négation (comme *rien*, *personne*, *jamais*, *plus*, *aucun / aucune*, etc.) qui remplace un mot ou un groupe de mots de la construction correspondant à celle la PHRASE DE BASE.

FORME NÉGATIVE

	GNs	+	GV	+	(Gcompl. P)	
	IL	+	A ASSISTÉ À CE SPECTACLE DE RAYMOND DEVOS	+	Ø	
Ex.:	*Il*		***n'****a* ***pas*** *assisté à ce spectacle de Raymond Devos* (n' : *addition*; pas : *addition*)		ø	.
	IL	+	A ASSISTÉ À UN SPECTACLE DE RAYMOND DEVOS	+	Ø	
	Il		***n'****a assisté à* *aucun* *spectacle de Raymond Devos* (n' : *addition*; aucun : *remplacement*)		ø	.

Remarques:

1° Les **mots de négation qui remplacent un mot ou un groupe de mots** de la construction correspondant à celle de la PHRASE DE BASE sont choisis en fonction des caractéristiques du mot ou du groupe de mots qu'ils remplacent dans la phrase négative.

ANNEXE *L'emploi des mots de négation*, page 318.

2° On peut trouver dans la phrase négative plus d'un mot de négation qui remplace un mot ou un groupe de mots de la construction correspondant à celle de la PHRASE DE BASE.

Ex. : QUELQU'UN L'ÉCOUTE ENCORE → *Personne* ***ne*** *l'écoute plus*.

3° Dans certains cas, la phrase négative contient seulement le mot de négation *ne (n')*. Ce peut être le cas, par exemple, lorsque les verbes *cesser*, *oser*, *pouvoir*, *savoir*, etc. sont suivis d'un complément du verbe contenant un verbe à l'infinitif.

Ex. : IL CESSE DE PENSER À CE NUMÉRO DE DEVOS → *Il* ***ne*** *cesse* ***pas*** *de penser à ce numéro de Devos.*
ou : *Il* ***ne*** *cesse de penser à ce numéro de Devos.*

4° Les mots *ne (n')... que (qu')* ne sont pas des mots de négation. Ces mots expriment la restriction.

Ex. : *Je ne suis qu'un humoriste amateur.*

Les mots *ne (n')... que (qu')* peuvent être employés dans une phrase négative. Le mot *ne (n')* devient alors un mot de négation.

Ex. : *Raymond Devos n'est* ***pas*** *qu'un humoriste, il est aussi un homme de théâtre.*

5° Dans une phrase de type impératif et de forme positive, le ou les pronoms *le (l')*, *la*, *les*, *me (m')*, *te (t')*, *nous*, *vous*, *lui*, *leur*, *en*, *y* sont déplacés après le verbe. Dans une phrase de type impératif et de forme négative, ces pronoms restent devant le verbe.

Ex. : TU L'ÉCOUTES → *Écoute-le*. (Phrase de type impératif et de forme positive.)
TU L'ÉCOUTES → ***Ne*** *l'écoute* ***pas***. (Phrase de type impératif et de forme négative.)
(Et non : * *Écoute-le* ***pas***.)

6° Dans une phrase négative, la forme *de (d')* remplace les déterminants *un*, *une*, *des* de la construction correspondant à celle de la PHRASE DE BASE si ces déterminants introduisent le nom noyau d'un GN complément direct du verbe.

Ex. : IL PORTAIT UN CHAPEAU → *Il* ***ne*** *portait* ***pas*** *de chapeau.*
IL PORTAIT DES GANTS → *Il* ***ne*** *portait* ***pas*** *de gants.*

Remarque : La façon dont on formule une phrase contenant un ou des mots de négation peut varier selon qu'on s'exprime oralement ou par écrit, et selon le registre de langue qu'on emploie.

Ex. :	ORAL	ÉCRIT	REGISTRE DE LANGUE
Je ***n'****ai vu* ***personne****.*	•	•	soutenu ou neutre
J'ai vu* ***personne**.*	•		neutre ou familier
J'ai* ***pas* *vu* ***personne***	•		populaire
Ne *le regarde* ***pas****.*	•	•	soutenu ou neutre
Le regarde* ***pas**.*	•		neutre ou familier
Regarde-le* ***pas**.*	•		familier

2.3.2 LA FORME PASSIVE

La forme passive s'oppose à la forme active. La phrase de forme passive (ou phrase passive) est caractérisée :

- par la présence d'un verbe passif

et, parfois :

- par la présence d'un complément du verbe passif généralement introduit par la préposition *par* (parfois par la préposition *de*).

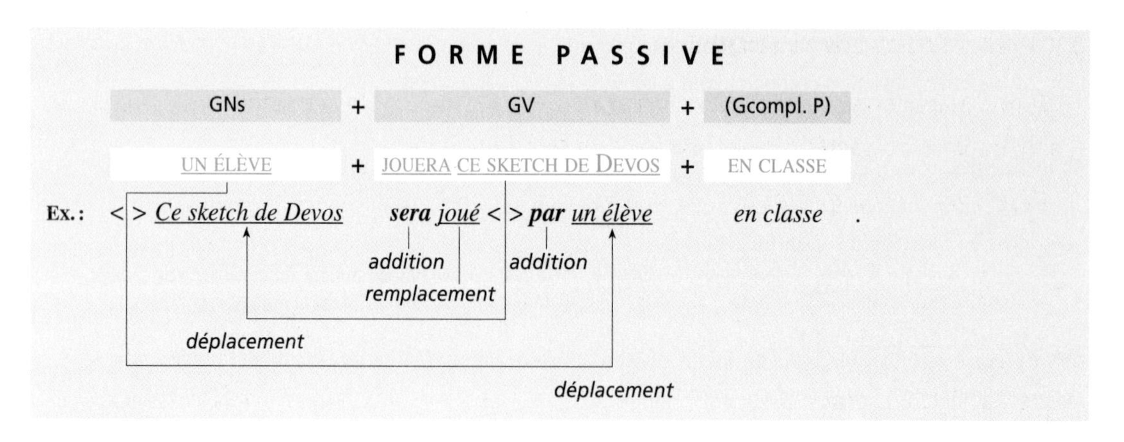

Remarques:

1° Lorsqu'une phrase active est transformée en phrase passive:

- Le groupe du nom (GN) complément direct du verbe de la phrase active devient le **GNs de la phrase passive**.
- Le verbe noyau du groupe du verbe (GV) de la phrase active devient un participe passé dans la phrase passive et est précédé du verbe *être* ; le verbe *être* et le participe passé forment un **verbe passif**.
- Le GNs de la phrase active est déplacé dans le groupe du verbe (GV) de la phrase passive et est introduit par une préposition (*par* ou *de*); le groupe prépositionnel (GPrép) ainsi formé a la fonction de **complément du verbe passif**.

2° Dans une phrase passive, le complément du verbe passif peut parfois ne pas être exprimé; il s'agit alors d'une **phrase passive incomplète**.

Ex. : DEVOS A ÉCRIT CE SKETCH EN 1956 → *Ce sketch a été écrit par Devos en 1956.*
ou : *Ce sketch a été écrit en 1956.*

Attention ! Il ne faut pas confondre le **verbe *être* employé pour former un verbe passif** avec le verbe *être* employé comme auxiliaire pour former les temps composés de certains verbes tels que *aller*, *arriver*, *devenir*, *entrer*, *mourir*, *naître*, *partir*, *rentrer*, *rester*, *sortir*, *venir*, etc.

Ex. : *Devos est accueilli / sera accueilli par des admirateurs et des admiratrices.* (Il s'agit du verbe passif *être accueilli* à différents temps.)
Devos est rentré en Belgique hier. / Devos sera rentré en Belgique demain. (Il s'agit du verbe *rentrer* à différents temps composés.)

Seuls les verbes qui peuvent se construire avec un complément direct peuvent être mis au passif. Ces verbes, aux temps composés, s'emploient avec l'auxiliaire *avoir* dans la phrase active.

Ex. : Le verbe *accueillir* se construit avec un complément direct (et s'emploie avec l'auxiliaire *avoir* à un temps composé dans une phrase active); il peut donc se mettre au passif:
DES ADMIRATEURS ET DES ADMIRATRICES ONT ACCUEILLI DEVOS → *Devos a été accueilli par des admirateurs et des admiratrices.*

Attention ! Le participe passé qui sert à former un verbe passif s'accorde en genre (M ou F) et en nombre (S ou P) avec le noyau du GNs de la phrase passive.

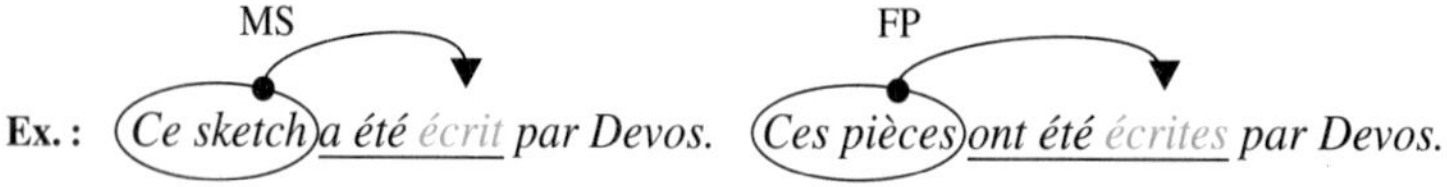

ORTHOGRAPHE GRAMMATICALE 2. *Les accords dans le groupe du verbe,* pages 299-302.

2.3.3 LA FORME EMPHATIQUE

La forme emphatique s'oppose à la forme neutre. La phrase de forme emphatique (ou phrase emphatique) est caractérisée par la mise en relief d'un groupe de mots :

- à l'aide de *c'est… que* ou de *c'est… qui*

ou :

- à l'aide de *ce que…, c'est* ou de *ce qui…, c'est*

ou :

- par son détachement dans la phrase et par la présence d'un pronom faisant référence au groupe de mots détaché.

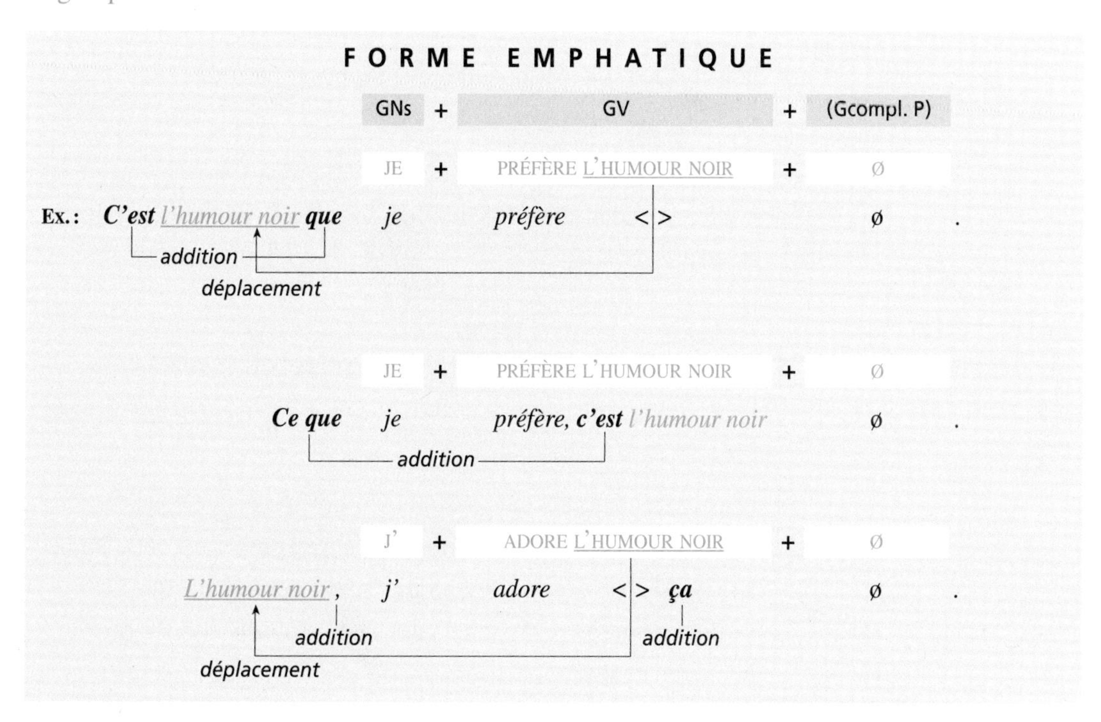

Remarques :

1º On emploie ***c'est… qui*** pour mettre en relief le groupe du nom sujet (GNs) de la phrase et ***c'est… que*** pour la mise en relief de tout autre groupe de la phrase.

Ex. : NOUS PRÉFÉRONS L'HUMOUR NOIR → ***C'est*** *nous* ***qui*** *préférons l'humour noir.*
NOUS PRÉFÉRONS L'HUMOUR NOIR → ***C'est*** *l'humour noir* ***que*** *nous préférons.*

2º Les pronoms *je (j')*, *me*, *(m')*, *tu*, *te (t')*, *il*, *ils* sont remplacés par *moi*, *toi*, *lui*, *eux* lorsqu'ils sont mis en relief à l'aide du détachement ou de *c'est… qui* ou *c'est… que*.

Ex. : IL PRÉFÈRE L'HUMOUR NOIR → *Lui, il préfère l'humour noir.*
JE PRÉFÈRE L'HUMOUR NOIR → *C'est moi qui préfère l'humour noir.*

3º Il ne faut pas confondre un groupe de mots détaché dans une phrase emphatique et un **groupe de mots ajouté qui précise à qui l'on s'adresse** (il s'agit alors d'une *apostrophe*).

Ex. : MES AMIS PRÉFÈRENT L'HUMOUR NOIR → *Mes amis, ils préfèrent l'humour noir.* (Le groupe *Mes amis* est détaché et repris par le pronom *ils*.)
JE PRÉFÈRE L'HUMOUR NOIR → *Mes amis, je préfère l'humour noir.* (Le groupe *Mes amis* est ajouté pour préciser à qui l'on s'adresse dans la phrase et n'est pas repris par un pronom; il s'agit d'une apostrophe.)

P À l'écrit, la mise en relief d'un groupe de mots qu'on reprend par un pronom est généralement marquée par la **virgule**:

- ce groupe de mots est suivi d'une **virgule** lorsqu'il est placé en tête de phrase;
  Ex. : *Mes amis, ils aimeraient bien voir Devos en spectacle.*
- il est précédé d'une **virgule** lorsqu'il est placé en fin de phrase;
  Ex. : *Ils aimeraient bien voir Devos en spectacle, mes amis.*
- il est encadré de **virgules** lorsqu'il est placé ailleurs dans la phrase.
  Ex. : *Ils aimeraient bien, mes amis, voir Devos en spectacle.*

2.4 L'EMPLOI DES FORMES DE PHRASES

Le plus souvent, nous employons la phrase:	
de forme négative	• pour réfuter, interdire, défendre, exprimer un refus; **Ex. :** *Raymond Devos n'est pas français.* *N'allez pas répéter que Devos est français.* • pour demander une confirmation dans le cas de la phrase de type interrogatif. **Ex. :** *Raymond Devos n'est-il pas belge ?*
de forme passive	• pour reprendre en début de phrase l'information connue; **Ex. :** *Qui a écrit le numéro* Le pied *? Ce numéro a été écrit par Raymond Devos.* • dans le cas de la forme passive incomplète: pour ne pas exprimer le GNs de la construction correspondant à celle de la PHRASE DE BASE (afin d'éviter la répétition ou parce que l'information qu'apporte ce groupe de mots est connue de tout le monde et se devine aisément, qu'elle est jugée sans intérêt, qu'elle est inconnue ou qu'elle ne doit pas être sue). **Ex. :** *Raymond Devos est l'auteur de* La raison du plus fou. *Cette pièce a été écrite en 1972.*
de forme emphatique	• pour mettre en relief une information nouvelle ou importante ; **Ex. :** *Qui a écrit le sketch* Sens dessus dessous *? C'est Raymond Devos qui a écrit ce scketch.* • pour annoncer ce dont on parle dans la phrase; **Ex. :** *Raymond Devos, il est belge.* • pour préciser ou rappeler ce que désigne un **pronom** de la phrase. **Ex. :** *Il est belge, Raymond Devos.*

Pour appliquer *mes* connaissances lorsque *je* lis

Appliquer tes connaissances sur les types et les formes de phrases en lecture suppose que tu es capable :

- de reconnaître le type et les formes d'une phrase;
- d'évaluer l'emploi de certaines phrases dans le texte que tu lis.

Les deux blocs d'activités qui suivent te permettront de vérifier si tu maîtrises ces habiletés.

Mark Twain, l'auteur du texte ci-dessous, est né aux États-Unis en 1835. À 15 ans déjà, il écrivait de petits récits humoristiques qu'il vendait aux journaux. Plus tard, avant de devenir humoriste et romancier, il a été pilote de bateau à vapeur sur le Mississippi, chercheur d'or et journaliste. Mark Twain est considéré comme l'un des plus grands écrivains américains. **Lis** cette interview pour le moins surprenante, dans laquelle Mark Twain se sert du langage pour embrouiller les choses les plus simples…

L'interview

— Quel âge avez-vous ?

— Dix-neuf ans en juin.

— Vraiment ? Je vous aurais donné trente-cinq ou trente-six ans. […] ① Quand avez-vous commencé à écrire ?

5 — En 1836.

— Mais comment est-ce possible si vous n'avez que dix-neuf ans ?

— ② Je n'en sais rien. À la réflexion, cela semble bizarre.

— Plutôt, je l'avoue. […] ③ Laissez-moi vous poser une autre question. ④ Quelle est votre date de naissance ?

10 — Le lundi 31 octobre 1693.

— Hein ? C'est impossible, cela vous ferait cent quatre-vingts ans. Comment expliquez-vous cela ?

— ⑤ Je ne l'explique pas.

— ⑥ Enfin, vous me disiez tout à l'heure n'avoir que dix-neuf ans
15 […]. C'est une contradiction flagrante.

— Ah vraiment, vous l'avez remarqué ? […] À plusieurs reprises, il m'a semblé que ce devait être une contradiction, mais je n'ai jamais pu m'en convaincre. ⑦ Comme vous remarquez vite ces choses-là !

— Merci du compliment, si c'en est un. […] Regardez par là. Ce portrait
20 sur le mur, n'est-ce pas votre frère ?

— Ah, oui ! […] C'était mon frère, en effet. Il se nommait William… Bill, comme nous l'appelions. Pauvre vieux Bill !

— ⑧ Dois-je comprendre qu'il est mort ?

— Ah, bien, ma foi, je le suppose. ⑨ Nous ne l'avons jamais su. C'est
25 toujours resté un mystère.

— C'est triste, bien triste. Il a disparu sans doute ?

— Oui, en quelque sorte, d'une façon générale. ⑩ Nous l'avons enterré.

— *Enterré !* Vous l'avez enterré, sans savoir s'il était mort ou vivant ?

— Oh, certainement pas ! ⑪ À quoi pensez-vous ? Il était mort, bel
30 et bien.

— Alors, j'avoue n'y plus rien comprendre. Si vous l'avez enterré, et si vous le saviez mort…

— Mais non ! Nous pensions seulement qu'il l'était.

— Je vois. ⑫ Il est revenu à la vie ?

35 — Je vous parie bien que non.

— Par exemple, je n'ai jamais rien entendu de pareil. *Quelqu'un* est mort. ⑬ Quelqu'un a été enterré. Alors où est le mystère ?

— Précisément. Voilà le fin mot de l'histoire. […] ⑭ Nous étions jumeaux, le défunt et moi. Nous avions à peine deux semaines
40 lorsqu'on nous mêla dans la baignoire : ⑮ l'un de nous fut noyé. Mais nous n'avons jamais su lequel. Les uns pensent que c'était Bill. D'autres pensent que c'était moi.

— Voilà qui est fort étrange. Qu'en pensez-vous, personnellement ?

— Dieu seul sait. Je donnerais tout au monde pour connaître la
45 vérité. Ce sombre, cet affreux mystère a jeté une ombre sur toute mon existence. Mais à présent, je vais vous dire un secret que je n'ai jamais révélé auparavant à qui que ce soit. L'un de nous avait un signe particulier… un grain de beauté sur le dos de la main gauche; c'était moi. *C'est cet enfant qui a été noyé !*

Mark Twain, cité dans *Les dingues du nonsense : de Lewis Carroll à Woody Allen*, © Balland, 1984.

JE RECONNAIS LE TYPE ET LES FORMES D'UNE PHRASE

1 [A] **TRANSFORME** les constructions précédées des numéros ①, ③, ⑦ et ⑧ dans le texte *L'interview* de façon qu'elles correspondent à celle de la PHRASE DE BASE.

[B] En prenant la PHRASE DE BASE comme point de comparaison, **DÉTERMINE** le type de chacune des quinze constructions numérotées dans *L'interview*, puis **CLASSE**-les dans un tableau semblable à celui-ci.

N'**INSCRIS** que le numéro des constructions.

Type de la phrase			
Déclaratif	Impératif	Interrogatif	Exclamatif

2 [A] **RELÈVE**, dans *L'interview*, le numéro des trois constructions qui sont de forme négative.

[B] **TRANSFORME** chacune des constructions relevées en [A] de façon qu'elle corresponde à celle de la PHRASE DE BASE.

3 [A] **RELÈVE**, dans *L'interview*, le numéro des deux constructions qui sont de forme passive.

[B] Dans les constructions relevées en [A], le complément du verbe passif est-il exprimé ?

[C] **TRANSFORME** chacune des constructions relevées en [A] de façon qu'elle corresponde à celle de la PHRASE DE BASE.

EMPLOIE le pronom *on* comme GNs dans les constructions correspondant à celle de la PHRASE DE BASE.

4 [A] **RELÈVE**, dans *L'interview*, le numéro de la construction qui est de forme emphatique.

[B] Dans la construction relevée en [A], **INDIQUE** le groupe de mots qui a été déplacé et le pronom qui a été ajouté.

[C] **TRANSFORME** la construction relevée en [A] de façon qu'elle corresponde à celle de la PHRASE DE BASE.

5 [A] Parmi les phrases ci-dessous, **RELÈVE** celle dont la construction correspond à celle la PHRASE DE BASE.

① *C'est cet enfant qu'on a noyé.* ② *On a noyé cet enfant.* ③ *C'est cet enfant qui a été noyé.* ④ *Cet enfant a été noyé.*

[B] **COMPARE** la dernière phrase de *L'interview* à la phrase relevée en [A] (dont la construction correspond à celle de la PHRASE DE BASE), puis **DÉTERMINE** :

- le type de cette phrase (déclaratif, impératif, interrogatif ou exclamatif);
- les formes de cette phrase (positive ou négative, active ou passive, neutre ou emphatique).

J'ÉVALUE L'EMPLOI DES PHRASES DANS LE TEXTE

6 Dans *L'interview* (pages 29-30), un grand nombre de phrases sont énoncées dans le but de savoir quelque chose, d'obtenir une information. Par qui ces phrases sont-elles employées : par la personne qui fait l'interview ou par l'interviewé ? Pourquoi ?

7 **REPÈRE** les phrases ci-dessous dans le texte *L'interview*, puis, en tenant compte du contexte dans lequel chacune de ces phrases est énoncée, **PRÉCISE** le but dans lequel la phrase est employée.

ⓐ Pour constater ou affirmer quelque chose, exprimer quelque chose avec force.

ⓑ Pour inciter quelqu'un à agir.

ⓒ Pour savoir quelque chose, obtenir une information.

① *Mais comment est-ce possible si vous n'avez que dix-neuf ans ?* (ligne 6) ② *Plutôt, je l'avoue.* (ligne 8) ③ *Ah vraiment, vous l'avez remarqué ?* (ligne 16) ④ *Comme vous remarquez vite ces choses-là !* (ligne 18) ⑤ *Regardez par là.* (ligne 19) ⑥ *Il a disparu sans doute ?* (ligne 26)

8 [A] Les éléments numérotés ci-dessous constituent des réponses ou des parties de réponses que l'interviewé fournit à la personne qui l'interviewe.

① *Dix-neuf ans en juin.* (ligne 2) ② *Ah, bien, ma foi, je le suppose.* (ligne 24) ③ *Oh, certainement pas !* (ligne 29) ④ *Je vous parie bien que non.* (ligne 35) ⑤ *Dieu seul sait.* (ligne 44)

RELÈVE, dans *L'interview*, la phrase que l'intervieweur ou l'intervieweuse emploie pour obtenir chacune des réponses ou des parties de réponses ci-dessus.

Devant chacune des phrases relevées dans *L'interview*, **NOTE** le numéro de la réponse ou de la partie de réponse correspondante.

[B] Parmi les phrases relevées en [A], **DONNE** le numéro de celles qui, bien qu'elles servent à obtenir une information, ne sont pas de type interrogatif.

[C] Pour embrouiller la personne qui fait l'interview, l'interviewé est souvent évasif et incohérent dans ses réponses. Ainsi, il répond rarement par *oui* ou par *non* aux questions auxquelles il pourrait le faire.

Sans tenir compte du contexte dans lequel les phrases relevées en [A] sont énoncées, **INDIQUE** le numéro de celles auxquelles on pourrait répondre simplement par *oui* ou par *non*.

9 Voici trois phrases négatives extraites de *L'interview* ; chacune est suivie de la phrase positive à laquelle elle s'oppose.

① *Je n'en sais rien.* (ligne 7) → *J'en sais quelque chose.* ② *Ce portrait sur le mur, n'est-ce pas votre frère ?* (lignes 19-20) → *Ce portrait sur le mur, est-ce votre frère ?* ③ *Mais nous n'avons jamais su lequel.* (ligne 41) → *Mais nous avons toujours su lequel.*

Laquelle des phrases négatives, dans l'interview, pourrait être remplacée par la phrase positive à laquelle elle s'oppose, sans changer le sens du texte ?

10 Voici un extrait de l'interview.

> *— [...] Nous avions à peine deux semaines lorsqu'on nous mêla dans la baignoire: ⑮ l'un de nous fut noyé.*

Si on remplace la construction passive ⑮ par la construction active à laquelle elle s'oppose, on obtient le texte suivant.

> *— [...] Nous avions à peine deux semaines lorsqu'on nous mêla dans la baignoire: on noya l'un de nous.*

A L'emploi de la construction passive ⑮ plutôt que de la construction active à laquelle elle s'oppose permet d'éviter la répétition d'un mot. **RELÈVE** ce mot, puis **INDIQUE** de quel groupe constituant de la construction active il s'agit.

B **TRANSCRIS** la construction passive ⑮ en lui ajoutant un groupe de mots qui nous apprendrait qui est responsable de la noyade de l'enfant.

C La construction passive ⑮ est incomplète, c'est-à-dire que le complément du verbe passif n'est pas exprimé. Selon toi, cette construction est incomplète parce que l'information qu'apporterait le complément du verbe passif:

ⓐ est connue de tout le monde et se devine aisément;

ⓑ est jugée peu importante, est inconnue ou ne doit pas être sue.

11 Dans chacune des phrases emphatiques ci-dessous, un groupe de mots est mis en relief (celui en gras).

> ① *Nous étions jumeaux, **le défunt et moi.*** (lignes 38-39) ② *C'est **cet enfant** qui a été noyé !* (dernière ligne)

REPÈRE ces phrases emphatiques dans *L'interview*, puis, en tenant compte du contexte dans lequel ces phrases sont énoncées, **JUSTIFIE** l'emploi de la forme emphatique en associant chacune à l'un des énoncés ci-dessous.

ⓐ La forme emphatique permet de mettre en relief un groupe de mots qui vient préciser ce que désigne le GNs.

ⓑ La forme emphatique permet de mettre en relief un groupe de mots qui apporte une information nouvelle et importante.

Pour appliquer *mes* connaissances lorsque *j'écris*

Appliquer tes connaissances sur les types et les formes de phrases en écriture suppose que tu es capable :

- d'employer des phrases de différents types et de différentes formes, d'évaluer leur emploi et de vérifier leur construction;
- d'évaluer, dans tes propres textes, l'emploi de certaines phrases selon leur type et leurs formes, et de vérifier leur construction.

Les deux blocs d'activités qui suivent te permettront de vérifier si tu maîtrises ces habiletés.

J'EMPLOIE DES PHRASES DE DIFFÉRENTS TYPES ET DE DIFFÉRENTES FORMES, J'ÉVALUE LEUR EMPLOI ET JE VÉRIFIE LEUR CONSTRUCTION

1 **Lis** cette recette dont tu devras récrire certaines parties et que tu devras compléter.

La charlotte aux pommes

ⓐ Prendre deux kilos de pommes [...], ⓑ les ranger dans un plat allant au feu, mettre un peu d'eau, et faire cuire à four moyen. Quand elles sont dorées et molles à souhait, ① retirez-les du four et ② réservez-les. D'autre part, attendre que l'on donne dans le théâtre de votre localité une représentation de *Werther*. Le soir de la représentation, munissez-vous de vos pommes et prenez un bon fauteuil d'orchestre. À la première apparition en scène de la chanteuse qui interprète le rôle de Charlotte, ________ ________. Vous aurez ainsi une magnifique «Charlotte aux pommes» [...].

Pierre Dac, cité dans *Les dingues du nonsense : de Lewis Carroll à Woody Allen*, © Balland, 1984.

A **Récris** les constructions ① et ② en mettant les verbes impératifs à la 2e personne du singulier.

B À partir des constructions ⓐ et ⓑ, **construis** deux phrases de type impératif en employant des verbes à l'impératif à la 2e personne du singulier.

C **Complète** la recette à l'aide d'une ou de plusieurs constructions de type impératif précisant au lecteur ce qu'il doit faire avec les pommes. **Emploie** des verbes impératifs à la 2e personne du pluriel.

D À quoi servent la plupart des phrases dans la recette *La charlotte aux pommes* et celles que tu as construites en A, B et C : à constater ou affirmer des faits, à inciter le lecteur ou la lectrice à agir, ou à obtenir des informations ?

E **APPLIQUE** les consignes de l'encadré ci-dessous aux constructions de type impératif que tu as écrites en A, B et C.

JE VÉRIFIE LA CONSTRUCTION DE LA PHRASE DE TYPE IMPÉRATIF
❶ **SOULIGNE** le **verbe** à l'impératif et, s'il est à la 2e personne du singulier, **VÉRIFIE** sa terminaison. Ex. : **Donnes-moi ce crayon.* Correction : *Donne-moi ce crayon.* ANNEXE *Les terminaisons des verbes aux temps simples*, pages 307-308.
❷ Si la phrase contient un ou deux **pronoms déplacés après le verbe**, **SOULIGNE** ce ou ces pronoms, puis **ASSURE**-toi qu'ils sont joints au verbe par un trait d'union. Ex. : **Donne moi ce crayon.* Correction : *Donne-moi ce crayon.*
❸ Si la phrase contient deux pronoms déplacés après le verbe, **ASSURE**-toi que le pronom *le*, *la* ou *les* précède le pronom *me (m')*, *te (t')*, *nous*, *vous*, *lui* ou *leur*. Ex. : **Donne-moi-le.* *Correction : Donne-le-moi.*

J'ÉCRIS

2 A **TRANSFORME** les phrases de type interrogatif ①, ② et ③ de façon que leur construction corresponde à celle de la PHRASE DE BASE.

SERS-toi de la réponse qui suit chacune des phrases interrogatives pour transformer celles-ci.

Questions absurdes

① Pourquoi les éléphants se couchent-ils sur le dos avec les pattes en l'air ?

— Pour faire des crocs-en-jambe aux petits oiseaux.

② Comment est-ce qu'un monstre arrive à compter jusqu'à 19 ?

— En comptant sur ses doigts.

③ Quel est le monument favori des monstres ?

— Le Vampire State Building.

Cité dans *Les dingues du nonsense : de Lewis Carroll à Woody Allen*, © Balland, 1984.

B Dans les phrases que tu as récrites en A, **SOULIGNE** le groupe de mots qui a été déplacé et remplacé par un mot interrogatif dans les phrases de type interrogatif ①, ② et ③.

C Parmi les phrases de type interrogatif ①, ② et ③, laquelle est marquée par la présence d'un mot interrogatif et :

ⓐ par le déplacement du groupe du nom sujet (GNs) après le verbe ?

ⓑ par la reprise du GNs par un pronom ajouté après le verbe ?

ⓒ par la présence de *est-ce que* ?

D **CONSTRUIS** quatre phrases de type interrogatif.

Tu peux t'amuser à construire des questions absurdes !

E **APPLIQUE** les consignes de l'encadré ci-dessous aux phrases de type interrogatif que tu as construites en D.

JE VÉRIFIE LA CONSTRUCTION DE LA PHRASE DE TYPE INTERROGATIF

❶ **SOULIGNE** les **marques de l'interrogation** que la phrase contient: *est-ce que* ou *est-ce qui*, un mot interrogatif qui remplace un élément de la construction correspondant à celle de la PHRASE DE BASE (comme *qui*, *que / qu'*, *quoi*, *où*, *quand*, *comment*, etc.), le GNs déplacé après le verbe ou un pronom ajouté après le verbe.

❷ **VÉRIFIE** la **construction** de la phrase:

- Si la phrase contient un mot interrogatif qui remplace un élément de la construction correspondant à celle de la PHRASE DE BASE, **ASSURE**-toi que ce mot interrogatif:
  – est placé au début de la phrase et non à la fin;

  Ex. : **Tu parles à qui ?* Correction: *À qui parles-tu ?* ou: *À qui est-ce que tu parles ?*

  – n'est pas encadré de *c'est... que* ou de c'*est ... qui*;

  Ex. : **C'est à qui que tu parles ?* Correction: *À qui parles-tu ?*

  – n'est pas suivi de *que* ou de *qui* ou encore de *c'est que* ou de *c'est qui*.

  Ex. : **À qui que tu parles ?*
  **À qui c'est que tu parles ?* Correction: *À qui parles-tu ?*

- Si la phrase ne contient pas *est-ce que* ou *est-ce qui*, **ASSURE**-toi (sauf si le GNs est remplacé par le mot interrogatif *qui*):
  – que le GNs est déplacé après le verbe
  ou:
  – que le GNs est repris par un pronom après le verbe.

  Ex. : **À qui tu parles ?* Correction: *À qui parles-tu ?*

- Si le verbe est suivi du pronom *tu*, **ASSURE**-toi qu'il s'agit bien d'un pronom déplacé et non d'un pronom ajouté.

  Ex. : **Il nous parle-tu ?* Correction: *Nous parle-t-il ?*

❸ Si la phrase contient un **pronom déplacé ou ajouté après le verbe**, **ASSURE**-toi que le verbe et le pronom sont joints par un trait d'union et, si le verbe se termine par une voyelle, **ASSURE**-toi qu'un *t*, encadré de traits d'union, est intercalé entre le verbe et le pronom.

❹ **ASSURE**-toi que la phrase se termine par un **point d'interrogation**.

3 **LIS** ce monologue de Raymond Devos.

La leçon du petit motard

Il y a quelque temps, je prends ma voiture, et voilà que sur la route, je me fais siffler par deux motards… un grand et un petit.
Ils me font signe de me ranger !
J'obtempère !
Le plus grand des deux vient vers moi…
Il me dit *(après avoir composé un visage de brute et en hurlant)* :
— ① Donnez-moi vos papiers !
J'ai dit :
— Oui… Oui… Non, mais… D'accord !… Je vais vous… Je vais vous les… *(Pétrifié par la peur, il ne peut plus parler et indique le mouvement de sortir et de montrer ses papiers.)*
Il me dit :
— Je vous ai fait peur, hein ?
J'ai dit :
— Bof…
Il me dit *(hurlant)* :
— Je ne vous ai pas fait peur ?
J'ai dit :
— Si ! Si !… Vous m'avez fait peur ! Mais qu'est-ce que j'ai fait ?
Il me dit *(montrant un panneau)* :
— Vous ne voyez pas qu'il est défendu de stationner !
Je lui dis :
— Mais c'est vous qui m'avez fait signe !
Il me dit :
— Je vous ai fait signe parce que c'est l'heure de la leçon du petit !
(Il apprenait au petit motard à verbaliser… à mes dépens !) Il dit *(au petit motard)* :
— Tu as vu comment j'ai fait ! Allez… à toi !
Le petit s'approche de moi… gentil… doux… affectueux…
— ② Monsieur… voulez-vous avoir l'obligeance de me montrer vos papiers… s'il vous plaît ?
Ah… si vous aviez entendu le chef…
— Mais non ! Tu es trop gentil ! Tu n'obtiendras jamais rien comme ça… N'est-ce pas, monsieur ?
— Oh… j'ai dit :
— J'avoue qu'il ne m'a pas incité à montrer mes papiers.
Il dit *(au petit motard)* :
— Tu vois… tu allais nous faire perdre un client !
Il me dit :
— Excusez-le !…
Je lui dis :
—Je vous en prie, il n'y a pas de mal !
Il dit *(au petit motard)* :
— Allez… recommence, redemande-lui ses papiers !
Alors là… j'ai dit : « Non ! »

— Excusez-moi… mais je n'ai pas le temps de jouer !
Il me dit *(en hurlant)*:
— Vous n'avez pas le temps de jouer ?
Ah !…
J'ai dit:
— Si ! Si… J'ai tout le temps… On va jouer ! Ah si ! On va jouer… C'est à qui de faire ?…
C'est à moi de donner ? *(Il va pour sortir ses papiers.)*
Il me dit:
— Non ! C'est au petit à demander ! Allez ! À toi !
Le petit *(essayant d'imiter l'expression et le ton du chef… hurlant)*:
— Monsieur ! Donnez-moi… vos papiers… *(glissant vers la gentillesse:)* S'il vous plaît…
Sans ça… *(sa nature reprenant le dessus:)*… le chef va encore se fâcher !
Le chef et moi… on s'est regardés.
Je lui dis:
— Qu'est-ce que je fais ? Je les lui donne ou quoi ?
Il me dit:
— Non !… Il ne les mérite pas !

Raymond Devos, *Sens dessus dessous*, © Stock, 1976.

A À tour de rôle, chaque policier demande à l'automobiliste de lui montrer ses papiers (le grand en employant la phrase ①, le petit en employant la phrase ②). Lequel le fait de la façon la plus polie ou la plus aimable ?

B À quoi servent les phrases ① et ② : à constater un fait, à inciter l'automobiliste à agir ou à obtenir une information ?

C Quelle phrase en couleur est de type impératif ? Laquelle est de type interrogatif ?

D En tenant compte de l'attitude du grand motard, **FORMULE** deux phrases de type impératif ou de type interrogatif qu'il pourrait employer pour inciter l'automobiliste:

- à sortir de sa voiture;
- à l'accompagner au poste de police.

E **IMAGINE** maintenant que les mêmes «incitations à agir» sont formulées par le petit motard, qui est doux et gentil, puis **CONSTRUIS** deux phrases de type impératif ou de type interrogatif.

F Selon le type des phrases que tu as construites en D et E, **APPLIQUE** à chacune les consignes de l'encadré du numéro 1 (page 35) ou celles de l'encadré du numéro 2 (page 36).

4 A **METS** à la forme négative les constructions de forme positive ① et ②.

«Chère Mary, réponds-moi vite par retour du courrier si ① tu acceptes de devenir ma femme. ② Dans le cas contraire, renvoie-moi cette lettre sans l'ouvrir. Je comprendrai…»

Lewis Carroll, cité dans *Les dingues du nonsense: de Lewis Carroll à Woody Allen*, © Balland, 1984.

B **CONSTRUIS** une phrase de forme positive ayant le même sens que la construction ① à la forme négative.

C **RÉCRIS** les phrases ci-dessous en remplaçant l'élément souligné par le mot de négation (*rien*, *personne*, *jamais*, *plus*, *aucun / aucune*, etc.) qui convient et **FAIS** les modifications qui s'imposent.

① *Quelqu'un a transmis la lettre à Mary.* ② *L'homme a reçu une réponse de Mary.*
③ *L'homme a encore voulu voir Mary.*

D **APPLIQUE** les consignes de l'encadré ci-dessous aux constructions de forme négative que tu as écrites en A et C.

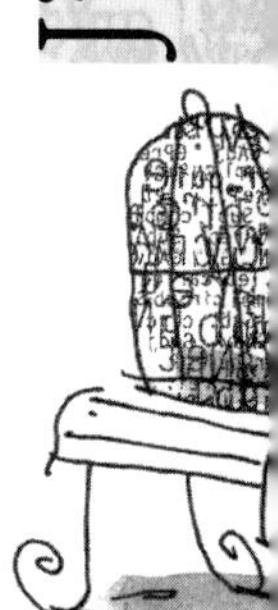

JE VÉRIFIE LA CONSTRUCTION DE LA PHRASE DE FORME NÉGATIVE

❶ **SURLIGNE** le **mot de négation *pas*** (ou *point*, *guère*, *nullement*, *aucunement*) ou le ou les **mots de négation qui remplacent un élément** de la construction correspondant à celle de la PHRASE DE BASE (comme *rien*, *personne*, *jamais*, *aucun / aucune*, etc.).

❷ **ASSURE**-toi que la phrase contient le **mot de négation *ne* (*n'*)** et **SURLIGNE** ce mot.
Ex. : **On écoutait pas.* Correction : *On n'écoutait pas.*

❸ Si la phrase contient un **mot de négation qui remplace un élément** de la construction correspondant à celle de la PHRASE DE BASE, **ASSURE**-toi que la phrase ne contient pas en plus le mot de négation *pas* (ou *point*, *guère*, *nullement*, *aucunement*).
Ex. : **On n'écoutait pas personne.* Correction : *On n'écoutait personne.*

5 A **LIS** d'abord le poème ci-après, dans lequel Jean Tardieu emploie des constructions inspirées de la langue parlée populaire et une orthographe rendant compte de cette langue.

RÉCRIS ensuite le poème en utilisant des tournures propres à la langue écrite courante ou soutenue, et en remplaçant les mots «a» par *elle*, «rin» par *rien*, «x'iste» par *existe*.

La môme néant

(Voix de marionnette, voix de fausset, aiguë, nasillarde, cassée, cassante, caquetante, édentée.)

Quoi qu'a dit ?
— A dit rin.

Quoi qu'a fait ?
— A fait rin.

À quoi qu'a pense ?
— A pense à rin.

Pourquoi qu'a dit rin ?

Pourquoi qu'a fait rin ?

Pourquoi qu'a pense à rin ?

— A x'iste pas.

Jean Tardieu, *Jean Tardieu, un poète*, © Gallimard, 1981.

B **APPLIQUE** les consignes de l'encadré du numéro **2** (page 36) aux phrases de type interrogatif que tu as récrites en **A**, et celles de l'encadré du numéro **4** (page 39) aux phrases de forme négative.

6 Voici une liste de personnes qui, à leur manière, ont marqué l'histoire…

Emma Lad — Taka Tlavé — Yvon X. Plosé

RÉPONDS aux questions ci-dessous par une phrase de forme passive dans laquelle apparaîtra l'un des noms de la liste.

Attention à l'accord du participe passé !

Ex. : *Qui a mis au point les premières allumettes à friction ?*

Réponse : Les premières allumettes à friction ont été mises au point par Alain Flammable.

① *Selon toi, qui a mis au point la première bombe ?* ② *Selon toi, qui inventa la première maladie ?* ③ *Selon toi, qui a popularisé l'usage du savon ?*

7 Voici trois énigmes.

① Quelle est la lettre, en français, qui passe parfois par l'aspirateur ?

② Trouve-t-on plus d'ovins dans un troupeau de moutons que dans un troupeau de bœufs ?

③ Victor Hugo a-t-il écrit les *Mémoires d'outre-tombe* avant ou après sa mort ?

Charles-É. Jean, *Drôles d'énigmes*, © Éditions de la paix, 1996.

Les phrases en couleur donnent la solution de chacune des énigmes ci-dessus.

① *La lettre « h » passe parfois par l'aspirateur, car elle peut être aspirée.*

② *On trouve plus d'ovins dans un troupeau de moutons, car un ovin est un mouton.*

③ *Chateaubriand a écrit les* Mémoires d'outre-tombe.

REPÈRE l'information la plus importante dans chacune des phrases en couleur, puis **RÉCRIS** les phrases en mettant en relief cette information à l'aide de *c'est… qui* ou de *c'est… que*.

8 **RÉCRIS** les phrases en couleur ci-dessous en mettant l'élément souligné en relief :

- **DÉTACHE** (en tête de phrase ou en fin de phrase) le groupe de mots souligné

et :

- **REPRENDS** dans la phrase le groupe de mots détaché par le pronom approprié.

Attention à la ponctuation !

① — Avez-vous emprunté l'autoroute dernièrement ?
— J'emprunte l'autoroute tous les jours… Mais soyez sans crainte, je la remets toujours là où je l'ai prise !

② M. Seguin a perdu sa chèvre. La Mère Michelle a perdu son chat. J'ai perdu mon temps.

③ — Ne trouverai-je jamais le bonheur ?
— Cherchez le bonheur dans le dictionnaire : il y est à coup sûr !

J'ÉCRIS UN TEXTE, J'ÉVALUE L'EMPLOI DES PHRASES DANS MON TEXTE ET JE VÉRIFIE LA CONSTRUCTION DE CERTAINES D'ENTRE ELLES

Voici une stratégie de révision de texte qui t'amènera à te questionner sur l'emploi de certaines phrases dans tes textes.

J'ÉVALUE L'EMPLOI DES PHRASES

❶ S'il y a lieu, **REPÈRE** les **phrases qui servent à inciter quelqu'un à agir**, puis **ÉVALUE** si le type de phrase choisi convient.

Ex. : *Donnez-moi vos papiers !* (type impératif)
ou : *Voulez-vous avoir l'obligeance de me montrer vos papiers ?* (type interrogatif)
ou : *J'aimerais voir vos papiers.* (type déclaratif)

❷ S'il y a lieu, **REPÈRE** les **phrases de type déclaratif** :

- **qui servent à demander une information**, puis **ÉVALUE** si l'une ou plusieurs d'entre elles peuvent être remplacées par une phrase de type interrogatif.
  Ex. : La phrase : *Vous avez l'heure ?* (type déclaratif)
  peut être transformée ainsi : *Avez-vous l'heure ?* (type interrogatif)
- **qui servent à exprimer quelque chose avec force**, puis **ÉVALUE** si l'une ou plusieurs d'entre elles peuvent être remplacées par une phrase de type exclamatif.
  Ex. : La phrase : *Tu es très habile !* (type déclaratif)
  peut être transformée ainsi : *Comme tu es habile !* (type exclamatif)

❸ **ÉVALUE** s'il conviendrait d'employer la **forme passive** (plutôt que la **forme active**) :

- pour reprendre en début de phrase l'information connue ;
  Ex. : La phrase soulignée : *Qui a commis le crime ? M. Untel a commis le crime.* (forme active)
  peut être transformée ainsi : *Le crime a été commis par M. Untel.* (forme passive)
- pour éviter de donner une information ou pour éviter une répétition.
  Ex. : La phrase : *M. Untel a commis le crime hier vers 8 h.* (forme active)
  peut être transformée ainsi : *Le crime a été commis hier vers 8 h.* (forme passive)

❹ **ÉVALUE** s'il conviendrait d'employer la **forme emphatique** (plutôt que la **forme neutre**) :

- pour mettre en relief une information nouvelle ou importante ;
  Ex. : La phrase soulignée : *Qui avez-vous interrogé ? On a interrogé M. Untel.* (forme neutre)
  peut être transformée ainsi : *C'est M. Untel qu'on a interrogé.* (forme emphatique)
- pour annoncer ce dont tu parles dans la phrase, ou préciser ou rappeler ce que désigne un pronom de la phrase.
  Ex. : Les phrases : *On a déjà interrogé M. Untel.* (forme neutre) — *On l'a déjà interrogé.* (forme neutre)
  peuvent être transformées ainsi : *M. Untel, on l'a déjà interrogé.* (forme emphatique)

La stratégie de révision de texte ci-dessous t'amènera à t'interroger sur certaines constructions, soit celles de type impératif, celles de type interrogatif et celles de forme négative.

JE VÉRIFIE LA CONSTRUCTION DES PHRASES		
PHRASE DE TYPE IMPÉRATIF	**PHRASE DE TYPE INTERROGATIF**	**PHRASE DE FORME NÉGATIVE**
❶ **SOULIGNE** le **verbe** à l'impératif et, s'il est à la 2e personne du singulier, **VÉRIFIE** sa terminaison.	❶ **SOULIGNE** les **marques de l'interrogation** : *est-ce que* ou *est-ce qui*, un mot interrogatif qui remplace un élément de la construction correspondant à celle de la PHRASE DE BASE, le GNs déplacé après le verbe ou un pronom ajouté après le verbe.	❶ **SURLIGNE** le **mot de négation** ***pas*** ou le ou les **mots de négation qui remplacent un élément** de la construction correspondant à celle de la PHRASE DE BASE.
❷ Si la phrase contient un ou deux **pronoms déplacés après le verbe**, **SOULIGNE** ce ou ces pronoms, puis **ASSURE**-toi qu'ils sont joints au verbe par un trait d'union.	❷ **VÉRIFIE** la **construction** de la phrase. Au besoin, **RÉFÈRE**-toi à l'étape ❷ de la stratégie JE VÉRIFIE LA CONSTRUCTION DE LA PHRASE DE TYPE INTERROGATIF, page 36.	❷ **ASSURE**-toi que la phrase contient le **mot de négation** ***ne*** *(n')* et **SURLIGNE** ce mot.
❸ Si la phrase contient deux pronoms déplacés après le verbe, **ASSURE**-toi que le pronom *le*, *la* ou *les* précède le pronom *moi*, *toi*, *nous*, *vous*, *lui* ou *leur*.	❸ Si la phrase contient un **pronom déplacé ou ajouté après le verbe**, **ASSURE**-toi qu'il est joint au verbe par un trait d'union et **VÉRIFIE** si un *t* encadré de traits d'union doit être intercalé entre le verbe et le pronom.	❸ Si la phrase contient un ou des **mots de négation qui remplacent un élément** de la construction correspondant à celle de la PHRASE DE BASE, **ASSURE**-toi que la phrase ne contient pas en plus le mot de négation *pas*.
	❹ **ASSURE**-toi que la phrase se termine par un **point d'interrogation**.	

Activité de révision

Dans un premier temps, **APPLIQUE** au texte ci-dessous la stratégie de révision J'ÉVALUE L'EMPLOI DES PHRASES (page 41), puis, dans un second temps, la stratégie de révision JE VÉRIFIE LA CONSTRUCTION DES PHRASES (page 42).

ttention ! Erreurs.

La consultation

L'ENFANT : Docteur, soignez moi. Je me suis blessé.

LE DOCTEUR : Où tu t'es blessé, cher enfant.

L'ENFANT : Dans ma chambre.

LE DOCTEUR : Cela est très étrange! Habituellement, on se blesse dans le salon.

L'ENFANT : C'est à cause de mon lit. Vous avez vu la couleur des draps ?

LE DOCTEUR : Non, je l'ai pas remarquée. En plus, je suis daltonien. Tiens, qui qui a peint les murs de ta chambre en vert ?

L'ENFANT : Le fils unique de mon père a choisi cette horrible couleur.

LE DOCTEUR : Ton frère a un goût douteux !

L'ENFANT : J'ai pas de frère. Je n'ai que deux sœurs.

LE DOCTEUR : Et qui c'est qui a choisi ces rideaux verts ?

L'ENFANT : La fille unique de ma mère a acheté ces rideaux en solde.

LE DOCTEUR : Eh bien, elle a pas plus de goût que son frère. Personne leur a fait remarquer que le vert est passé de mode ?

L'ENFANT : Il semble que non... Docteur, j'ai mal.

LE DOCTEUR : Je vais t'examiner : retires cet horrible habit de neige vert et étends toi sur ton lit.

L'ENFANT : En plus, mon frère et ma sœur me rendent fou. Dites moi que je suis pas mûr pour l'asile.

LE DOCTEUR : T'as rien à craindre ! Tu peux pas être mûr : tu as le teint tout vert.

L'ENFANT : Vous me rassurez !

Activité d'écriture

Mise en situation

LIS le fait divers ci-après, puis **IMAGINE** l'interrogatoire policier auquel les parents ont dû se soumettre après qu'on eut retrouvé leurs enfants plantés dans le jardin !

Étrange famille !

Depuis quelque temps, on ne voyait plus les enfants. Ni à l'école ni au terrain de jeu. Pourtant les parents n'avaient pas déménagé. Ils menaient leur vie comme d'habitude. Seul détail, on les avait vus soudain s'intéresser au jardinage. Un passe-temps comme un autre, pensera-t-on.

Probablement. Mais il s'agissait d'un jardinage bien particulier.

On a retrouvé les enfants plantés dans le jardin. Leurs parents en prenaient bien soin : « On tient tellement à en faire des enfants cultivés ! » affirmèrent-ils.

Jacques Pasquet, *Sans queue ni tête, fantaisies langagières.*

Contraintes d'écriture

Rien ne t'empêche de jouer avec les mots et d'écrire un texte absurde et farfelu ! Ton texte doit cependant :

- faire intervenir deux personnages : l'inspecteur de police chargé de l'enquête et la mère ou le père des enfants;
- être présenté sous la forme d'un dialogue et mentionner chaque fois quel personnage parle (l'inspecteur, la mère ou le père);

  EX. : L'INSPECTEUR : *Madame, vos enfants ont été retrouvés plantés dans votre jardin. Comment expliquez-vous cela ?*
  LA MÈRE : *L'esprit et l'intelligence des enfants, ça se cultive, monsieur l'agent, au même titre que les champs, les céréales ou les pommes de terre...*

- comprendre au moins dix phrases, dont :
  - trois phrases de type interrogatif,
  - deux phrases de type impératif,
  - une phrase de forme négative,
  - une phrase de forme passive,
  - une phrase de forme emphatique;
- être écrit à double interligne.

Étape de révision

VÉRIFIE d'abord si tu as bien respecté les contraintes d'écriture, puis **RÉVISE** ton texte à l'aide des stratégies de révision de texte :

- J'ÉVALUE L'EMPLOI DES PHRASES (page 41);
- JE VÉRIFIE LA CONSTRUCTION DES PHRASES (page 42).

Atelier 2

LE GROUPE DU NOM

Sa construction
Sa fonction
Son emploi dans le texte

Et la pêche grossit, grossit, grossit.

Roald Dahl

En première secondaire, tu as fait beaucoup d'apprentissages sur le groupe du nom. **VÉRIFIE** si tu sais reconnaître les divers éléments qui peuvent entrer dans sa construction et si tu sais identifier les différentes fonctions que ce groupe de mots peut avoir dans la phrase.

LA CONSTRUCTION DU GROUPE DU NOM

Le texte ci-dessous résume un conte de Roald Dahl: *James et la grosse pêche.* Les 16 groupes de mots en couleur dans ce texte sont des groupes du nom (GN).

RÉSUMÉ DE *JAMES ET LA GROSSE PÊCHE*, DE ROALD DAHL

Lorsque ① James, un jeune orphelin, renverse ② un sac de langues de crocodiles magiques dans ③ son jardin, ④ il voit ⑤ une pêche qui se met à pousser démesurément sous ses yeux. Quand ⑥ la pêche cesse enfin de grossir, ⑦ sa taille est telle qu'⑧ on peut ⑨ la comparer à ⑩ celle d'un éléphant ! ⑪ Le petit garçon pénètre dans ⑫ cet énorme fruit et est instantanément introduit dans ⑬ un univers enchanté. ⑭ James vivra ⑮ des aventures extraordinaires à bord de ⑯ la pêche géante, qui le transportera dans une ville où ses rêves deviendront réalités.

1 **Le GN peut se présenter sous différentes constructions.** Il a une **construction minimale** ou une **construction étendue**, selon que son noyau est complété ou non par une ou plusieurs expansions.

Le tableau ci-après décrit huit constructions de GN. Les trois premières sont des constructions minimales; les autres, des constructions étendues. Dans le résumé ci-dessus, **RELÈVE** au moins un GN numéroté dont la construction correspond à chacune de ces huit descriptions.

Dans le GN, l'expansion peut se trouver avant le noyau qu'elle complète.

Ex.: D ⑪ *Le petit garçon*

	Déterminant	Noyau		Expansion(s)			
		Nom	Pronom	Groupe de l'adjectif	Groupe prépositionnel	Groupe du nom	Subordonnée relative
A	•	•					
B		•					
C			•				
D	•	•		•			
E	•	•			•		
F			•		•		
G		•				•	
H	•	•					•
I	•	•		•			•

LA FONCTION DU GROUPE DU NOM

2 A **Le groupe du nom** (GN) **peut être un groupe constituant de la phrase.** Dans ce cas, il a la fonction soit de **sujet** (s), soit de **complément de phrase** (compl. de P).

Reproduis les schémas ci-après en remplaçant chacune des indications en couleur par le GN de la phrase suivante qui convient.

Ce soir-là, James pénètre dans l'énorme pêche.

GNs	+	GV	+	(Gcompl. P)
GN s	+	GV	+	GN compl. de P

B **Le GN peut être contenu dans un groupe de mots.** Dans ce cas, il a l'une ou l'autre des fonctions suivantes :

- **attribut du sujet** (attr. du s),
- **complément du verbe** (compl. du V),
- **complément du nom** (compl. du N),
- **complément du pronom** (compl. du Pron).

Reproduis les schémas ci-après en remplaçant chacune des indications en couleur par le GN des phrases suivantes qui convient.

Ce garçon, James, est un malheureux orphelin.

Petit garçon fort curieux, il aime l'aventure.

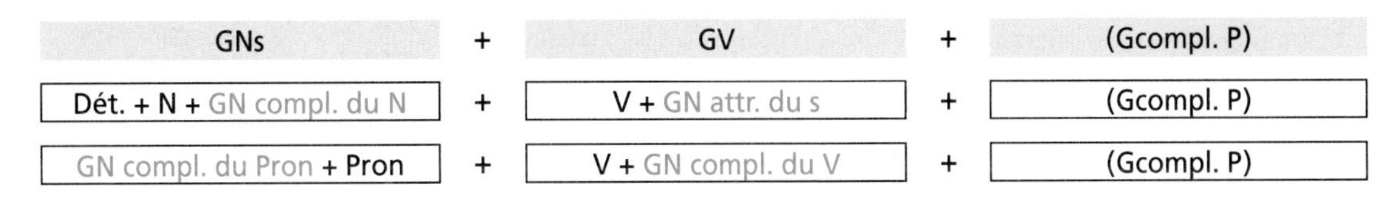

GNs	+	GV	+	(Gcompl. P)
Dét. + N + GN compl. du N	+	V + GN attr. du s	+	(Gcompl. P)
GN compl. du Pron + Pron	+	V + GN compl. du V	+	(Gcompl. P)

C **Le GN peut être placé à la suite d'une préposition** ; dans ce cas, il forme avec cette préposition un groupe prépositionnel (Gprép).

Dans les trois phrases données en A et B, **relève** le GN qui est introduit par une préposition.

j'observe et je découvre

Lis cet extrait de *James et la grosse pêche*, un conte de Roald Dahl. Les groupes de mots mis en évidence dans le texte sont des groupes du nom (GN).

TEXTE D'OBSERVATION

James et la grosse pêche

James et ses tantes, Piquette et Éponge, se trouvent au pied d'un vieux pêcher, dans un coin de leur jardin, lorsque Piquette aperçoit une pêche dans le pêcher.

« Une pêche ! » cria tante Piquette. [...] « Là sur la plus haute branche ! La voyez-vous ? »

« Vous délirez, ma chère Piquette. Ce misérable arbre ne porte jamais de fruits. [...] Je ne vois rien, moi. Très drôle... Ha, ha !... Mais... mon Dieu... Est-ce que je rêve ? Je vais m'évanouir ! Mais... vous avez raison ! C'est une pêche ! [...] »

« Elle m'a l'air bien mûre », dit [...] tante Piquette [...].

« Si on la mangeait ? » suggéra tante Éponge en se léchant les babines. « Nous allons la couper en deux. Hé, toi, James ! Amène-toi et grimpe sur cet arbre ! »

James accourut.

« Tu vas cueillir cette pêche, là, sur la plus haute branche », dit tante Éponge. « La vois-tu ? »

« Oui, ma tante, je la vois ! »

« Et maintenant vas-y ! Grimpe ! »

James passa de l'autre côté de l'arbre.

« Arrête ! » fit soudain tante Piquette. « Ne bouge plus ! [...] Regardez, Éponge, regardez ! [...] Elle POUSSE ! [...] Elle devient de plus en plus grosse ! [...] Elle gonfle à vue d'œil ! »

Les deux femmes et le petit garçon se tenaient immobiles à l'ombre du vieux pêcher sans quitter des yeux ce fruit extraordinaire. Le petit visage de James était tout rouge, ses yeux agrandis brillaient comme des étoiles devant cette pêche qui grossissait, qui grossissait comme un ballon qui gonfle quand on souffle dedans. […]

La branche où elle pendait commençait à plier sous son poids. […]

«Il faut qu'elle s'arrête !» cria tante Piquette. «Ça ne peut plus durer !»

Mais la pêche ne s'arrêta pas.

Bientôt elle fut de la taille d'une petite voiture. Elle allait toucher le sol.

Maintenant les deux tantes tournaient autour de l'arbre en bondissant comme des folles. Elles battaient des mains et poussaient des cris […].

Quant à James, il était si magnétisé par ce phénomène qu'il en resta immobile, les yeux écarquillés. […]

«Regardez !» cria tante Piquette. «Elle pousse plus vite que jamais ! Elle accélère !» […]

Et la pêche grossit, grossit, grossit.

Enfin, lorsqu'elle fut à peu près aussi grande que l'arbre qui la portait, aussi grande qu'une petite maison, **sa partie inférieure** toucha le sol en silence et ne bougea plus. […]

Tante Éponge et tante Piquette firent lentement le tour de la pêche afin de l'examiner minutieusement. […] L'énorme fruit les dominait de sa rondeur dorée, si bien qu'elles ressemblaient à des Lilliputiennes venues d'un monde lointain.

Roald Dahl, *James et la grosse pêche*,
traduction Maxime Orange, © Gallimard, 1966.

L'année dernière, tu as amorcé l'étude de l'emploi du déterminant dans le texte. Cette année, tu poursuivras cette étude et tu découvriras les grandes règles d'emploi du groupe du nom dans le texte.

J'OBSERVE...

L'EMPLOI DU GROUPE DU NOM DANS LE TEXTE

1 A Il est question d'une pêche dans le texte d'observation. **RELÈVE** le groupe du nom (GN) que Piquette emploie pour nommer la pêche la première fois, puis **ENCERCLE** le déterminant introduisant le nom noyau de ce GN.

B Les GN en couleur dans le texte désignent-ils tous la pêche que Piquette a déjà nommée une première fois ?

2 A Cinq des GN en couleur ont le nom *pêche* comme noyau. **RELÈVE** ces GN, puis **ENCERCLE** le déterminant introduisant leur nom noyau.

B Selon toi, dans les cinq GN relevés en A, pourquoi le déterminant *une* (qui est un **déterminant non référent**) n'est-il pas employé ?

ⓐ Afin d'éviter la répétition du déterminant *une* dans le texte.

ⓑ Parce que cela n'aurait pas toujours été clair qu'il s'agit de la pêche qui a été nommée une première fois.

C Deux des GN en couleur ont le nom *fruit* comme noyau. **RELÈVE** ces GN, puis **ENCERCLE** le déterminant introduisant leur nom noyau.

D Selon toi, pour quelle raison le nom *fruit* est-il introduit par les déterminants *le* ou *ce* (qui sont des **déterminants référents**) et non pas par le déterminant *un* ?

3 A Le nom *pêche* et le nom *fruit* n'ont pas exactement le même sens. **EXPLIQUE**.

B Selon toi, pour quelle raison emploie-t-on parfois le nom *fruit* (et non pas toujours le nom *pêche*) dans le texte ?

4 **COMPLÈTE** le début de texte ci-après à l'aide de deux des GN ci-dessous, de façon à éviter la répétition du nom *pêche*. **ASSURE**-toi que le texte demeure cohérent.

la pêche — une pêche — un fruit — le fruit

Lorsque James renverse un sac de langues de crocodiles magiques dans son jardin, ① ... se met à pousser démesurément sous ses yeux. Quand ② ... cesse enfin de grossir, sa taille est telle qu'on peut la comparer à celle d'un éléphant !

GN GN GN GN GN GN GN

5 [A] Si la première ligne du texte d'observation avait été celle-ci: «Là, sur la plus haute branche! La voyez-vous?», aurais-tu su immédiatement de quoi Piquette parle? Pourquoi?

[B] Si tu voulais éviter la répétition du nom *pêche* dans le paragraphe ci-dessous, remplacerais-tu par un pronom tous les GN en couleur ou seulement les trois derniers? Pourquoi?

> *Le petit garçon admirait la pêche. La pêche était d'un superbe jaune doré avec des taches rouges. Il fit un pas prudent en avant et toucha la pêche avec précaution, du bout du doigt. La pêche était douce et chaude.*

[C] Pour quelle raison ne pourrait-on pas remplacer le GN *la pêche* par le pronom *la* dans la deuxième phrase ci-dessous?

> *Le petit garçon observait la pêche et sa tante Piquette. Il fit un pas prudent en avant et toucha la pêche avec précaution, du bout du doigt.*

6 [A] Les GN en couleur dans le texte d'observation désignent tous la même chose, c'est-à-dire la pêche que Piquette a vue dans l'arbre.

Le **GN** en gras dans l'avant-dernier paragraphe du texte d'observation désigne-t-il:

ⓐ exactement la même chose que les GN en couleur?

ⓑ quelque chose en relation avec la pêche?

ⓒ quelque chose qui n'a aucune relation avec la pêche?

[B] Dans le dernier paragraphe du texte d'observation, **RELÈVE** le GN qui désigne quelque chose en relation avec le GN *l'énorme fruit*, contenu dans le même paragraphe.

[C] Afin d'éviter la répétition du nom *James* dans les phrases ci-après, lequel des GN ci-dessous choisirais-tu pour remplacer le GN en couleur? Pourquoi?

> *Le petit visage — Ce petit visage — Son petit visage*
>
> *James se tenait immobile à l'ombre du vieux pêcher. Le petit visage de James était tout rouge, ses yeux agrandis brillaient comme des étoiles devant cette pêche extraordinaire.*

[D] Dans le contexte ci-dessous, pour quelle raison ne pourrait-on pas remplacer le GN *Le petit visage de James* par le GN *Son petit visage*?

> *Tante Piquette et le petit garçon se tenaient immobiles à l'ombre du vieux pêcher. Le petit visage de James était tout rouge, ses yeux agrandis brillaient comme des étoiles devant cette pêche extraordinaire.*

7 [A] Les deux <u>GN</u> soulignés dans le texte d'observation désignent-ils quelque chose qui a déjà été exprimé au moyen d'un autre GN ?

[B] À quoi ces <u>GN</u> font-ils référence ?

[C] Pourquoi le nom *<u>phénomène</u>* est-il introduit par un <u>déterminant référent</u> ?

J'AI DÉCOUVERT...

L'EMPLOI DU GROUPE DU NOM DANS LE TEXTE

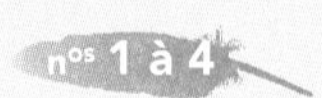

Dans un texte, le groupe du nom (GN) peut servir à **désigner quelque chose pour la première fois.** Le nom noyau d'un GN désignant quelque chose pour la première fois est généralement introduit par un déterminant comme ✎ (il s'agit d'un déterminant non référent).

Le GN peut **faire référence à quelque chose qui a déjà été exprimé** dans le texte. On dit alors qu'il y a **reprise de l'information.**

Un GN peut <u>reprendre une information exprimée au moyen d'un GN</u> :

- en ayant le ✎ nom noyau que le GN déjà utilisé (EX. : *Une pêche... Cette pêche...*);
- en ayant un nom noyau ✎ de celui du GN déjà utilisé (EX. : *Une pêche... Le fruit...*).

Le nom noyau d'un GN qui <u>reprend une information exprimée au moyen d'un GN</u> est généralement introduit par un déterminant comme ✎ ou ✎ (il s'agit de déterminants référents).

Un GN peut <u>reprendre une information exprimée au moyen d'un GN</u> en ayant un ✎ comme noyau (EX. : *C'est une pêche ! Elle a l'air bien mûre !*).

Un GN peut <u>reprendre une information exprimée au moyen d'un GN</u> en désignant quelque chose en relation avec ce GN (EX. : *La pêche était magnifique.* ✎ *était douce comme la peau d'un bébé souris*).

Un GN peut <u>reprendre une information exprimée autrement que par un GN</u>, par un ou plusieurs paragraphes, par exemple. Un tel GN peut avoir comme noyau le pronom *cela* (ou *ça* ; *ce, c'*) ou un nom introduit par un déterminant comme *le* ou ✎ (il s'agit de déterminants référents).

DÉJÀ VU

1 LA CONSTRUCTION DU GROUPE DU NOM

Nous disposons de nombreuses possibilités pour construire un groupe du nom. Connaître ces possibilités permet de varier la construction des groupes du nom que nous employons, d'en corriger la construction ou encore d'enrichir ces groupes. Connaître les diverses constructions possibles du groupe du nom permet également d'analyser les phrases que nous lisons pour mieux les comprendre.

1.1 LA CONSTRUCTION MINIMALE DU GROUPE DU NOM

Le groupe du nom (GN) est constitué au minimum d'un déterminant (Dét) et d'un **nom** (N), d'un **nom** seul ou encore d'un **pronom** (Pron). Le **noyau** du GN est soit un **nom**, soit un **pronom**.

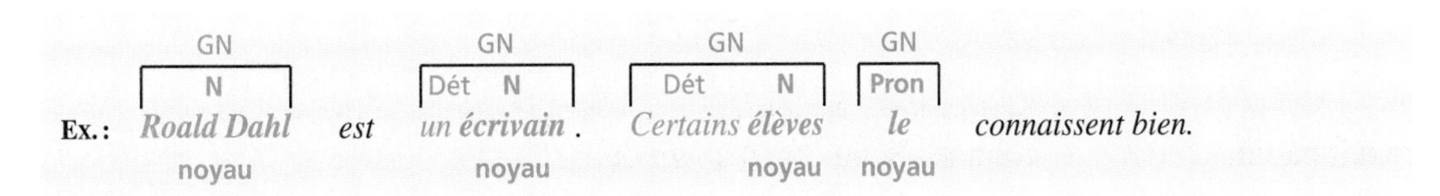

AIDE-MÉMOIRE *Le déterminant*, pages 286-287.

AIDE-MÉMOIRE *Le nom*, page 285.

Attention ! Tous les pronoms ne sont pas le noyau d'un GN. Un **pronom** n'est pas le noyau d'un GN lorsqu'il remplace un élément autre qu'un GN ou lorsqu'il est l'équivalent d'un élément autre qu'un GN.

Ex.: *J'aimerais faire connaître Roald Dalh à mes amis. Je* ***leur*** *parlerai de cet auteur.*
(Le pronom ***leur*** n'est pas un GN, car il remplace un groupe prépositionnel : *Je parlerai de cet auteur à mes amis.*)

Je ***vous*** *parlerai de cet auteur.*
(Le pronom ***vous*** n'est pas un GN, car il est l'équivalent du groupe prépositionnel *à vous*.)

AIDE-MÉMOIRE *Le pronom*, pages 289-290.

1.2 LA CONSTRUCTION ÉTENDUE DU GROUPE DU NOM

Dans le groupe du nom (GN), on peut trouver un ou plusieurs éléments qui dépendent du noyau (nom ou pronom): ce sont des **expansions** du noyau. L'**expansion** est généralement placée après le noyau du GN.

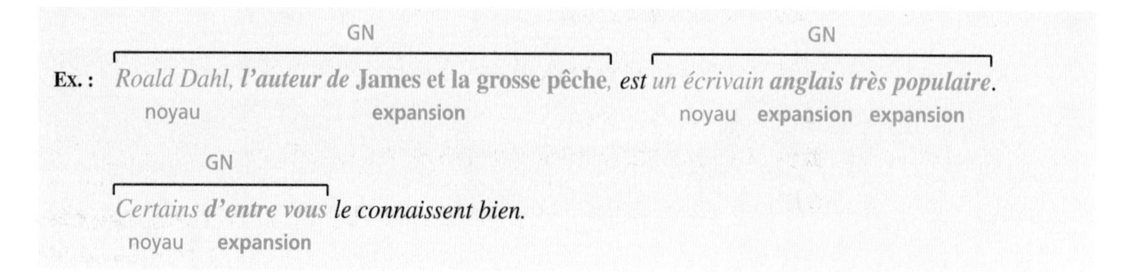

Remarque : Certaines expansions peuvent ou doivent être placées avant le noyau du GN. C'est le cas :

- de certains groupes de l'adjectif ;

  Ex. : James et la grosse pêche *est un beau conte.*
  James et la grosse pêche *est un conte magnifique / un magnifique conte.*

- de certaines expansions qui sont détachées par la virgule.

  Ex. : *Porté à l'écran en 1996, ce conte de Roald Dahl a enchanté des milliers de cinéphiles.*
  Écrivain très imaginatif, il a écrit des histoires complètement insolites.

1.2.1 LA CONSTRUCTION DE L'EXPANSION DU NOM OU DU PRONOM

Dans le groupe du nom (GN), l'**expansion** du noyau peut se présenter sous diverses constructions. Les plus courantes sont le **groupe de l'adjectif** (GAdj), le **groupe prépositionnel** (GPrép), le **GN**, la **subordonnée relative** (Sub. rel.) et la **subordonnée participiale** [(Sub. part.) il s'agit d'une phrase subordonnée dont le groupe du verbe a pour noyau un verbe au participe présent ou au participe passé].

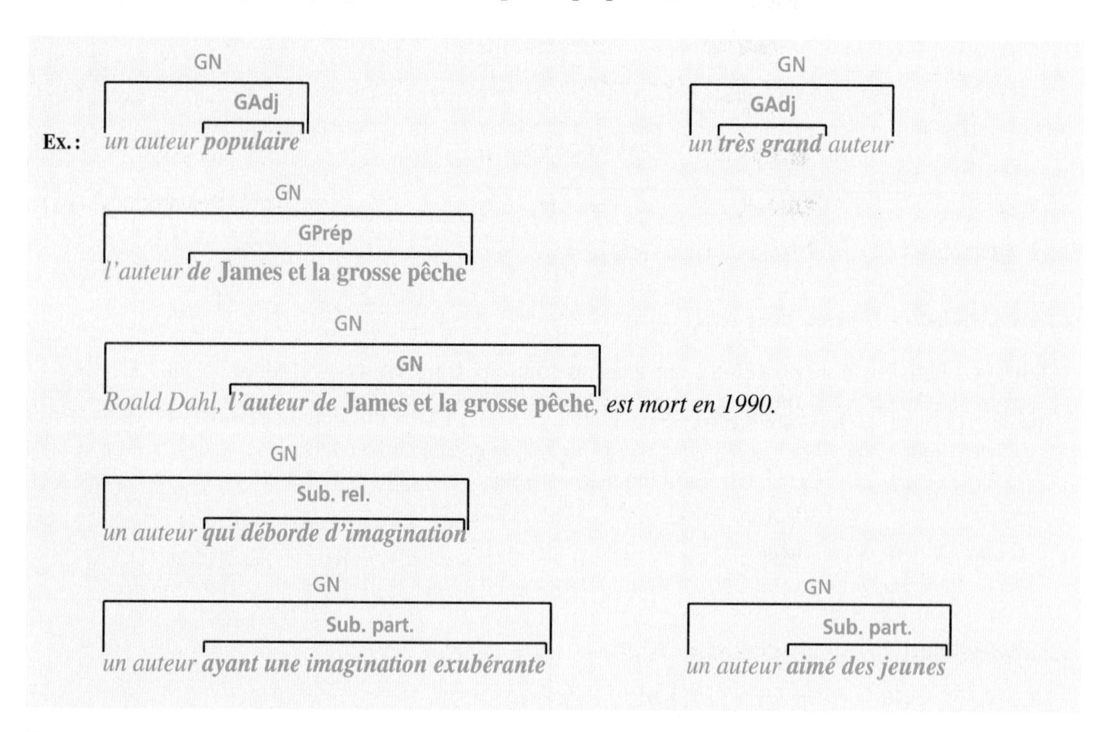

Remarque : On peut considérer comme un adjectif un **verbe au participe passé** fonctionnant comme un adjectif; on peut donc considérer comme un GAdj un groupe de mots dont le **noyau** est un tel **verbe au participe passé** (Ex. : *un auteur très apprécié*).

1.2.2 LA FONCTION DE L'EXPANSION DU NOM OU DU PRONOM

Dans le groupe du nom (GN), l'**expansion** (qui est généralement facultative sur le plan grammatical) a soit la fonction de **complément du nom** (compl. du N), soit celle de **complément du pronom** (compl. du Pron); elle est complément du nom si le noyau dont elle dépend est un nom, et complément du pronom si ce noyau est un pronom.

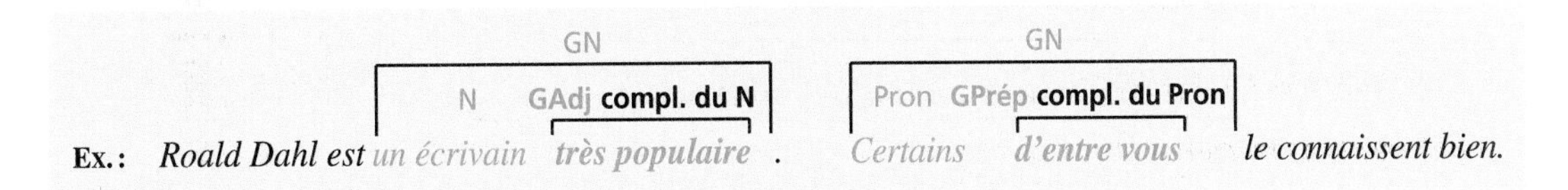

Ex.: *Roald Dahl est un écrivain très populaire.* *Certains d'entre vous le connaissent bien.*

Remarque: Certaines **expansions** sont obligatoires sur le plan grammatical.

Ex.: *Roald Dahl a écrit* James et la grosse pêche *vers l'âge de quarante ans.*
→ **Roald Dahl a écrit* James et la grosse pêche *vers l'âge ø.*

Ceux qui aiment le fantastique aimeront les contes de Roald Dahl.
→ **Ceux ø aimeront les contes de Roald Dahl.*

DÉJÀ VU

2 LA FONCTION DU GROUPE DU NOM

Le groupe du nom (GN) peut avoir différentes fonctions grammaticales dans la phrase, les principales étant les fonctions de **sujet**, de **complément de phrase**, d'**attribut du sujet**, de **complément direct du verbe** et de **complément du nom** ou **du pronom**.

Le GN peut être un groupe constituant de la phrase:

- il peut être un groupe constituant obligatoire; dans ce cas, le GN a la fonction de **sujet** (s);
- il peut être un groupe constituant facultatif; dans ce cas, le GN a la fonction de **complément de phrase** (compl. de P).

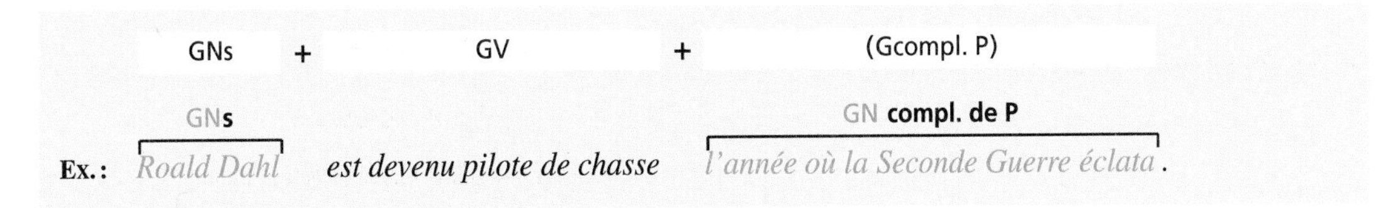

Ex.: *Roald Dahl est devenu pilote de chasse l'année où la Seconde Guerre éclata.*

Le GN peut être contenu dans un groupe de mots:

- il peut être une expansion du verbe noyau d'un groupe du verbe (GV); dans ce cas, le GN a l'une ou l'autre des fonctions suivantes:
  - la fonction d'**attribut du sujet** (attr. du s) si le noyau du GV est un verbe attributif;
  - la fonction de **complément direct du verbe** (compl. dir. du V) si le noyau du GV est un verbe non attributif.

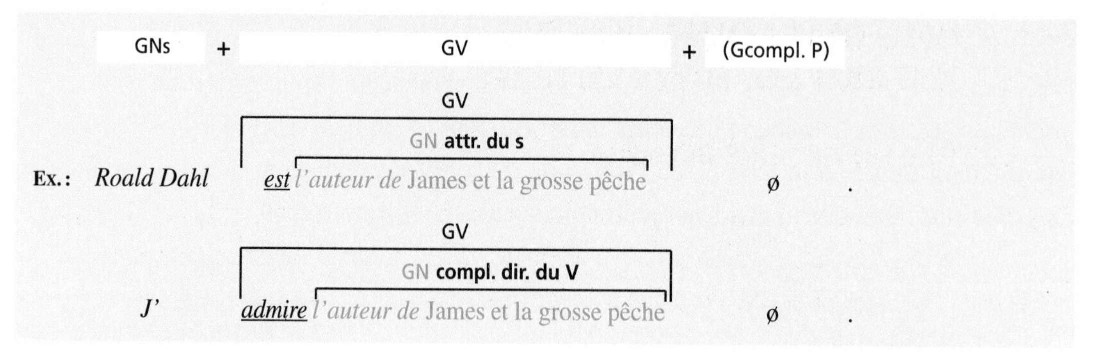

- il peut être une expansion du noyau d'un GN; dans ce cas, le GN a l'une ou l'autre des fonctions suivantes:
  - la fonction de **complément du nom** (compl. du N) si le **noyau** du GN est un **nom**;
  - la fonction de **complément du pronom** (compl. du Pron) si le **noyau** du GN est un **pronom**.

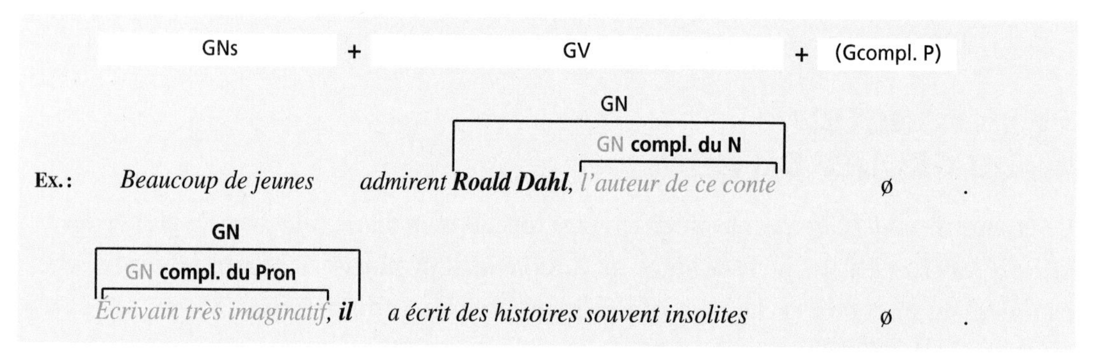

P Le GN ayant la fonction de complément du nom ou du pronom est généralement détaché par la **virgule**:

- il est suivi d'une **virgule** lorsqu'il se trouve en tête de phrase;
  Ex.: *Écrivain très imaginatif, Roald Dahl a écrit des histoires souvent insolites.*
  Écrivain très imaginatif, il a écrit des histoires souvent insolites.
- il est précédé d'une **virgule** lorsqu'il se trouve en fin de phrase;
  Ex.: *Connaissez-vous Roald Dahl, l'auteur de* James et la grosse pêche *?*
- il est encadré de **virgules** lorsqu'il se trouve ailleurs dans la phrase.
  Ex.: *Roald Dahl, l'auteur de* James et la grosse pêche, *est mort en 1990.*

- il peut être placé à la suite d'une préposition; dans ce cas, le GN forme avec cette préposition un groupe prépositionnel (GPrép), et c'est le GPrép qui a une **fonction** dans la phrase.

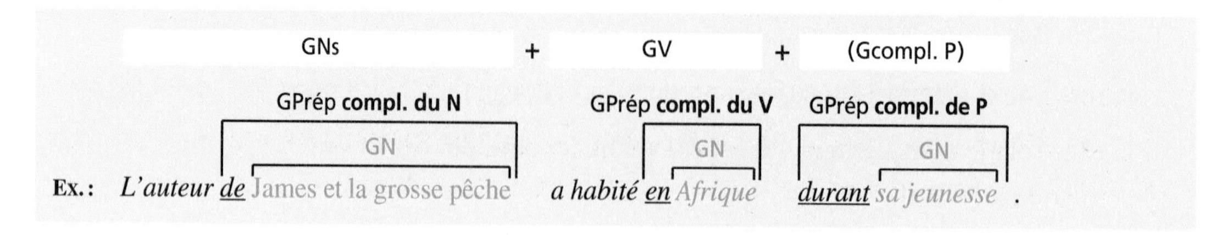

3 LE RÔLE DU GROUPE DU NOM ET SON EMPLOI DANS LE TEXTE

3.1 LE RÔLE DU GROUPE DU NOM

Le groupe du nom (GN) est sans doute la construction que nous utilisons le plus fréquemment en parlant ou en écrivant, car il permet de **désigner** ou de **catégoriser toutes sortes de choses** (les êtres, les objets, les sentiments, les idées, etc.).

3.2 L'EMPLOI DU GROUPE DU NOM DANS LE TEXTE

Dans un texte, le groupe du nom (GN) peut servir à **désigner quelque chose pour la première fois**. C'est le cas du GN *une pêche qui se met à pousser démesurément sous ses yeux* dans le texte ci-dessous.

RÉSUMÉ DE JAMES ET LA GROSSE PÊCHE, *DE* ROALD DAHL

Lorsque James renverse un sac de langues de crocodiles magiques dans son jardin, il voit une pêche qui se met à pousser démesurément sous ses yeux. Quand la pêche cesse enfin de grossir, sa taille est telle qu'on peut la comparer à celle d'un éléphant ! Le petit garçon, attiré par une sorte d'aimant invisible et impérieux, pénètre dans cet énorme fruit et est instantanément introduit dans un univers enchanté peuplé d'insectes à visages humains. James et ses amis les insectes vivront des aventures extraordinaires à bord de la pêche géante. Elle les transportera dans une ville où les rêves de chacun deviendront réalités.

Le GN peut aussi **faire référence à quelque chose qui a déjà été exprimé** dans le texte. On dit alors qu'il y a **reprise de l'information**.

Un GN qui reprend une information déjà exprimée dans le texte peut désigner…	
la **même chose** que ce qui a déjà été exprimé.	**quelque chose en relation** avec ce qui a déjà été exprimé.
Ex. : *Lorsque James renverse un sac de langues de crocodiles magiques dans son jardin, il voit une pêche qui se met à pousser démesurément sous ses yeux. Quand la pêche* […] *cet énorme fruit* […] *la pêche géante* […] *Elle* […].	Ex. : *Quand la pêche cesse enfin de grossir, sa taille* […]. (c'est-à-dire *la taille de la pêche*)

Lorsqu'un GN désigne la **même chose** que ce qui a déjà été exprimé dans le texte, on dit qu'il est un **substitut**. Par exemple, le GN *la pêche* de l'exemple ci-dessus est un substitut de *une pêche qui se met à pousser démesurément sous ses yeux*.

Dans un texte, un GN peut reprendre une information…	
déjà exprimée **au moyen d'un GN.**	déjà exprimée **autrement que par un GN.**
Ex.: *Lorsque James renverse un sac de langues de crocodiles magiques dans son jardin, il voit une pêche qui se met à pousser démesurément sous ses yeux. Quand la pêche* […]. *Quand la pêche cesse enfin de grossir, sa taille* […].	Ex.: *« La pêche est à tout le monde ! Servez-vous ! » crie James aux enfants, pour les inviter à goûter à l'énorme pêche. À peine a-t-il lancé cette invitation qu'une cinquantaine d'enfants prennent la pêche d'assaut.*

Reconnaître dans un texte un groupe du nom qui reprend une information déjà exprimée, puis identifier cette information nous aide à mieux comprendre ce que nous lisons. Mieux maîtriser l'emploi du groupe du nom dans le texte nous permet d'écrire des textes plus cohérents.

3.2.1 LE **DÉTERMINANT** INTRODUISANT LE NOM NOYAU DU GROUPE DU NOM

Dans un groupe du nom (GN) qui désigne quelque chose pour la première fois dans un texte, le nom noyau est généralement introduit par un **déterminant non référent** (comme *un*).

Ex.: *Lorsque James renverse* ***un*** *sac de langues de crocodiles magiques dans son jardin, il voit* ***une*** *pêche qui se met à pousser démesurément sous ses yeux.*

AIDE-MÉMOIRE *Le déterminant,* pages 286-287.

Dans un GN qui reprend une information déjà exprimée dans le texte, le nom noyau est généralement introduit par un **déterminant référent** (comme *le*, *ce*, *son*).

Ex.: *Lorsque James renverse un sac de langues de crocodiles magiques dans* ***son*** *jardin, il voit une pêche qui se met à pousser démesurément sous ses yeux.* ***La*** *pêche devient si grosse qu'on peut la comparer à un éléphant !*

«La pêche est à tout le monde ! Servez-vous !» crie James aux enfants, pour les inviter à goûter à l'énorme pêche. À peine a-t-il lancé ***cette*** *invitation qu'une cinquantaine d'enfants prennent la pêche d'assaut.*

Attention ! On emploie un déterminant du type *son* (*son*, *sa*, *ses*; *ton*, *ta*, *tes*; etc.) pour introduire le nom noyau d'un GN désignant quelque chose en relation avec une information déjà exprimée. Lorsqu'on emploie un tel GN, on doit toujours s'assurer qu'il n'y a aucune ambiguïté quant à l'information à laquelle il fait référence.

Ex.: La phrase ci-dessous est ambiguë, car le GN *Ses grands yeux* peut faire référence à l'un ou à l'autre des GN déjà utilisés : *Tante Piquette* et *James*:

Tante Piquette et James se tiennent immobiles à l'ombre du vieux pêcher. Ses grands yeux brillent comme des étoiles devant l'énorme pêche.

Pour lever l'ambiguïté, on peut, par exemple, préciser des yeux de qui il s'agit en modifiant le GN *Ses grands yeux*:

Tante Piquette et James se tiennent immobiles à l'ombre du vieux pêcher. Les grands yeux du petit garçon brillent comme des étoiles devant l'énorme pêche.

AIDE-MÉMOIRE *Le déterminant*, pages 286-287.

3.2.2 LE NOYAU DU GROUPE DU NOM

Dans un groupe du nom (GN) substitut qui reprend une information déjà exprimée au moyen d'un GN, le **noyau** peut être:

- le même nom que le **nom** noyau du GN déjà utilisé;

Ex.: *Lorsque James renverse un sac de langues de crocodiles magiques dans son jardin, il voit une **pêche** qui se met à pousser démesurément sous ses yeux. La pêche devient si grosse qu'on peut la comparer à un éléphant!*

- un nom différent du **nom** noyau du GN déjà utilisé; dans ce cas, il peut s'agir:
  - d'un nom ayant le même sens que le **nom** noyau du GN déjà utilisé (c'est-à-dire un synonyme);

Ex.: ***L'auteur** de* James et la grosse pêche, *Roald Dahl, est très populaire auprès des jeunes. Dans ses livres, cet écrivain s'adresse à tous ceux qui savent encore s'émerveiller.*

  - d'un nom ayant un sens plus général que le **nom** noyau du GN déjà utilisé (c'est-à-dire un nom générique);

Ex.: *Lorsque James renverse un sac de langues de crocodiles magiques dans son jardin, il voit une **pêche** qui se met à pousser démesurément sous ses yeux. Le fruit devient si gros qu'on peut le comparer à un éléphant!*

  - d'un nom en lien avec le **contexte**.

Ex.: *James n'a que quatre ans lorsqu'**il perd ses parents** dans un accident tragique. Peu de temps après, le petit orphelin est expédié chez ses tantes, Piquette et Éponge.*

- un pronom.

Ex.: *Lorsque James renverse un sac de langues de crocodiles magiques dans son jardin, il voit une pêche qui se met à pousser démesurément sous ses yeux. Elle devient si grosse qu'on peut la comparer à un éléphant!*

Remarque: L'utilisation d'un nom différent ou d'un pronom pour reprendre une information déjà exprimée au moyen d'un GN permet d'éviter la répétition d'un nom.

Attention ! Lorsqu'on emploie un pronom pour reprendre une information déjà exprimée au moyen d'un GN, on doit toujours s'assurer qu'il n'y a aucune ambiguïté quant à l'information à laquelle il fait référence.

Ex.: La phrase ci-dessous est ambiguë, car le pronom *la* peut faire référence à l'un ou à l'autre des GN déjà utilisés : *la pêche* et *sa tante* :

James observe la pêche et sa tante. Il fait un pas prudent en avant et la touche avec précaution, du bout du doigt.

Pour lever l'ambiguïté, on peut, par exemple, préciser ce que désigne le pronom *la* en le remplaçant par un GN ayant un nom comme noyau :

James observe la pêche et sa tante. Il fait un pas prudent en avant et touche le fruit avec précaution, du bout du doigt.

AIDE-MÉMOIRE *Le pronom*, pages 289-290.

Dans un GN substitut qui reprend une information exprimée autrement que par un GN, le **noyau** peut être :

- un **nom** qui résume ce qui a déjà été exprimé ;

Ex.: *James n'a que quatre ans lorsqu'il perd ses parents dans un accident tragique. **Cette épreuve** a profondément marqué le petit James.*

- un **nom** de la même famille qu'un **mot** (verbe, adjectif) déjà utilisé;

Ex.: *James n'a que quatre ans lorsqu'il **perd** ses parents dans un accident tragique. **Cette perte** a profondément marqué le petit James.*

- le **pronom *cela*** (*ça*; *ce*, *c'*).

Ex.: *James n'a que quatre ans lorsqu'il perd ses parents dans un accident tragique. **Cela** a profondément marqué le petit James.*

3.2.3 L'EXPANSION DU NOYAU DU GROUPE DU NOM

De façon générale, l'**expansion** du noyau du groupe du nom (GN) est employée pour :

- **caractériser** ou **identifier** ce que désigne le noyau du GN;

Ex.: James et la grosse pêche *est un conte **d'aventures fantastiques**.*

- **fournir une appréciation** à propos de ce que désigne le noyau du GN.

Ex.: James et la grosse pêche *est un conte **magnifique**.*

Dans un GN qui reprend une information déjà exprimée dans le texte, l'**expansion** du noyau peut **être en lien avec le contexte**.

Ex.: *Lorsque James renverse un sac de langues de crocodiles magiques dans son jardin, il voit une pêche **qui se met à pousser démesurément** sous ses yeux. En pénétrant dans cette **énorme** pêche, le petit garçon est instantanément introduit dans un univers enchanté…*

Pour appliquer *mes* connaissances lorsque *je* lis

Appliquer tes connaissances sur le groupe du nom en lecture suppose que tu es capable :

- de reconnaître un groupe du nom et d'en décrire la construction;
- de reconnaître dans les textes que tu lis l'information que reprennent certains groupes du nom.

Les deux blocs d'activités qui suivent te permettront de vérifier si tu maîtrises ces habiletés.

À l'âge de dix-neuf ans, à la fin de ses études, Roald Dahl (l'auteur de *James et la grosse pêche*) est engagé par une compagnie pétrolière qui l'envoie en Afrique. Il y passe environ un an, à Dar es-Salaam, au Tanganyika (aujourd'hui la Tanzanie), avant de devenir pilote de chasse, puis écrivain. **Lis** l'extrait ci-dessous, dans lequel Roald Dahl évoque l'un de ses souvenirs d'Afrique.

Le mamba

Le serpent le plus dangereux au Tanganyika est le mamba noir. Le seul à qui l'homme n'inspire aucune **crainte** et qui l'attaquera à vue délibérément. S'il vous mord, vous êtes cuit.

Un matin, j'étais en train de me raser dans la salle de bains de notre maison de Dar es-Salaam et, tout en me savonnant le visage, je contemplais distraitement le **jardin** par la fenêtre. Je regardais **Salimu**, notre shamba-boy, en train de ratisser méthodiquement le gravier dans l'allée. C'est alors que je vis un ① serpent. Long d'un mètre quatre-vingts, épais comme mon bras, ② il était tout à fait noir. C'était [...] un mamba et, sans le moindre doute, il avait vu Salimu et se dirigeait droit sur ③ lui en glissant sur les graviers.

Je me ruai vers la fenêtre ouverte et hurlai en swahili :

— [...] Salimu ! Salimu ! Attention, énorme serpent ! Derrière toi ! Vite ! Vite !

Le ④ mamba avançait sur le **gravier** à l'allure d'un homme au pas de course et, lorsque Salimu se retourna et ⑤ le **vit**, il n'était pas à plus de cinq ou six mètres de lui.

Je ne pouvais rien faire. Salimu, lui, savait qu'il était inutile de s'enfuir car un mamba lancé à pleine vitesse avance comme un cheval au galop, et ⑥ il savait à coup sûr qu'il avait affaire à un mamba. Tous les indigènes du Tanganyika savent à quoi ressemble ce serpent et le **danger** qu'il représente. Encore cinq **secondes** et le reptile l'aurait atteint. Penché à la fenêtre, je retenais mon souffle. Salimu pivota pour affronter le ⑦ serpent. […] ⑧ Il tenait pointé devant lui le long râteau. Il ⑨ le leva à hauteur d'épaules et attendit durant ces quatre ou cinq secondes interminables, parfaitement immobile, regardant le grand ⑩ serpent noir à la **morsure** mortelle […]. Sa petite tête triangulaire était redressée et je pouvais entendre le **léger** bruissement des cailloux que son corps déplaçait au passage. J'ai encore devant les yeux cette **vision** de cauchemar: le soleil matinal sur le jardin, le baobab massif au fond, Salimu dans son vieux short et sa chemise kaki, pieds nus, se tenant, courageux et absolument immobile, le râteau levé entre les mains, et le long serpent noir rampant au sol en fonçant droit sur lui, sa petite tête venimeuse haut levée, prête à frapper.

Roald Dahl, *Escadrille 80*,
traduction Janine Hérisson et Henri Robillot, © Gallimard, 1986.

JE RECONNAIS LE GROUPE DU NOM ET J'EN DÉCRIS LA CONSTRUCTION

1 A Parmi les dix mots en gras dans le texte *Le mamba*, huit sont des noms.

RELÈVE ces huit noms, puis, devant chacun d'eux, INSCRIS le déterminant qui l'introduit, s'il y a lieu.

TRANSCRIS les huit noms sur une colonne, à double interligne.

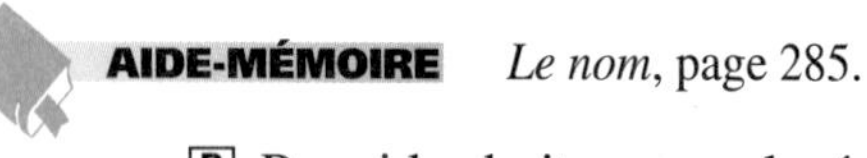

Le nom, page 285.

B Parmi les huit noms relevés en A, quatre seulement sont le noyau d'un groupe du nom (GN) ayant une construction étendue.

REPÈRE ces quatre noms, TRANSCRIS (à côté de chacun) l'expansion ou les expansions compléments du nom, puis ENCADRE ces expansions.

C Au-dessus de chacune des expansions que tu as encadrées, INSCRIS le symbole ou l'abréviation ci-dessous qui correspond à sa construction:

- groupe de l'adjectif (GAdj)
- groupe prépositionnel (GPrép)
- groupe du nom (GN)
- subordonnée relative (Sub. rel.)

2 À la fin du texte, l'auteur emploie les quatre GN ci-dessous pour évoquer la scène à laquelle il assiste. **RÉCRIS** ces GN de façon que chacun ait une construction minimale.

① *le soleil matinal sur le jardin* ② *le baobab massif au fond* ③ *Salimu dans son vieux short et sa chemise kaki, pieds nus, se tenant, courageux et absolument immobile, le râteau levé entre les mains* ④ *le long serpent noir rampant au sol en fonçant droit sur lui, sa petite tête venimeuse haut levée, prête à frapper*

3 [A] Parmi les noms ou pronoms numérotés dans le texte *Le mamba*, deux sont le noyau d'un GN ayant une construction étendue.

REPÈRE ces deux noms ou pronoms, puis **TRANSCRIS** le GN dont ils sont le noyau.

TRANSCRIS les GN à double interligne.

[B] Dans les GN transcrits en [A], **ENCADRE** chaque expansion complément du nom ou du pronom.

[C] Au-dessus de chacune des expansions que tu as encadrées, **INSCRIS** le symbole ou l'abréviation qui correspond à sa construction (comme tu l'as fait en 1 [C]).

JE RECONNAIS L'INFORMATION QUE REPRENNENT CERTAINS GROUPES DU NOM

4 [A] Dans le texte *Le mamba* (pages 61-62), le groupe du nom (GN) souligné *mon bras* est en relation avec un GN. **RELÈVE** ce GN.

[B] Quelle personne le GN relevé en [A] désigne-t-il ?

[C] Les GN *notre maison de Dar es-Salaam* et *notre shamba-boy*, qui apparaissent dans le premier paragraphe, sont-ils aussi en relation avec la personne identifiée en [B] ?

5 Dans son récit, Roald Dahl parle d'un serpent, un mamba. Puisqu'il existe plusieurs espèces de serpents (boa, python, mamba, cobra, crotale, etc.), Roald Dahl prend soin d'informer le lecteur de ce qui caractérise le mamba.

Voici quelques GN que Roald Dahl emploie :

- soit pour désigner le mamba qu'il voit de sa fenêtre,
- soit pour désigner n'importe quel serpent appartenant à l'espèce du mamba.

Les GN sont énumérés dans l'ordre où ils apparaissent dans le texte.

Le serpent le plus dangereux au Tanganyika (ligne 1) — *Le seul à qui l'homme n'inspire aucune crainte et qui l'attaquera à vue délibérément* (lignes 1-3) — *un* ① *serpent* (ligne 8) — *Long d'un mètre quatre-vingts, épais comme mon bras,* ② *il* (lignes 8-9) — *énorme serpent* (ligne 13) — *Le* ④ *mamba* (ligne 15) — *un mamba lancé à pleine vitesse* (ligne 19) — *ce serpent* (ligne 22) — *le* ⑦ *serpent* (ligne 24) — *le grand* ⑩ *serpent noir à la morsure mortelle* (ligne 27) — *le long serpent noir rampant au sol en fonçant droit sur lui, sa petite tête venimeuse haut levée, prête à frapper* (lignes 33-35)

REPÈRE, dans le texte, chacun des GN du bas de la page précédente, puis **CLASSE**-les dans un tableau comme celui-ci.

GN désignant le mamba que Roald Dahl voit de sa fenêtre	GN désignant n'importe quel serpent appartenant à l'espèce du mamba
Ex.: *un* ① *serpent*	**Ex.:** *Le serpent le plus dangereux au Tanganyika*
…	…

6 [A] **JUSTIFIE** l'emploi, dans le texte, du déterminant qui introduit le nom précédé du numéro ①.

[B] **JUSTIFIE** l'emploi, dans le texte, du déterminant qui introduit les noms précédés des numéros ④, ⑦ et ⑩.

[C] Dans le texte, quand Roald Dahl avertit Salimu de la présence du serpent, il hurle en swahili: «Salimu ! Salimu ! Attention, énorme serpent ! Derrière toi ! Vite ! Vite !»
Si Roald Dahl s'était exprimé en français, qu'aurait-il hurlé ?

① *«Salimu ! Salimu ! Attention, un énorme serpent est derrière toi ! Vite ! Vite !»*
ou:
② *«Salimu ! Salimu ! Attention, l'énorme serpent est derrière toi ! Vite ! Vite !»*

Pourquoi ?

7 Afin d'éviter la répétition du nom *serpent*, l'auteur emploie d'autres noms pour désigner le serpent qu'il pouvait voir de sa fenêtre.

[A] Au début du dernier paragraphe, l'auteur désigne le serpent à l'aide du GN *Le* ④ *mamba*.
Il nomme le serpent par le nom de son espèce.

RELÈVE, dans le texte, le passage contenant l'information qui permet à l'auteur d'utiliser le GN *Le* ④ *mamba* pour désigner le serpent.

[B] Dans le dernier paragraphe, l'auteur désigne le serpent à l'aide d'un GN dont le nom noyau a un sens plus général que le nom *serpent*. **RELÈVE** ce GN.

[C] **NOMME** au moins deux animaux qui pourraient aussi être désignés à l'aide du GN relevé en [B], mais qui appartiennent à d'autres sous-ordres que celui du serpent.

8 Les expansions *grand*, *noir* et *à la morsure mortelle* contenues dans le GN *le grand* ⑩ *serpent noir à la morsure mortelle* n'apportent pas d'informations nouvelles au lecteur; ces informations ont déjà été exprimées plus tôt dans le texte.

RELÈVE, dans le texte, les informations en lien avec les expansions *grand*, *noir* et *à la morsure mortelle*.

9 Dans un tableau semblable à celui ci-dessous, **TRANSCRIS** les pronoms numérotés du texte, puis **REPÈRE** le GN déjà utilisé que chacun de ces pronoms reprend (son antécédent). **INDIQUE** ce GN dans ton tableau.

Pronom	Antécédent
Ex.: ② *il*	*un serpent*
…	…

10 [A] **Repère** le GN *Sa petite tête triangulaire* qui apparaît vers la fin du dernier paragraphe.

Le nom *tête* dans ce GN est en relation avec un GN qui le précède dans le texte. **Relève** ce GN.

[B] Dans le même paragraphe apparaît un autre GN dont le nom noyau est en relation avec le GN relevé en [A]. **Relève** ce GN.

[C] **Justifie** l'emploi, dans le texte, du déterminant qui introduit le nom noyau du GN relevé en [B].

11 Dans un texte narratif (comme *Le mamba*), le GN joue un rôle très important; il permet de désigner et de décrire les personnages, les lieux, etc., afin que le lecteur puisse se les représenter. Ainsi, dans son texte, Roald Dahl fournit un certain nombre d'informations sur le mamba, dont plusieurs sont exprimées au moyen de GN. **Vérifie** ta compréhension de ces informations en faisant les activités qui suivent.

[A] **Choisis**, dans chaque paire de caractéristiques précédée d'un numéro, celle qui s'applique au mamba du récit de Roald Dahl.

① Il est très dangereux pour l'homme. / Il est inoffensif. ② Il est venimeux. / Il est non venimeux. ③ Son corps est court. / Son corps est long. ④ Son corps est fin. / Son corps est épais. ⑤ Il se déplace lentement. / Il se déplace rapidement. ⑥ Ses écailles sont noires. / Ses écailles sont couleur sable. ⑦ Sa tête est arrondie. / Sa tête est triangulaire.

[B] **Repère**, dans le texte, l'information qui t'a permis de dégager chacune des caractéristiques relevées en [A], puis **souligne** les caractéristiques qui sont exprimées à l'aide d'un GN.

Les caractéristiques du mamba peuvent être exprimées par plus d'un GN, ou encore à la fois par un GN et par un autre élément du texte (une phrase, par exemple).

12 Les mots que Roald Dahl emploie pour désigner le serpent qu'il voit de sa fenêtre laissent voir ses sentiments à l'égard de ce serpent. Les activités qui suivent t'amèneront à observer certains GN afin que tu puisses mieux cerner le point de vue de Roald Dahl.

[A] Si Roald Dahl avait employé, dans son texte, les GN de la colonne **B** au lieu de ceux de la colonne **A**, dirais-tu qu'il parle du serpent d'une façon ⓐ plutôt positive, ⓑ plutôt neutre ou ⓒ plutôt négative ?

A	B
Le ① mamba	*L'horrible mamba*
le ② serpent	*Le dégoûtant serpent*
Sa petite tête triangulaire	*Sa vilaine petite tête triangulaire*

[B] Comment Roald Dahl aurait-il pu formuler les GN de la colonne **A** s'il aimait beaucoup les serpents ?

[C] **Observe** les mots que Roald Dahl a choisis pour parler du serpent qu'il voit de sa fenêtre. Dirais-tu que, dans l'ensemble, il parle de ce serpent d'une façon ⓐ plutôt positive, ⓑ plutôt neutre ou ⓒ plutôt négative ?

Pour appliquer *mes* connaissances lorsque *j'écris*

Appliquer tes connaissances sur le groupe du nom en écriture suppose que tu es capable :

- d'employer le groupe du nom et d'évaluer son emploi dans le texte ;
- de faire les accords dans le groupe du nom ;
- d'évaluer l'emploi du groupe du nom dans tes propres textes et de réviser les accords dans ce groupe de mots.

Les trois blocs d'activités qui suivent te permettront de vérifier si tu maîtrises ces habiletés.

J'EMPLOIE LE GROUPE DU NOM ET J'ÉVALUE SON EMPLOI DANS LE TEXTE

1 IMAGINE le début d'une fable à partir de chacun des titres ci-dessous.

① *Le crocodile et l'alligator* ② *Le lézard et la fourmi* ③ *La tortue et le lièvre*

- RÉDIGE la ou les premières phrases de chacune des fables dans lesquelles tu emploieras au moins :
  - un groupe du nom (GN) qui désigne pour la première fois l'un des animaux mentionnés dans le titre ;
  - un GN qui désigne de nouveau l'animal dont il est question.

Les deux GN doivent avoir un nom comme noyau.

ENCADRE les deux GN.

EX. : *Le serpent et la souris*

[*Un serpent qui mourait de faim*] *aperçut une souris qui passait non loin de lui.*
La souris était bien grasse, et [*le serpent*] *en aurait volontiers fait son dîner.*

- VÉRIFIE le choix du déterminant (référent ou non référent) qui introduit le nom noyau des deux GN encadrés selon que le GN désigne quelque chose que le lecteur peut identifier ou non.

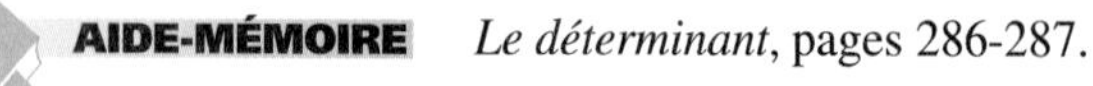

AIDE-MÉMOIRE *Le déterminant*, pages 286-287.

2 COMPLÈTE chacune des phrases ci-dessous à l'aide d'un GN dont le nom noyau a un sens plus général que les noms en gras.

① *L'**abeille**, le **moustique**, la **fourmi** et la **cigale** font partie de la même classe d'animaux : ce sont…*
② *L'**érable**, le **peuplier**, le **bouleau** et le **platane** sont des plantes de la même catégorie : ce sont…*
③ *On peut dire qu'un **dictionnaire**, une **encyclopédie** et une **grammaire** sont…*

EX. : *Le **serpent**, le **lézard**, la **tortue** et le **crocodile** sont de la même famille : ce sont … des reptiles.*

3 • **RÉDIGE** une phrase pouvant faire suite à chacune des phrases ci-dessous. Cette phrase doit contenir un GN dont le nom noyau a un sens plus général que le nom en gras. **ENCADRE** le GN.

EMPLOIE ou non le nom noyau du GN que tu as trouvé en 2.

*① Une **abeille** est restée coincée entre les deux fenêtres. ② L'**érable** pousse dans un climat tempéré comme le nôtre. ③ Je possède un superbe **dictionnaire** visuel.*

EX. : *J'ai vu un énorme **serpent** à l'animalerie.*

Le pauvre reptile avait l'air de bien s'ennuyer dans son petit terrarium.

• **VÉRIFIE** le choix du déterminant (référent ou non référent) qui introduit le nom noyau des GN encadrés selon que le GN désigne quelque chose que le lecteur peut identifier ou non.

AIDE-MÉMOIRE *Le déterminant*, pages 286-287.

J'ÉCRIS

4 • **RÉDIGE** une phrase pouvant faire suite à chacune des phrases données en 3. Cette phrase doit contenir un nom qui est introduit par un déterminant du type *son* et qui est en relation avec le nom en gras. **ENCADRE** le GN dont ce nom est le noyau.

EX. : *J'ai vu un énorme serpent à l'animalerie.*

Sa peau, terne et grise, était dans un piteux état.

• **ASSURE**-toi qu'il n'y a aucune ambiguïté quant à l'information que reprend chacun des GN encadrés.

5 **IMAGINE** un contexte dans lequel pourrait apparaître chacun des GN ci-après, puis **RÉDIGE** deux phrases. Les GN ci-dessous doivent apparaître dans la deuxième phrase et reprendre une information déjà exprimée dans la première phrase.

① Cette idée... ② Ce problème... ③ Ce mystère...

EX. : *Cette question...*

Plusieurs se demandent comment font les serpents pour se reproduire.

On peut trouver la réponse à cette question dans une encyclopédie.

6 Le texte ci-après est extrait de *Escadrille 80*, de Roald Dahl. L'auteur y raconte comment un homme, appelé *l'homme aux serpents*, arrive à capturer un serpent à l'aide d'une longue perche en bois se terminant par une fourche.

• **CHOISIS** un des deux GN qui te sont suggérés entre parenthèses de façon que le texte demeure clair et cohérent et de manière à éviter les répétitions.

NOTE le numéro et le GN choisi.

L'homme aux serpents

Le serpent, arqué, tête dressé, tendu comme un ressort, était prêt à jaillir [...].

— Ne bouge pas, mon joli, chuchota l'homme aux serpents. Du calme. Personne ne va te faire de mal.

Et *bang !* La fourche s'abattit sur le corps du reptile, à peu près au milieu, le bloquant contre le sol. [...] Le serpent se débattait furieusement pour essayer de se libérer. Mais l'homme aux serpents ne relâchait pas sa pression sur la fourche et (① *le serpent; il*) était pris au piège. [...]

Tenant la perche de deux mètres cinquante par l'extrémité, l'homme aux serpents commença à décrire un arc de cercle pour se retrouver du côté de (② *la queue du serpent; sa queue*). Puis, malgré (③ *les contorsions démentes de l'animal; ses contorsions démentes*), il entreprit de pousser la fourche vers la tête du reptile. Il procédait avec une extrême lenteur, faisant coulisser la fourche le long du corps en convulsion, poussant, poussant la longue perche en avant millimètre par millimètre. [...] (④ *Le serpent; Il*) fouettait de la queue le tapis [...]. Les branches de la fourche parvinrent enfin juste derrière la tête, l'immobilisant, et l'homme aux serpents tendit alors une main gantée et empoigna fermement le serpent par le cou. Puis (⑤ *l'homme aux serpents; il*) jeta la perche et, de sa main libre, (⑥ *l'homme aux serpents; il*) prit un sac qu'il gardait sur son épaule. Il souleva ensuite (⑦ *le long corps toujours ondulant du serpent; son long corps toujours ondulant*) et glissa la tête dans le sac. Puis il lâcha la tête, fourra tout le reste du corps à l'intérieur et ferma le sac. (⑧ *Il; Le sac*) se mit à tressauter comme si (s') (⑨ *le sac; il*) avait contenu une cinquantaine de rats furieux, mais (⑩ *l'homme aux serpents; il*) était maintenant tout à fait détendu.

Roald Dahl, *Escadrille 80*,
traduction Janine Hérisson et Henri Robillot, © Gallimard, 1986.

- Parmi les GN que tu as choisis, **REPÈRE** ceux dont le noyau est un pronom, puis **ASSURE**-toi qu'il n'y a aucune ambiguïté quant à l'information que reprennent ces GN.
- Parmi les GN que tu as choisis, **REPÈRE** ceux dont le nom noyau est introduit par un déterminant du type *son*, puis **ASSURE**-toi qu'il n'y a aucune ambiguïté quant à l'information que reprennent ces GN.

En première secondaire, tu as observé que, dans un groupe du nom, le déterminant et l'adjectif (ou le participe passé employé comme un adjectif dans un groupe du nom) reçoivent généralement le genre et le nombre du nom noyau du groupe du nom dont ils font partie.

J'ÉCRIS

JE FAIS LES ACCORDS DANS LE GROUPE DU NOM

Pour faire les accords dans un groupe du nom (GN), tu dois être capable:

- d'identifier le ou les mots du GN qui peuvent recevoir le genre et le nombre d'un nom ou d'un pronom (c'est-à-dire le ou les ***receveurs d'accord*** : le déterminant et l'adjectif ou le participe passé employé comme un adjectif dans un GN);
- d'identifier, pour chaque ***receveur d'accord***, le mot du GN qui lui donne son genre ou son nombre (c'est-à-dire le ***donneur d'accord*** : le nom ou le pronom noyau du GN) et de déterminer le genre et le nombre de ce mot;
- s'il y a lieu, d'accorder chaque ***receveur d'accord*** avec son ***donneur d'accord*** et de choisir les marques de genre et de nombre appropriées.

Les activités qui suivent te permettront de t'approprier une stratégie pour faire les accords dans un GN.

ORTHOGRAPHE GRAMMATICALE 1. *Les accords dans le groupe du nom*, pages 297-299.

J'identifie le ou les *receveurs d'accord* dans le groupe du nom

1 **TRANSCRIS** les six phrases ci-après à double interligne, puis **APPLIQUE** les consignes suivantes.

- **METS** un point au-dessus de chaque nom ou pronom noyau d'un GN;
- **ENCADRE** chaque GN dont le nom ou le pronom noyau est marqué d'un point;

Si le nom noyau du GN est introduit par un déterminant contracté (*au / aux*, *du / des*), n'**ENCADRE** pas ce déterminant, mais, au-dessus, **INDIQUE** la préposition (*à* ou *de*) et le déterminant (*le* ou *les*) qu'il représente.

- **METS** un triangle (▼) au-dessus de chacun de ces ***receveurs d'accord*** dans le GN:
  - le déterminant;
  - l'adjectif ou le participe passé employé comme un adjectif dans un GN.

Ex. : *La vipère, avec [ses crochet venimeux], est [un espèce très dangereux].

Attention ! Erreurs.

① Aujourd'hui, plus de six mille espèce de reptiles peuplent la Terre. ② Comme tout les autres reptile, les serpents sont des animal au squelette osseux et à la peau écailleuse. ③ Le serpent liane africain possède des yeux au pupilles fendu horizontalement et a un champ visuelle exceptionnelle. ④ Les chasseur de serpents doivent porter des bottes en cuir de vache très épais. ⑤ Leur bottes les protègent de certaine morsures vraiment dangereuse. ⑥ Habile et silencieux, il sont à l'image de l'animal convoité.

J'identifie le ou les *donneurs d'accord* dans le groupe du nom

2 **APPLIQUE** les consignes suivantes aux six phrases que tu as transcrites en 1.

- **DÉTERMINE** le genre (M ou F) et le nombre (S ou P) du ***donneur d'accord*** dans le GN (le nom ou le pronom marqué d'un point), puis, s'il y a lieu, **REMPLACE** le pronom, ou **CORRIGE** l'orthographe du nom ou du pronom.

ANNEXES *La formation du féminin des noms et des adjectifs*, pages 303-304.
La formation du pluriel des noms et des adjectifs, page 305.

- **RELIE**, s'il y a lieu, chaque ***receveur d'accord*** à son ***donneur d'accord***.

Si le nom noyau du GN est introduit par un déterminant contracté, **RELIE** ce déterminant au nom qu'il introduit.

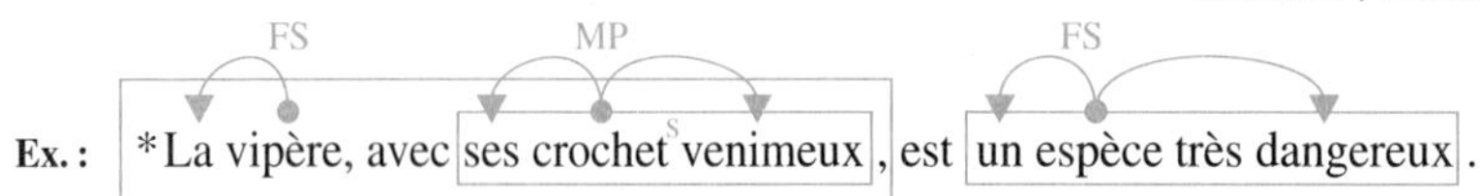

J'accorde le ou les *receveurs d'accord* et je choisis les marques de genre ou de nombre appropriées

3 **APPLIQUE** la consigne suivante aux six phrases que tu as transcrites en 1.

- **CORRIGE**, s'il y a lieu, l'accord du ***receveur d'accord***.

ANNEXES *La formation du féminin des noms et des adjectifs*, pages 303-304.
La formation du pluriel des noms et des adjectifs, page 305.

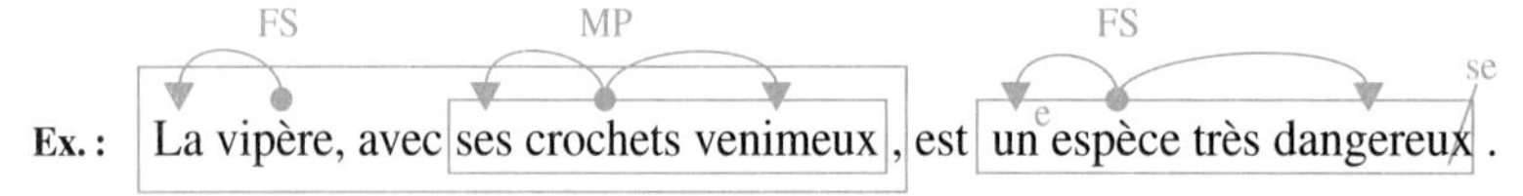

J'ÉCRIS UN TEXTE, J'ÉVALUE L'EMPLOI DU GROUPE DU NOM DANS MON TEXTE ET JE VÉRIFIE LES ACCORDS DANS CE GROUPE DE MOTS

Voici une stratégie de révision de texte qui t'amènera à t'interroger sur l'emploi de certains groupes du nom (GN) dans tes propres textes et à vérifier les accords dans les GN.

J'ÉVALUE L'EMPLOI DU GROUPE DU NOM ET JE VÉRIFIE LES ACCORDS DANS CE GROUPE DE MOTS

❶ **METS** un point au-dessus de chaque nom ou pronom noyau d'un groupe du nom (GN), puis **ENCADRE** chaque GN dont le nom ou le pronom noyau est marqué d'un point.

Si le nom noyau du GN est introduit par un déterminant contracté (*au/aux, du/des*), n'**ENCADRE** pas ce déterminant, mais, au-dessus, **INDIQUE** la préposition (*à* ou *de*) et le déterminant (*le* ou *les*) qu'il représente.

❷ Dans les GN dont le noyau est un nom, **VÉRIFIE** le **choix du déterminant** (référent ou non référent) selon que le GN désigne quelque chose que le lecteur peut identifier ou non.

AIDE-MÉMOIRE *Le déterminant,* pages 286-287.

❸ **Assure**-toi qu'il n'y a aucune **ambiguïté** quant à l'information que reprennent les GN dont le noyau est un pronom.

❹ **Assure**-toi qu'il n'y a aucune **ambiguïté** quant à l'information que reprennent les GN dont le noyau est introduit par un déterminant du type *son*.

❺ **Vérifie** si tu peux éviter la **répétition d'un nom** en employant un pronom ou un nom différent.

❻ **Mets** un triangle (▼) au-dessus de chacun de ces ***receveurs d'accord*** dans le GN:
- le déterminant;
- l'adjectif ou le participe passé employé comme un adjectif dans un GN.

Ex.: * La vipère, avec ses crochet venimeux, est un espèce très dangereux.

❼ **Détermine** le genre (M ou F) et le nombre (S ou P) du ***donneur d'accord*** dans le GN (le nom ou le pronom marqué d'un point), puis, s'il y a lieu, **remplace** le pronom, ou **corrige** l'orthographe du nom ou du pronom.

Ex.: * La vipère (FS), avec ses crochet^s venimeux (MP), est un espèce (FS) très dangereux.

❽ **Relie** chaque ***receveur d'accord*** à son ***donneur d'accord***, puis, s'il y a lieu, **corrige** l'accord du ***receveur d'accord***.

Si le nom noyau du GN est introduit par un déterminant contracté, **relie** ce déterminant au nom qu'il introduit, puis, s'il y a lieu, **corrige** son accord.

Attention! Parmi les ***receveurs d'accord***, certains mots sont invariables.

Ex.: La vipère (FS), avec ses crochets venimeux (MP), est un^e espèce (FS) très dangereu~~x~~se.

Activité de révision

Applique d'abord cette stratégie de révision au texte ci-après en suivant l'exemple.

Le mamba vert

Un dimanche (MS), Roald Dahl (MS) avait été invité à aller boire un verre (MS) chez un ami (MS) qui (MS) s'appelait Fuller (MS). À cet^te époque (FS), ~~Roald Dahl~~ il (MS) habitait en Afrique (FS).

Attention! Erreurs.

Alors qu'il marchait dans les herbes haute vers sa maison et en était à environ vingt mètre, il vit un gros serpent qui fonçait droit vers la maison. La peau écailleuse du serpent, d'un vert éclatant, brillait sous les dernier rayon de soleil. Il sut immédiatement qu'il avait affaire à un mamba vert, un espèce venimeux à la morsure mortel. Le serpent se mouvait très rapidement en direction de la maison et entra droit par la porte resté ouverte. Pendant quelque seconde, il resta pétrifié

J'ÉCRIS

d'horreur, puis il se ressaisit et courut vers l'arrière de la maison prévenir Fuller. D'un parfait sang-froid, il entreprit de faire sortir de la maison sa femme et ses enfant. Ensuite, il demanda à Roald Dahl de veiller sur sa famille et partit chercher de l'aide. Fuller revint avec le vieille Anglais appelé l'homme aux serpents. L'homme aux serpents vivait en Afrique depuis des année et savait capturer les serpents. Il ne tuait jamais ces serpent qu'il capturait: il vendait ces serpents à des parc zoologique.

Finalement, l'homme aux serpents réussit à attraper le serpent et mit le serpent dans le sac. Tout le monde fut sauf. Seulement, malgré son sang-froid, son ami avait oublié Jack, le chien de la famille, dans la maison. Évidemment, il ne survécut pas au venin toxique du serpent.

Activité d'écriture

Mise en situation

Tu dois maintenant donner une suite au texte *Le mamba* (pages 61-62) tout en respectant certaines contraintes d'écriture, puis vérifier l'emploi de certains groupes du nom (GN) dans ton texte et les accords dans les GN.

IMAGINE que c'est toi qui aurais décrit, à la place de Roald Dahl, les événements rapportés par lui dans le texte *Le mamba*. C'est donc toi qui aperçois un mamba se dirigeant vers Salimu. Dans le texte que tu écriras, tu raconteras la suite des événements: l'affrontement entre Salimu et ce serpent dont, on le sait, la morsure est mortelle. Le pronom *je* que tu emploieras dans ton texte te désignera.

Contraintes d'écriture

Ton texte doit:

- pouvoir s'insérer à la suite du texte *Le mamba*;
- comprendre au moins huit phrases;
- être écrit à double interligne;
- mentionner que Salimu, pour se défendre, utilise deux objets:
  - le râteau dont il se servait pour ratisser le gravier,
  - un autre instrument (ou une arme) de ton choix;
- comprendre au moins deux GN désignant le serpent et dont la construction est étendue.

Étape de révision

VÉRIFIE d'abord que tu as bien respecté les contraintes d'écriture, puis **RÉVISE** ton texte à l'aide de la stratégie de révision de texte J'ÉVALUE L'EMPLOI DU GROUPE DU NOM ET JE VÉRIFIE LES ACCORDS DANS CE GROUPE DE MOTS (pages 70-71).

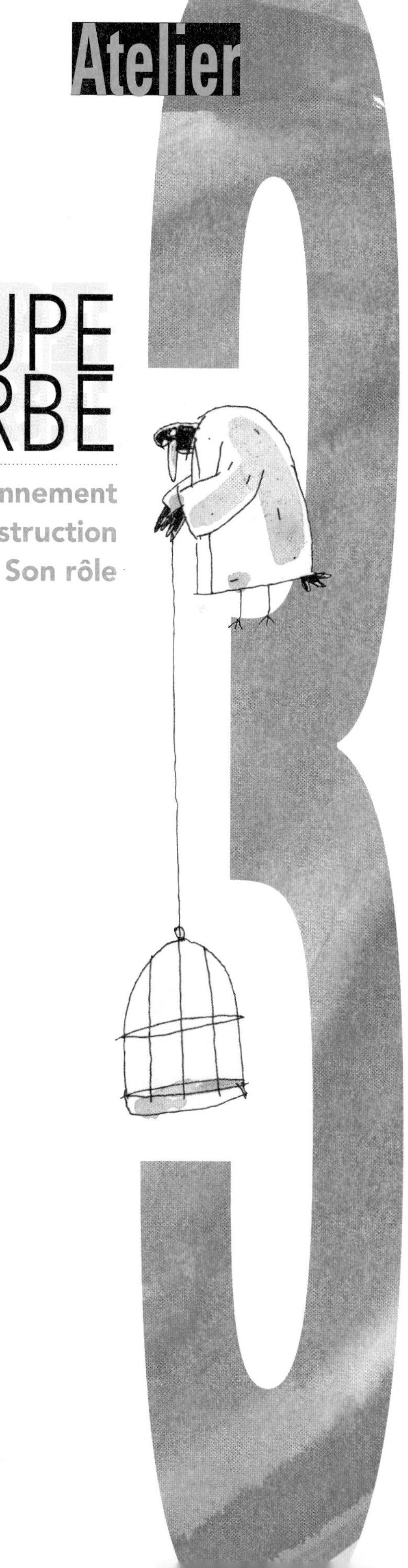

LE GROUPE DU VERBE

Son fonctionnement
Sa construction
Son rôle

Profondément endormi dans la cale, le wub survécut au décollage.

Philip K. Dick

En première secondaire ainsi que dans l'atelier 1, tu as appris que le groupe du verbe est, avec le groupe du nom sujet, un groupe constituant obligatoire de la PHRASE DE BASE. Vérifie si tu sais reconnaître le groupe du verbe dans une phrase et si tu te rappelles ses principales caractéristiques.

LE FONCTIONNEMENT DU GROUPE DU VERBE

1 **TRANSCRIS** chacune des phrases ci-après à double interligne, puis :

- **SOULIGNE** le verbe conjugué dans chacune d'elles;
- **ENCERCLE** le groupe du nom sujet (GNs);
- **METS** entre parenthèses le groupe complément de phrase (Gcompl. P) s'il y a lieu;
- **SURLIGNE** le groupe du verbe (GV).

① *La science-fiction traite de situations impossibles.*
② *Les voyages dans le temps et dans l'espace caractérisent la science-fiction depuis toujours.*
③ *Le thème des cités et des civilisations est important dans la science-fiction.*

2 Parmi les caractéristiques ci-dessous, **CHOISIS** celles qui s'appliquent au GV d'une phrase correspondant au modèle de la PHRASE DE BASE.

RELÈVE seulement le numéro qui précède chaque caractéristique.

① *Groupe constituant facultatif de la phrase.*
② *Premier des deux groupes constituants obligatoires de la phrase.*
③ *Second des deux groupes constituants obligatoires de la phrase.*
④ *Déplaçable dans la phrase.*
⑤ *Non déplaçable dans la phrase.*

3 Dans la phrase suivante, deux constructions peuvent être comparées au modèle de la PHRASE DE BASE : la phrase matrice et la phrase subordonnée. **RELÈVE** le GV contenu dans chacune d'elles.

Phrase matrice

Phrase subordonnée

La science-fiction traite de situations qui dépassent la réalité .

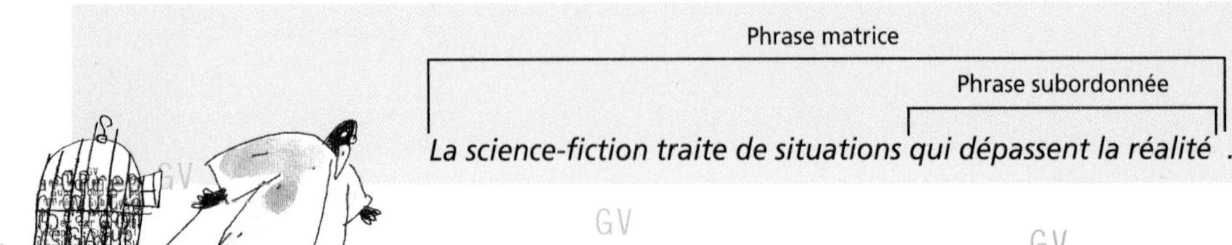

j'observe et je découvre

Lis cet extrait de *L'heure du wub*, une nouvelle de Philip K. Dick. Les groupes de mots mis en évidence dans le texte sont des groupes du verbe (GV).

Texte d'observation

L'heure du wub

Peterson ① est membre d'une expédition ayant pour commandant un dénommé Franco. Avant de quitter Mars pour aller vers la Terre, Peterson achète à des indigènes un wub très gras qu'il amène avec lui dans le vaisseau… (wub est le nom que les indigènes donnent au cochon).

Profondément endormi dans la cale, le wub ② survécut au décollage. Dès qu'ils se retrouvèrent dans l'espace et que tout fut en ordre, le commandant demanda qu'on ③ le lui amène, histoire de voir à quel genre d'animal on avait affaire.

Le wub ④ geignit […] en traînant sa lourde masse dans la coursive*. […] enfin il déboucha brusquement dans l'antichambre et s'affala en tas. Les hommes se levèrent d'un bond.

«Seigneur, dit French, mais qu'est-ce que c'est ?

— Un wub, d'après Peterson, dit Jones. Il ⑤ lui appartient.»

[…] Le commandant Franco ⑥ apparut dans l'embrasure de la porte. «Voyons un peu ça.» […] Il […] ⑦ a déjà l'air assez gras. Où est le cuistot ? […]

Le wub […] leva les yeux sur lui. «Écoutez, commandant, déclara-t-il, si on ⑧ parlait d'autre chose ?»

Silence.

«Qui a dit ça ? demanda Franco. Juste à l'instant ?

* Passage étroit.

— Le wub, mon commandant ! répondit Peterson. Il ⑨ a parlé.»

[…] «Je me demande s'il n'y a pas un indigène caché dedans, dit-il d'une voix pensive. On devrait peut-être l'ouvrir pour s'en assurer.

— Bonté divine ! s'écria le wub. Tuer, découper…, vous ne savez donc penser à rien d'autre ?»

[…] Les hommes se serraient les uns contre les autres, le visage inexpressif, les yeux fixés sur le wub. Celui-ci ⑩ remua la queue et ⑪ rota.

«Je ⑫ vous demande pardon, dit-il. […] Je ⑬ crois qu'une petite conversation s'impose, intervint le wub. J'⑭ aimerais discuter avec vous, commandant, car je crois que nous sommes en désaccord sur un certain nombre de questions fondamentales.»

[…] «Venez dans mon bureau», dit enfin Franco avant de faire demi-tour et de quitter la pièce. Le wub se leva et le suivit en trottinant. Les hommes le regardèrent sortir, puis l'entendirent gravir les marches.

«Je ⑮ me demande comment tout ça va finir, dit le cuisinier.» […]

Philip K. Dick, *Nouvelles*, 1947-1952, © Denoël, 1994.

Dans les activités qui suivent, tu poursuivras ton étude du groupe du verbe en observant les différents éléments qui peuvent entrer dans sa construction.

J'OBSERVE…

LA CONSTRUCTION DU GROUPE DU VERBE

1 A Dans les deux phrases ci-dessous, le verbe noyau du groupe du verbe (GV) est formé de plus d'un mot.

TROUVE l'infinitif de chacun de ces verbes.

Il […] ⑦ a déjà l'air assez gras.

Il ⑨ a parlé.

B À l'infinitif, lequel des deux verbes a une forme simple ? Lequel a une forme complexe ?

[C] Dans les deux phrases données en [A], lequel des deux verbes soulignés est conjugué à un temps simple ? Lequel est conjugué à un temps composé ?

[D] **METS** le verbe souligné de la première phrase au passé composé. De combien de mots ce verbe est-il formé au passé composé ?

2 [A] **TRANSCRIS** chacun des GV ci-dessous, puis **SOULIGNE** le verbe noyau (de forme simple ou complexe) dans chacun d'eux.

Le wub ① *a bien mangé*. — *Le wub* ② *avait très peur*. — *Le wub* ③ *prit part au décollage*. — *Le wub* ④ *a pris part à la conversation*. — *Le wub* ⑤ *a dormi*. — *Le wub* ⑥ *lui parle*.

[B] En plus du verbe noyau, certains GV contiennent une ou plusieurs **expansions du verbe**.

Où peuvent être placées ces expansions dans le GV ?

[C] Parmi les GV transcrits en [A], quels sont ceux qui ont une construction minimale (c'est-à-dire qui sont constitués d'un **verbe noyau seulement**)? Quels sont ceux qui ont une construction étendue (c'est-à-dire qui sont constitués d'un **verbe noyau** et d'une ou de plusieurs **expansions**)?

3 Parmi les GV numérotés du texte d'observation, quels sont ceux qui ont une construction minimale ?

4 [A] Certains des GV ci-dessous ont le verbe *être* comme noyau ou un verbe qui peut être remplacé par le verbe *être* sans que la phrase devienne agrammaticale et sans qu'elle change complètement de sens.

TRANSCRIS ces GV à double interligne.

① *Le wub dort.*
② *Le wub surprend l'équipage.*
③ *Le wub semble intelligent.*
④ *Le wub a l'air en colère.*
⑤ *Le wub devient fatigué.*
⑥ *Le wub parle au commandant.*
⑦ *Le wub est un cochon.*
⑧ *Le wub paraît savant.*

[B] Le verbe noyau des GV que tu as transcrits en [A] est un **verbe attributif**. Le verbe attributif est accompagné d'une **expansion** ayant la **fonction d'attribut du sujet**.

ENCADRE l'attribut du sujet dans chacun des GV que tu as transcrits.

[C] Si on supprime l'attribut du sujet dans chacun des GV, la phrase est-elle toujours grammaticale ?

[D] Si on déplace l'attribut du sujet en début de phrase, la phrase est-elle toujours grammaticale ?

[E] **OBSERVE** la construction de chaque attribut du sujet dans les GV que tu as transcrits, puis, au-dessus, **INDIQUE** s'il s'agit :

- d'un groupe de l'adjectif (GAdj);

- d'un groupe du nom (GN);
- d'un groupe prépositionnel (GPrép).

F Le GN et le GPrép ayant la fonction d'attribut du sujet peuvent-ils être remplacés par un GAdj sans que la phrase devienne agrammaticale ?

5 A Dans le texte d'observation (pages 75-76), deux des GV numérotés ont comme noyau un verbe attributif. **TRANSCRIS** les phrases contenant ces GV, puis:

- **SOULIGNE** le verbe attributif;
- **SURLIGNE** le GV.

B Dans chacune des phrases que tu as transcrites en A, **ENCADRE** l'attribut du sujet.

6 A Dans les phrases des cases ① à ④ ci-dessous, le verbe noyau du GV est-il un verbe attributif ? Pourquoi ?

① *JE CROIS* [*QUELQUE CHOSE / QUELQU'UN*]. ⓐ *Je crois* [*cette histoire*]. ⓑ *Je crois* [*que j'ai vu un Martien*]. ⓒ *Je crois* [*rêver*]. ⓓ *Je* [*le*] *crois.*	③ *JE DOUTE* [*DE QUELQUE CHOSE / DE QUELQU'UN*]. ⓐ *Je doute* [*de cette histoire*]. ⓑ *Je doute* [*que Mars soit habitée*]. ⓒ *J'* [*en*] *doute.*
② *JE SONGE* [*À QUELQUE CHOSE / À QUELQU'UN*]. ⓐ *Je songe* [*à cet homme vert*]. ⓑ *Je songe* [*que tu dois partir tôt*]. ⓒ *J'* [*y*] *songe.*	④ *J'AI ADRESSÉ* [*QUELQUE CHOSE*] [*À QUELQU'UN*]. ⓐ *J'ai adressé* [*une lettre*] [*à un Martien*]. ⓑ *Je* [*la*] [*lui*] *ai adressée.*

B Dans les phrases des cases ① à ④, l'expansion ou les expansions du verbe sont encadrées. Si on déplace ces expansions en début de phrase, la phrase est-elle toujours grammaticale ?

C **OBSERVE** la construction du GV dans la phrase en majuscules des cases ① à ④, puis **INDIQUE** si dans chacune de ces phrases le GV correspond à la construction V + GN, à la construction V + GPrép ou à la construction V + GN + GPrép.

D L'expansion du verbe non attributif qui **ne commence pas par une préposition** ou qui est **équivalente à un GN** a la **fonction de complément direct du verbe**. Le complément direct du verbe peut être remplacé par *QUELQUE CHOSE* ou *QUELQU'UN*.

OBSERVE la construction du complément direct du verbe dans les phrases ⓐ, ⓑ, ⓒ et ⓓ de la case ① et dans les phrases ⓐ et ⓑ de la case ④, puis **INDIQUE** s'il s'agit:

- d'un GN dont le noyau est un nom;
- d'un GN dont le noyau est un pronom;

- d'une phrase subordonnée (la phrase subordonnée peut être constituée seulement d'un GV dont le noyau est un verbe à l'infinitif).

E L'expansion du verbe non attributif qui **commence par une préposition** ou qui est **équivalente à un GPrép** a la **fonction de complément indirect du verbe**. Le complément indirect du verbe peut être remplacé par une préposition + *QUELQUE CHOSE* ou *QUELQU'UN*.

OBSERVE la construction du complément indirect du verbe dans les phrases ⓐ, ⓑ et ⓒ des cases ② et ③ et dans les phrases ⓐ et ⓑ de la case ④, puis **INDIQUE** s'il s'agit:

- d'un GPrép;
- d'un pronom;
- d'une phrase subordonnée.

F Dans les phrases des cases ① à ④, à quelle classe de mots appartiennent les expansions du verbe qui sont placées devant le verbe ?

7 **REPÈRE** les GV numérotés du texte d'observation (pages 75-76) qui ont une construction étendue et dont le noyau est un verbe non attributif, puis **CLASSE**-les selon qu'ils correspondent à la construction ⓐ, ⓑ ou ⓒ ci-dessous.

ⓐ GV avec complément direct	ⓑ GV avec complément indirect	ⓒ GV avec compléments direct et indirect
V + *QUELQUE CHOSE / QUELQU'UN*	V + prép + *QUELQUE CHOSE / QUELQU'UN*	V + *QUELQUE CHOSE / QUELQU'UN* + prép + *QUELQUE CHOSE / QUELQU'UN*

Attention ! La préposition *à* peut être incluse dans les déterminants contractés *au* et *aux*, et la préposition *de*, dans les déterminants contractés *du* et *des*.

8 A **COMPARE** chacun des GV ci-dessous au GV du texte d'observation auquel renvoie le numéro indiqué entre parenthèses. Ensuite, **RELÈVE** l'expansion du verbe qui a été ajoutée dans chaque GV.

Peterson n'est pas membre d'une expédition ayant pour commandant un dénommé Franco. (①)
Il a très bien parlé. (⑨)
Celui-ci remua rapidement la queue (⑩) *et rota avec discrétion.* (⑪)

B L'expansion du verbe qui a été ajoutée dans chacun des GV ci-dessus est un **groupe de l'adverbe** (GAdv) ou un **groupe prépositionnel** (GPrép) **équivalent à un GAdv**. Cette expansion a la **fonction** de **modificateur du verbe**.

Le modificateur du verbe peut-il être déplacé en début de phrase ?

C Généralement, l'attribut du sujet, le complément direct et le complément indirect du verbe peuvent être remplacés par un pronom.

Est-ce le cas pour le modificateur du verbe ?

J'AI DÉCOUVERT...

LA CONSTRUCTION DU GROUPE DU VERBE

Le verbe noyau du groupe du verbe (GV) peut avoir une **forme simple** ou une **forme complexe**. À l'infinitif, le verbe qui a une forme simple est formé d' ✎ (EX. : ✎), et le verbe qui a une forme complexe est formé de ✎ (EX. : ✎). Quand un verbe de forme simple est conjugué à un temps composé, il est aussi formé de ✎ (EX. : ✎).

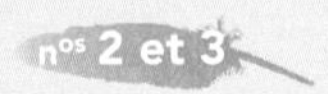

Dans certains GV, le ✎ constitue à lui seul le GV ; on dit alors que le GV a une **construction minimale**.

Dans certains GV, le verbe noyau est accompagné d'une ou de plusieurs ✎ ; on dit alors que le GV a une **construction étendue**. Dans un GV qui a une construction étendue, l' ✎ peut être placée ✎ le verbe, ✎ le verbe ou entre les mots qui forment le verbe.

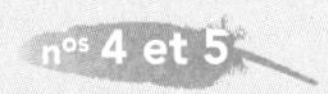

Quand le noyau du GV est un verbe attributif (c'est-à-dire le verbe ✎ ou un verbe qui peut être remplacé par le verbe ✎), il doit être accompagné d'une expansion ayant la fonction d'**attribut du sujet**. L'attribut du sujet est donc non ✎ et il ne peut être ✎ en début de phrase.

L'attribut du sujet est une expansion équivalente à un ✎.

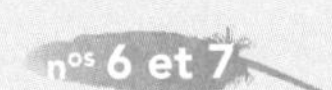

Quand le noyau du GV est un **verbe non attributif**, l'expansion du verbe peut avoir la fonction de **complément direct** ou **indirect du verbe**. Les compléments du verbe ne peuvent pas être ✎ en début de phrase.

Le **complément direct du verbe** peut être remplacé par les termes ✎ ou ✎ . Il ne commence pas par une ✎ ; il est une expansion équivalente à un ✎.

Le **complément indirect du verbe** peut être remplacé par une ✎ suivie des termes ✎ ou ✎.
Il commence par une ✎ ; il est une expansion équivalente à un ✎.

L'expansion du verbe peut avoir la fonction de **modificateur du verbe**. Le modificateur du verbe est ✎, il ne peut pas être ✎ en début de phrase et, contrairement à la plupart des attributs du sujet et des compléments du verbe, il ne peut pas être ✎ par un pronom. Il est une expansion équivalente à un ✎.

DÉJÀ VU

1 LE FONCTIONNEMENT DU GROUPE DU VERBE

Connaître le fonctionnement du groupe du verbe nous permet d'analyser les phrases que nous lisons ou que nous employons afin de mieux les comprendre ou de vérifier si elles sont construites correctement.

Le groupe du verbe (GV) est un **groupe constituant obligatoire** de la PHRASE DE BASE : il est précédé de l'autre groupe constituant obligatoire, le groupe du nom sujet (GNs), et peut être suivi d'un ou de plusieurs groupes facultatifs ayant la fonction de complément de phrase (Gcompl. P).

PHRASE DE BASE = GNs + GV + (Gcompl. P)

Dans une phrase de type déclaratif, le GV, qui est généralement placé après le GNs, est non déplaçable, non supprimable et peut être remplacé par un verbe seul.

De plus, les différents éléments qui composent le GV ne peuvent généralement pas être déplacés en début de phrase.

	GNs	GV	(Gcompl. P)
Ex. :	*Philip K. Dick*	*publie sa première nouvelle*	*en 1952* .

→ **Publie sa première nouvelle, Philip K. Dick en 1952.*
→ **Philip K. Dick ∅ en 1952.*
→ *Philip K. Dick écrivait en 1952.*
→ **Publie, Philip K. Dick sa première nouvelle en 1952.*
→ **Sa première nouvelle, Philip K. Dick publie en 1952.*

Remarque : Le **GNs** et le GV peuvent être inversés dans certaines phrases de type déclaratif.

Ex. : *Dans les années 1950 ont paru **les premiers romans de Philip K. Dick**.*

Dans une phrase avec subordonnée, le GV apparaît à différents niveaux : dans la phrase matrice et dans la phrase subordonnée.

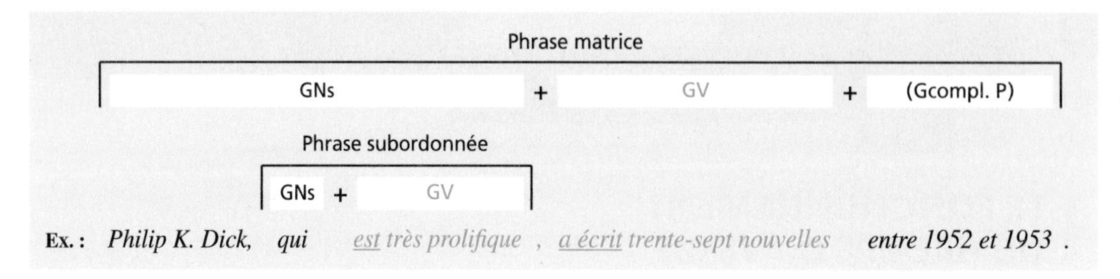

Remarque : Le verbe noyau du GV d'une phrase subordonnée peut être un verbe à l'infinitif ; on dit alors que cette subordonnée est une phrase subordonnée infinitive et ce, même si elle est constituée seulement d'un GV à l'infinitif.

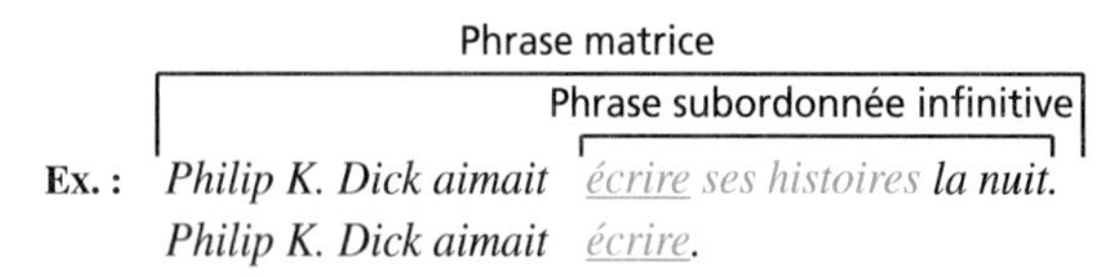

Le verbe noyau du GV d'une phrase subordonnée peut être un verbe au participe présent ou au participe passé ; on dit alors que cette subordonnée est une phrase subordonnée participiale et ce, même si elle est constituée seulement d'un GV au participe.

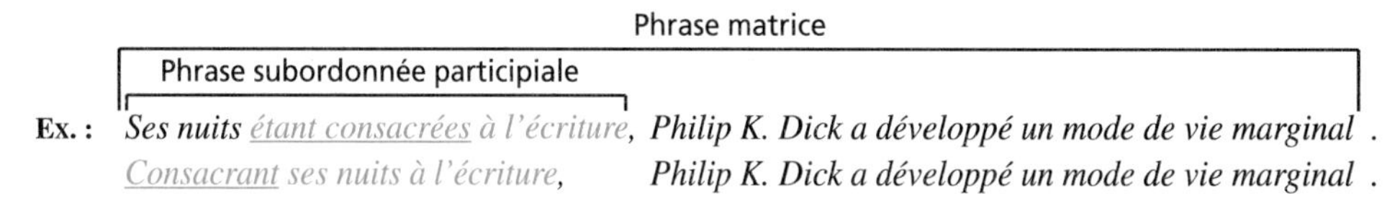

L'accord du **verbe** noyau du GV (ou de l'**auxiliaire** du verbe conjugué à un temps composé) est déterminé par le **noyau** du groupe du nom sujet (GNs) ou par l'ensemble des noyaux des GNs.

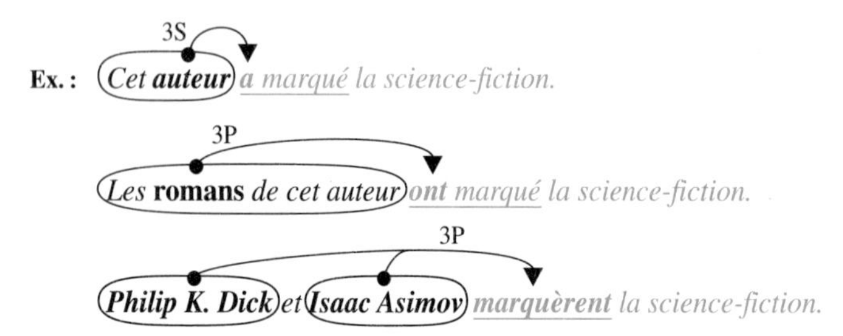

Remarque : En plus du verbe noyau du GV (ou de l'auxiliaire du verbe noyau conjugué à un temps composé), d'autres mots du GV peuvent s'accorder : le participe passé et l'adjectif noyau d'un groupe de l'adjectif (GAdj) attribut du sujet.

ORTHOGRAPHE GRAMMATICALE 2. *Les accords dans le groupe du verbe*, pages 299-302.

2 LA CONSTRUCTION DU GROUPE DU VERBE

Connaître les différentes constructions possibles du groupe du verbe permet de vérifier si un groupe du verbe est construit correctement, de le corriger ou de l'enrichir. Cela permet aussi d'analyser les phrases pour mieux les comprendre.

2.1 LA CONSTRUCTION MINIMALE DU GROUPE DU VERBE

Dans certains groupes du verbe (GV), le verbe noyau constitue à lui seul le GV ; on dit alors que le GV a une construction minimale.

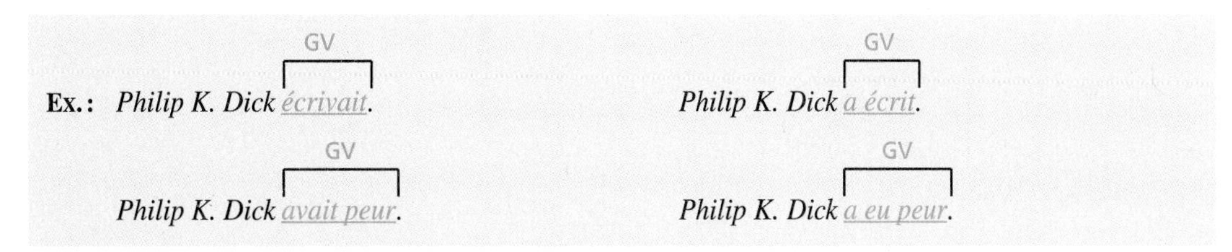

Remarque : Le verbe noyau du GV peut avoir une forme simple ou une forme complexe.

Attention ! Il ne faut pas confondre un verbe de forme complexe *(avait peur* et *a eu peur)* et un verbe de forme simple conjugué à un temps composé *(a écrit)*. Un verbe de forme complexe est formé de plus d'un mot à l'infinitif *(avoir peur)*, alors qu'un verbe de forme simple est formé d'un seul mot à l'infinitif *(écrire)*.

AIDE-MÉMOIRE *Le verbe*, pages 291-292.

2.2 LA CONSTRUCTION ÉTENDUE DU GROUPE DU VERBE

Dans la plupart des GV, le verbe noyau est accompagné d'une ou de plusieurs **expansions** ; on dit alors que le GV a une construction étendue.

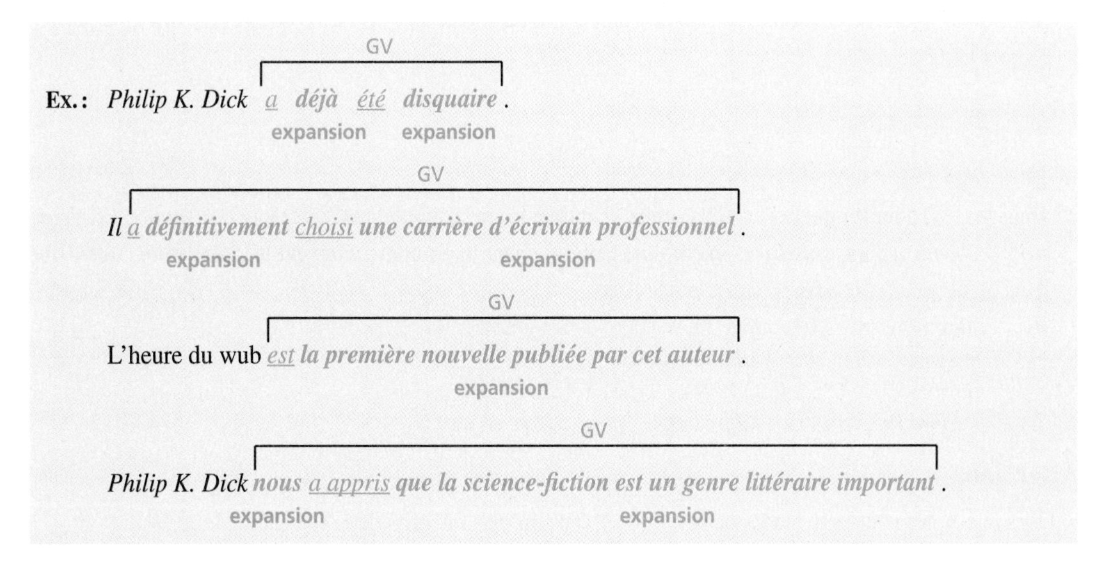

2.2.1 LA CONSTRUCTION DE L'EXPANSION DU VERBE

L'**expansion** du verbe peut se présenter sous diverses constructions : un **groupe du nom** (GN), un **groupe prépositionnel** (GPrép), un **groupe de l'adjectif** (GAdj), un **groupe de l'adverbe** (GAdv), une **phrase subordonnée**, un **pronom** (Pron).

Généralement, l'**expansion** du verbe est placée après le verbe et elle peut être remplacée par un pronom, sauf s'il s'agit d'un GAdv modificateur du verbe. L'**expansion** du verbe qui est un pronom comme *le (l')*, *la (l')*, *les*, *lui*, *leur*, *y*, *en*, *me (m')*, *te (t')*, *nous* ou *vous* est placée devant le verbe.

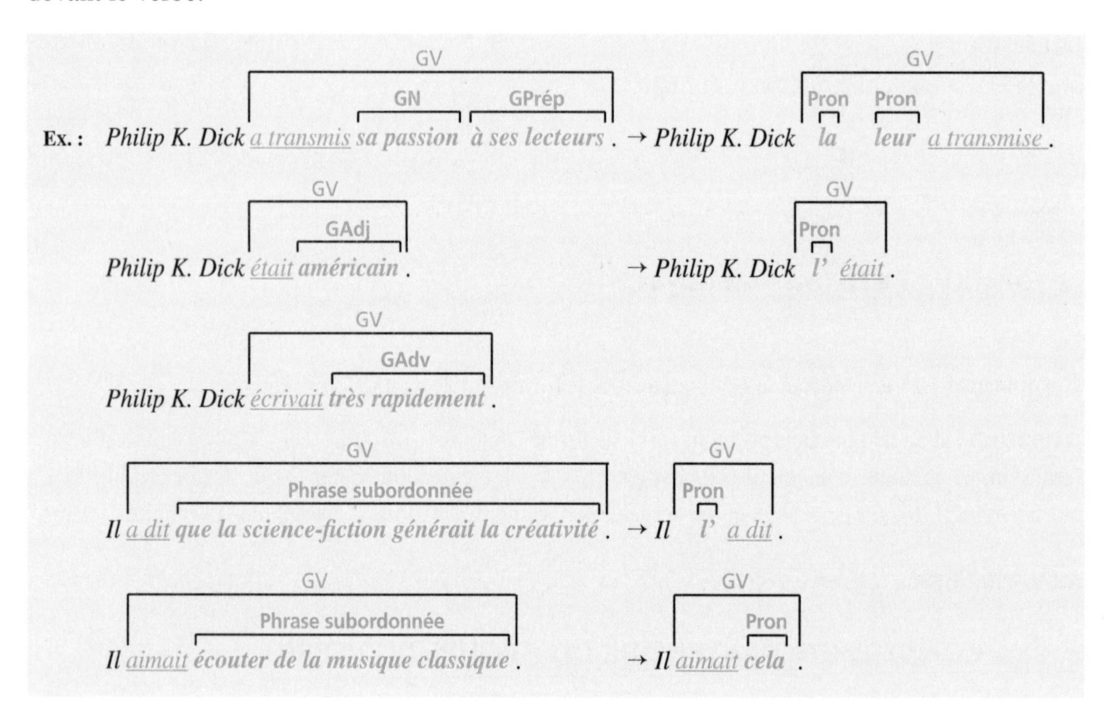

Remarques :

1° Si l'expansion du verbe est une préposition suivie d'un pronom, elle est placée après le verbe. Il s'agit alors d'un GPrép.

GV
GPrép
Ex. : *Je pense à lui.*

2° Dans un GV, pour remplacer un GN commençant par un déterminant non référent comme *une*, *un*, *deux*, *trois…*, *beaucoup de*, *plusieurs*, on emploie généralement le pronom ***en*** devant le verbe et *une*, *un*, *deux*, *trois…*, *beaucoup*, *plusieurs*, etc. après le verbe.

Ex. : *Entre 1952 et 1953, Philip K. Dick a écrit **trente-sept nouvelles**.*
→ *Entre 1952 et 1953, Philip K. Dick **en** a écrit **trente-sept**.*
*Entre 1952 et 1953, Philip K. Dick a écrit **beaucoup de nouvelles**.*
→ *Entre 1952 et 1953, Philip K. Dick **en** a écrit **beaucoup**.*

Attention !

- Dans le GV, les **pronoms** placés devant le verbe ne sont pas toujours des expansions du verbe.

  Ex. : *Il a lu la première page **de ce livre**.*
  → *Il **en** a lu la première page.*

  (Dans cet exemple, le pronom ***en*** est une expansion du nom *page* ; il a la fonction de complément du nom.)

- Le pronom *y*, placé devant le verbe, peut faire partie du GV dont ce verbe est le noyau et être une expansion du verbe. Cependant, il peut aussi être un groupe constituant facultatif de la phrase ayant la fonction de complément de phrase (Gcompl P).

  Ex. : *Il conduit ses enfants **à l'école**.*
  → *Il **y** conduit ses enfants.*

  (Dans l'exemple ci-dessus, le pronom *y* est une expansion du verbe ; il a la fonction de complément indirect du verbe.)

  Ex. : ***Dans ce livre**, on trouve la nouvelle* Roug.
  → *On **y** trouve la nouvelle* Roug.

  (Dans l'exemple ci-dessus, le pronom **y** ne fait pas partie du GV ; il est un Gcompl P.)

2.2.2 LA FONCTION DE L'EXPANSION DU VERBE

Dans un groupe du verbe (GV), l'**expansion** ou les **expansions** du verbe peuvent avoir l'une ou l'autre des fonctions suivantes : **attribut du sujet**, **complément direct du verbe**, **complément indirect du verbe** ou **modificateur du verbe**.

La fonction d'attribut du sujet

L'**attribut du sujet** (attr. du s) est une expansion du verbe qui, sur le plan grammatical, est équivalente à un groupe de l'adjectif (GAdj). L'**attribut du sujet** est introduit par un verbe attributif dans le GV.

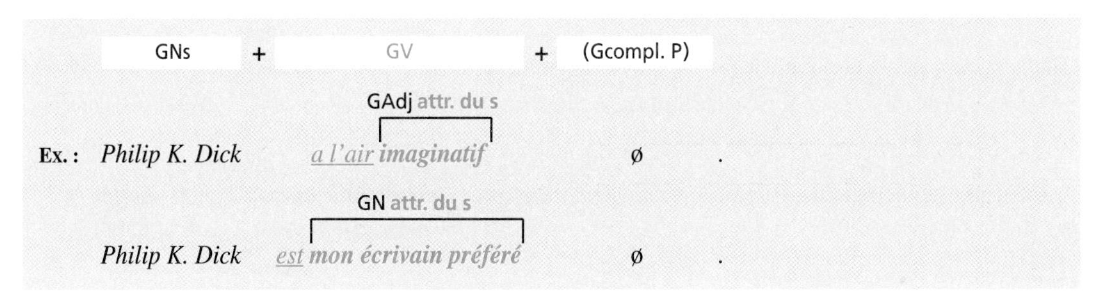

Caractéristiques syntaxiques de l'**attribut du sujet**
Généralement, l'**attribut du sujet** : – est un groupe de l'adjectif (GAdj) ou est remplaçable par un GAdj sans que la phrase devienne agrammaticale ; Ex. : *Philip K. Dick a l'air **imaginatif**.* — *Philip K. Dick est **mon écrivain préféré**.* → *Philip K. Dick est **talentueux**.* – est non déplaçable ; Ex. : → **Imaginatif**, Philip K. Dick a l'air.* — → **Mon écrivain préféré**, Philip K. Dick est.* – est non supprimable ; Ex. : → *Philip K. Dick a l'air ø .* — → *Philip K. Dick est ø .* – est le pronom *le (l')* ou le pronom *en* ou peut être remplacé par l'un de ces pronoms. Ex. : → *Philip K. Dick **en** a l'air.* — → *Philip K. Dick **l'**est.*

Remarque : Un GV peut contenir plusieurs attributs du sujet joints par la virgule ou par un coordonnant comme *et*, *ou*, *ni*, etc. Dans ce cas, les attributs du sujet peuvent être remplacés par un seul pronom.

GAdj attr. du s GAdj attr. du s

Ex. : *Philip K. Dick est talentueux et imaginatif.*
→ *Philip K. Dick l'est.*

Principales constructions pouvant avoir la fonction d'**attribut du sujet**
• un groupe de l'adjectif (GAdj);
• un groupe du nom (GN);
• un groupe prépositionnel (GPrép);
• un groupe de l'adverbe (GAdv);
• les pronoms *le (l')* ou *en*;
• le pronom relatif *que*.

Remarque : Une manière de reconnaître un verbe attributif consiste à vérifier s'il peut être remplacé par le verbe *être* (sans que la phrase devienne agrammaticale et sans qu'elle change complètement de sens), et s'il peut être suivi d'un groupe de l'adjectif.

Ex. : *Philip K. Dick passe pour un grand écrivain.*
→ *Philip K. Dick est un grand écrivain.*
→ *Philip K. Dick passe pour talentueux.*

Voici quelques verbes attributifs parmi les plus fréquemment utilisés : *être, paraître, avoir l'air, sembler, (re)devenir, demeurer, rester, tomber, être considéré comme, être nommé, passer pour, s'avérer, s'avouer, se croire, se dire, se montrer, se révéler*, etc.

Attention ! Les verbes *être, demeurer, rester* et *paraître* sont non attributifs lorsqu'ils ont le sens de *se trouver*.

Ex. : *Philip K. Dick est à Berkeley.*
(Dans cet exemple, l'**expansion** du verbe a la fonction de complément indirect du verbe.)

Les fonctions de **complément direct** et de **complément indirect du verbe**

- Le **complément direct du verbe** (compl. dir. du V) est une expansion du verbe qui ne commence pas par une préposition ou qui, sur le plan grammatical, est équivalente à un groupe du nom (GN) [par exemple, QUELQUE CHOSE ou QUELQU'UN]. Le **complément direct du verbe** est introduit par un verbe non attributif dans le GV.

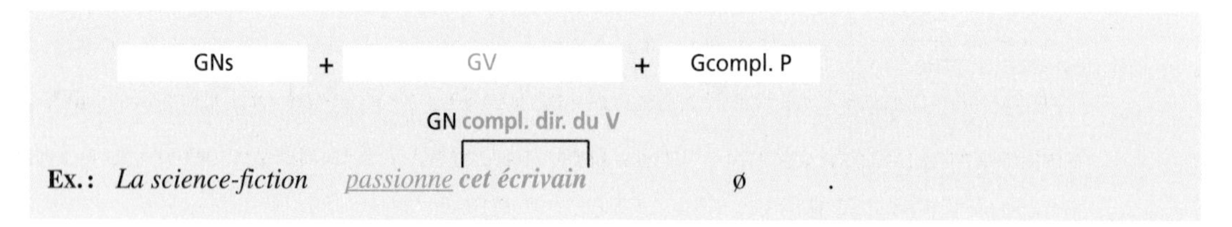

- Le **complément indirect du verbe** (compl. indir. du V) est une expansion du verbe qui commence par une préposition ou qui, sur le plan grammatical, est équivalente à un groupe prépositionnel (GPrép) [par exemple, préposition + *QUELQUE CHOSE* ou *QUELQU'UN*]. Le **complément indirect du verbe** est introduit par un verbe non attributif dans le GV.

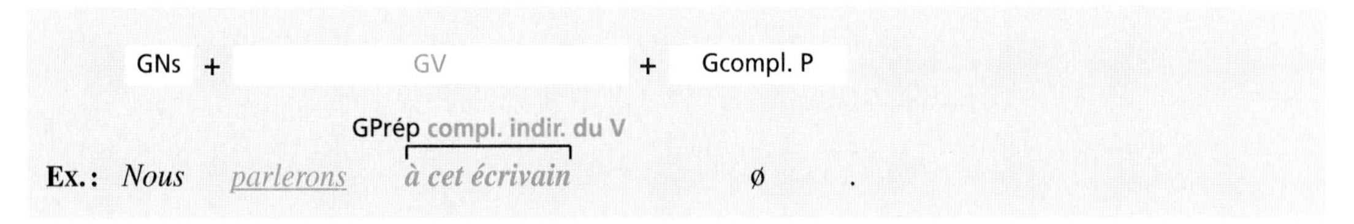

Caractéristiques syntaxiques du **complément direct du verbe**	Caractéristiques syntaxiques du **complément indirect du verbe**
Généralement, le **complément direct du verbe** : – est non déplaçable en début de phrase; **Ex. :** *La science-fiction passionne cet écrivain.* → **Cet écrivain, la science-fiction passionne.* – est remplaçable par *QUELQUE CHOSE* ou *QUELQU'UN* ; **Ex. :** → *La science-fiction passionne QUELQU'UN.* – est le pronom ***le (l'), la (l'), les, cela (ça), en , me (m'), te (t'), nous*** ou ***vous***, ou est remplaçable par l'un de ces pronoms; **Ex. :** → *La science-fiction le passionne.* – peut devenir le **groupe du nom sujet** (GNs) d'une phrase à la forme passive. **Ex. :** → *Cet écrivain est passionné par la science-fiction.*	Généralement, le **complément indirect du verbe** : – est non déplaçable en début de phrase; **Ex. :** *Nous parlerons à cet écrivain.* → **À cet écrivain, nous parlerons.* – est remplaçable par une **préposition** + *QUELQUE CHOSE* ou *QUELQU'UN* ; **Ex. :** → *Nous parlerons à QUELQU'UN.* – est le pronom ***lui, leur, y, en, me (m'), te (t'), nous*** ou ***vous***, ou est remplaçable par l'un de ces pronoms. **Ex. :** → *Nous lui parlerons.* **Attention !** Quand le **complément indirect du verbe** désigne un **lieu**, il peut être remplacé par *QUELQUE PART* ou par ***de*** *QUELQUE PART*. **Ex. :** *Philip va à Berkeley.* → *Philip va QUELQUE PART.* *Philip vient de Berkeley.* → *Philip vient de QUELQUE PART.*

Remarque : Un GV peut contenir un ou plusieurs compléments directs du verbe ou un ou plusieurs compléments indirects du verbe joints par la virgule ou par un coordonnant comme *et*, *ou*, *ni*, etc. Dans ce cas, les compléments du verbe peuvent être remplacés par un seul pronom.

GN compl. dir. du V — GN compl. dir. du V

Ex. : *La science-fiction passionne Philip K. Dick et Isaac Asimov.*
→ *La science-fiction les passionne.*

GPrép compl. indir. du V — GPrép compl. indir. du V

Nous parlerons des romans de Philip K. Dick et de ses nouvelles .
→ *Nous en parlerons.*

Dans certains GV, le verbe noyau doit **obligatoirement** être accompagné d'un complément direct ou d'un complément indirect du verbe, ou encore de ces deux types de compléments.

Ex. : *J'ai pris le roman de science-fiction.*
→ **J'ai pris* ∅.
J'ai profité de l'occasion.
→ **J'ai profité* ∅.

J'ai adressé une lettre à cet auteur.
→ **J'ai adressé une lettre* ∅.
→ **J'ai adressé* ∅ *à cet auteur.*
→ **J'ai adressé* ∅ ∅.

Pour délimiter un complément direct et un complément indirect du verbe, on peut mettre en relief chacun d'eux à l'aide de ***c'est… que***.

Ex. : *J'ai adressé une lettre à cet auteur.*
→ *C'est une lettre que j'ai adressée à cet auteur.*
→ *C'est à cet auteur que j'ai adressé une lettre.*

La mise en relief à l'aide de ***c'est… que*** permet aussi de distinguer le complément direct du verbe de l'attribut du sujet. En effet, l'attribut du sujet ne peut pas être mis en relief de cette manière.

Remarque : Quand le verbe noyau du GV est accompagné à la fois d'un complément direct et d'un complément indirect du verbe, le complément direct est généralement placé devant le complément indirect, à moins qu'il soit plus long que le complément indirect.

Ex. : *J'ai adressé* [GN compl. dir. du V: *une lettre*] [GPrép compl. indir. du V: *à cet auteur*].

J'ai adressé [GPrép compl. indir. du V: *à cet auteur*] [GN compl. dir. du V: *une lettre que j'ai écrite après avoir lu son premier roman*].

Principales constructions pouvant avoir la fonction de complément du verbe	
complément direct du verbe	**complément indirect du verbe**
• un groupe du nom (GN); • une phrase subordonnée; • les pronoms *le (l'), la (l'), les, cela (ça), en, me (m'), te (t'), nous, vous*; • le pronom relatif *que*. **Attention !** Certains GPrép contenant une subordonnée infinitive ont la fonction de complément direct du verbe. Ces GPrép sont l'équivalent d'un GN, car ils peuvent être remplacés par QUELQUE CHOSE ou par les pronoms *le (l')* ou *cela*. **Ex. :** *Philip K. Dick redoute de voyager en autobus.* → *Philip K. Dick redoute* QUELQUE CHOSE. → *Philip K. Dick redoute cela.* *Philip K. Dick demande à être publié.* → *Philip K. Dick demande* QUELQUE CHOSE. → *Philip K. Dick le demande.*	• un groupe prépositionnel (GPrép); • une phrase subordonnée; • les pronoms *lui, leur, en, y, me (m'), te (t'), nous, vous*; • les pronoms relatifs *dont, auquel (auxquels/auxquelles), duquel (desquels/desquelles), où*. **Attention !** Quelques verbes comme *aller, partir* ou comme *être, demeurer, rester*, lorsqu'ils ont le sens de *se trouver*, peuvent être accompagnés d'un groupe de l'adverbe (GAdv) complément du verbe. **Ex. :** *Philip K. Dick va là-bas.* Le GAdv qui peut avoir la fonction de complément du verbe exprime le lieu et peut être remplacé par QUELQUE PART ou par le pronom *y*. **Ex. :** *Philip K. Dick va* QUELQUE PART. *Philip K. Dick y va.*

UNE CLASSIFICATION DES VERBES

Les ouvrages de référence tels les dictionnaires divisent les verbes en deux grandes catégories : les verbes transitifs et les verbes intransitifs. Les verbes transitifs sont à leur tour divisés en deux catégories : les verbes transitifs directs et les verbes transitifs indirects. On peut se référer à ces catégories pour vérifier la construction d'un GV.

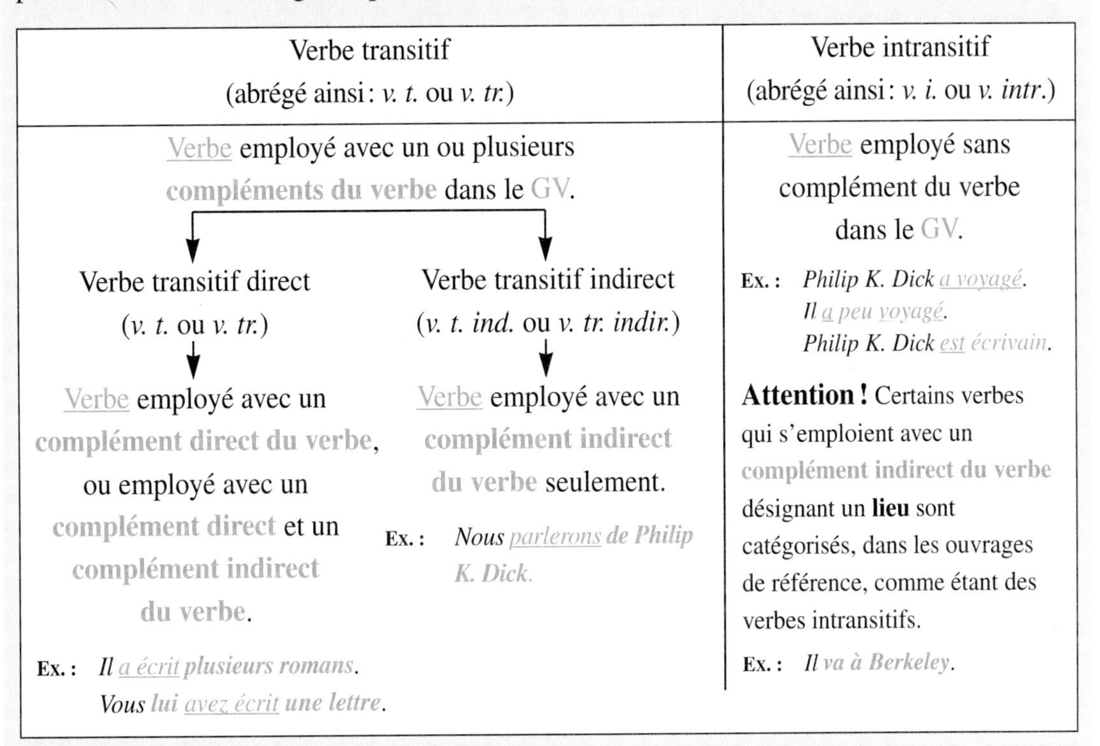

Verbe transitif (abrégé ainsi : *v. t.* ou *v. tr.*)		Verbe intransitif (abrégé ainsi : *v. i.* ou *v. intr.*)
Verbe employé avec un ou plusieurs **compléments du verbe** dans le GV.		Verbe employé sans complément du verbe dans le GV.
Verbe transitif direct (*v. t.* ou *v. tr.*)	Verbe transitif indirect (*v. t. ind.* ou *v. tr. indir.*)	**Ex. :** *Philip K. Dick a voyagé.* *Il a peu voyagé.* *Philip K. Dick est écrivain.*
Verbe employé avec un **complément direct du verbe**, ou employé avec un **complément direct** et un **complément indirect du verbe**.	Verbe employé avec un **complément indirect du verbe** seulement.	**Attention !** Certains verbes qui s'emploient avec un **complément indirect du verbe** désignant un **lieu** sont catégorisés, dans les ouvrages de référence, comme étant des verbes intransitifs.
Ex. : *Il a écrit **plusieurs romans**.* *Vous **lui** avez écrit **une lettre**.*	**Ex. :** *Nous parlerons **de Philip K. Dick**.*	**Ex. :** *Il va **à Berkeley**.*

Remarque : Dans un ouvrage de référence, quand on ne précise pas si le verbe transitif est direct ou indirect, c'est parce qu'il s'agit d'un verbe transitif direct (v. t. ou v. tr.: verbe transitif **direct**).

Ex. :

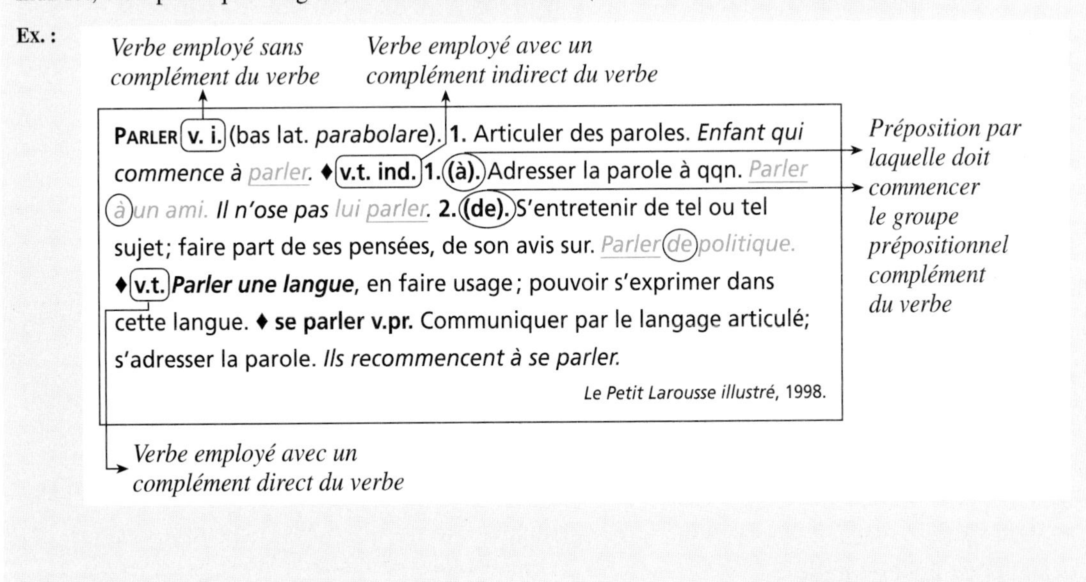

PARLER v. i. (bas lat. *parabolare*). **1.** Articuler des paroles. *Enfant qui commence à parler.* ♦ **v.t. ind. 1. (à).** Adresser la parole à qqn. *Parler à un ami. Il n'ose pas lui parler.* **2. (de).** S'entretenir de tel ou tel sujet; faire part de ses pensées, de son avis sur. *Parler de politique.* ♦ **v.t.** ***Parler une langue***, en faire usage; pouvoir s'exprimer dans cette langue. ♦ **se parler v.pr.** Communiquer par le langage articulé; s'adresser la parole. *Ils recommencent à se parler.*

Le Petit Larousse illustré, 1998.

La fonction de **modificateur du verbe**

Le modificateur du verbe est une expansion du verbe équivalente à un groupe de l'adverbe (GAdv).

	GNs +	GV	+ (Gcompl. P)	
Ex. :	*On*	*parle* ***beaucoup*** *de cet écrivain*	ø	.
	On	*parle* ***avec abondance*** *de cet écrivain*	ø	.
	On	*a* ***beaucoup*** *parlé de cet écrivain*	ø	.

AIDE-MÉMOIRE *L'adverbe*, page 293.

Caractéristiques syntaxiques du modificateur du verbe
Le modificateur du verbe : – n'est pas déplaçable en début de phrase; **Ex. :** *On parle* ***beaucoup*** *de cet écrivain.* → ******Beaucoup****, on parle de cet écrivain.* – est supprimable; **Ex. :** → *On parle ø de cet écrivain.* – ne peut pas être remplacé par un pronom.

Remarque : Le modificateur du verbe est la seule expansion du verbe qui peut se trouver entre les différents éléments qui forment le verbe conjugué à un temps composé ou le verbe de forme complexe.

Ex. : *On a* ***beaucoup*** *parlé de cet écrivain.*

Principales constructions pouvant avoir la fonction de modificateur du verbe
• un groupe de l'adverbe (GAdv); • un groupe prépositionnel (GPrép).

3 LE RÔLE DU GROUPE DU VERBE

Généralement, dans une phrase, on présente d'abord ce dont on parle (une personne, un animal, une chose, etc.) et, ensuite, on donne des **renseignements** sur ce dont on parle.

Souvent, c'est le groupe du verbe (GV) qui est employé pour donner des renseignements sur ce dont on parle dans la phrase, alors que le groupe du nom sujet (GNs) est employé pour désigner ce dont on parle.

Ex. : *Philip K. Dick est un grand écrivain.*
Philip K. Dick achetait énormément de magazines de science-fiction.

Dans une phrase, les renseignements donnés à l'aide du GV peuvent servir, entre autres, …	
à **décrire** ce dont on parle dans le GNs en lui attribuant une ou des **caractéristiques**. Ex. : *Philip K. Dick est un grand écrivain.* *Il avait des yeux brillants.* *Il adorait la lecture.* *Il s'impatientait.* Dans ce cas, le noyau du GV peut être : • un **verbe attributif** ou un **verbe non attributif** comme *avoir*, *posséder*, etc.; • un **verbe non attributif** comme *sentir (elle sent bon), coûter (ils coûtent cher), ressembler*, *adorer*, *détester*, etc.	à **raconter** les **actions**, les **activités** ou les **événements** reliés à ce dont on parle dans le GNs. Ex. : *Philip K. Dick achetait énormément de magazines de science-fiction.* *Philip K. Dick écrivait des nouvelles et des romans.* Dans ce cas, le noyau du GV est généralement un **verbe non attributif**.

4 DES PROCÉDURES POUR DÉLIMITER UN GROUPE DU VERBE ET POUR IDENTIFIER LA FONCTION DE L'EXPANSION OU DES EXPANSIONS DANS LE GROUPE DU VERBE

Avant d'identifier la fonction de l'expansion ou des expansions dans le groupe du verbe (GV), il faut délimiter le ou les GV dans la phrase. La procédure ci-après te rappelle comment délimiter ce groupe constituant obligatoire de la phrase, afin de le distinguer des autres groupes constituants de la phrase.

4.1 DÉLIMITER UN GROUPE DU VERBE

PROCÉDURE POUR DÉLIMITER UN GROUPE DU VERBE

1. **REPÈRE** un verbe conjugué.
2. **ENCERCLE** le GNs et, s'il y a lieu, **METS** entre parenthèses le ou les Gcompl. P.
3. **ASSURE**-toi que le ou les groupes de mots qui suivent le verbe ne peuvent pas être déplacés en début de phrase.
4. **ASSURE**-toi que le GV qui a une construction étendue peut être remplacé par un verbe seul.

4.2 IDENTIFIER LA FONCTION DE L'EXPANSION OU DES EXPANSIONS DANS LE GROUPE DU VERBE

4.2.1 IDENTIFIER UN ATTRIBUT DU SUJET

PROCÉDURE POUR IDENTIFIER UN ATTRIBUT DU SUJET

1. **REPÈRE** un verbe attributif.

Au besoin, **RÉFÈRE**-toi à la deuxième remarque de la page 86.

❷ **VÉRIFIE** si le ou les groupes de mots qui accompagnent le verbe attributif répondent aux critères suivants :

- le groupe de mots peut être remplacé par un GAdj s'il n'en est pas déjà un ;
- le groupe de mots ne peut pas être déplacé en début de phrase ;
- le groupe de mots est non supprimable ;
- le groupe de mots peut être remplacé par les pronoms *le (l')* ou *en* s'il n'est pas déjà l'un de ces pronoms.

Attention ! Contrairement aux compléments du verbe, l'attribut du sujet ne peut pas être mis en relief à l'aide de ***c'est... que***.

4.2.2 IDENTIFIER UN **COMPLÉMENT DU VERBE**

PROCÉDURE POUR IDENTIFIER UN COMPLÉMENT DU VERBE

❶ **REPÈRE** un verbe non attributif.

❷ **DÉLIMITE** les groupes de mots qui accompagnent le verbe non attributif en mettant en relief chacun d'eux à l'aide de ***c'est... que***.

❸ **VÉRIFIE** ensuite si le ou les groupes de mots délimités répondent aux critères suivants :

Un **complément direct du verbe**	Un **complément indirect du verbe**
• le groupe de mots ne peut pas être déplacé en début de phrase ;	• le groupe de mots ne peut pas être déplacé en début de phrase ;
• le groupe de mots peut être remplacé par *QUELQUE CHOSE* ou *QUELQU'UN* ;	• le groupe de mots peut être remplacé par une **préposition** + *QUELQUE CHOSE* ou *QUELQU'UN*, ou encore par *QUELQUE PART* ou **de** *QUELQUE PART* ;
• le groupe de mots peut être remplacé par les pronoms *le (l')*, *la (l')*, *les* ou *cela (ça)* s'il n'est pas déjà l'un de ces pronoms.	• le groupe de mots peut être remplacé par les pronoms *lui*, *leur*, *y* ou *en*, ou par un GPrép formé d'une **préposition** + *elle*, *lui*, *elles*, *eux* ou *cela (ça)* s'il n'est pas déjà l'un de ces pronoms ou l'un de ces GPrép.

4.2.3 IDENTIFIER UN **MODIFICATEUR DU VERBE**

PROCÉDURE POUR IDENTIFIER UN MODIFICATEUR DU VERBE

❶ **REPÈRE** un verbe.

❷ **VÉRIFIE** si le ou les groupes de mots qui l'accompagnent répondent aux critères suivants :

- le groupe de mots ne peut pas être déplacé en début de phrase ;
- le groupe de mots est supprimable ;
- le groupe de mots peut être remplacé par un GAdv s'il n'en est pas déjà un ;
- le groupe de mots ne peut pas être remplacé par un pronom.

Pour appliquer *mes* connaissances lorsque *je* lis

Appliquer tes connaissances sur le groupe du verbe en lecture suppose que tu es capable :

- de reconnaître le groupe du verbe;
- d'identifier les expansions dans le groupe du verbe;
- d'identifier dans les textes que tu lis les renseignements donnés par le groupe du verbe.

Les trois blocs d'activités qui suivent te permettront de vérifier si tu maîtrises ces habiletés.

LIS cet extrait d'*Une petite ville*, une autre nouvelle de Philip K. Dick.

Une petite ville

L'air abattu, Verne Haskel monta les marches du perron, son pardessus traînant par terre derrière lui. ① Il était épuisé. Épuisé et découragé. ② Et ses pieds lui faisaient mal.

« Tiens ! s'exclama Madge […] Tu rentres déjà ? »

③ Haskel laissa tomber son porte-documents et entreprit de défaire ses lacets. ④ Il avait les épaules voûtées, la tête basse, les traits tirés et le teint grisâtre. […] ⑤ Haskel […] se traîna vers la porte de la cave. « À plus tard.

— Où vas-tu ?

— Je descends.

— Bon sang ! s'écria sauvagement Madge. Encore ces trains ! Ces jouets ! Comment un homme de ton âge peut-il… »

Mais Haskel ne répondit rien. Il était déjà dans l'escalier à tâtonner dans l'obscurité pour trouver le commutateur.

⑥ Le sous-sol était frais et humide. ⑦ Haskel décrocha sa casquette de mécanicien et la coiffa. ⑧ Un enthousiasme nouveau accompagné d'un regain d'énergie s'empara de lui malgré sa

fatigue. ⑨ Il s'approcha impatiemment d'une grande table en contre-plaqué.

Il y avait des voies de chemin de fer partout dans la pièce. [...]

Et puis il y avait la ville.

[...] Une ville miniature parfaitement exacte et ordonnée qui représentait des années de travail soigné, puisque, aussi loin qu'il se souvînt, il s'y était toujours consacré. Déjà quand il était enfant [...], il maniait les outils et la colle.

Haskel mit en marche le transformateur principal. Tout le long de la voie, des feux s'allumèrent. ⑩ Il donna ensuite du courant à la grosse locomotive Lionel, avec ses wagons de marchandises, et l'engin démarra [...]

C'étaient ses trains, sa ville. [...] La totalité de la ville. ⑪ Il la caressa amoureusement des deux mains. ⑫ Il l'avait construite. ⑬ Elle était à lui. [...]

⑭ Ce train et cette ville miniature lui procuraient une sensation étrange. C'était difficile à définir. ⑮ Il avait toujours aimé les trains, les petites locomotives, les signaux lumineux, les gares, les tunnels. Depuis qu'à l'âge de six ou sept ans, il avait reçu son premier train. C'était son père qui le lui avait offert. [...]

Philip K. Dick, *Nouvelles*, 1952-1953, © Denoël, 1994.

JE RECONNAIS LE GROUPE DU VERBE DANS LA PHRASE

1 **Transcris** à double interligne les phrases ①, ⑧ et ⑫ du texte *Une petite ville*, puis:

- **souligne** le verbe conjugué dans chacune d'elles;
- **encercle** le GNs;
- **mets** entre parenthèses le ou les Gcompl. P s'il y a lieu;
- **surligne** le GV.

2 La phrase ⑩ du texte contient plus d'une construction comparable à celle de la phrase de base. **Transcris** cette phrase, puis:

- **souligne** les verbes conjugués qu'elle contient;
- **encercle** le ou les GNs;

- **METS** entre parenthèses le ou les Gcompl. P s'il y a lieu;
- **SURLIGNE** les GV.

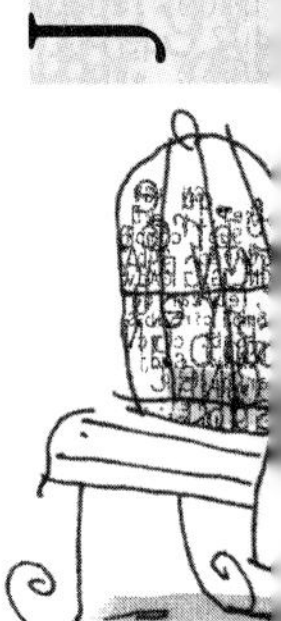

3 [A] **COMPARE** cette phrase:

Haskel laissa tomber son porte-documents et Haskel entreprit de défaire ses lacets.

à la phrase ③ du texte:

③ *Haskel laissa tomber son porte-documents et entreprit de défaire ses lacets.*

Que remarques-tu ?

[B] Pourquoi l'auteur a-t-il choisi d'effacer le deuxième GNs dans la phrase ③ ?

[C] Dans la phrase ⑩ du texte, l'auteur aurait-il pu effacer le deuxième GNs ? Pourquoi ?

J'IDENTIFIE LES EXPANSIONS DANS LE GROUPE DU VERBE

4 [A] Dans les phrases numérotées du texte *Une petite ville*, **RELÈVE** les GV dont le noyau est un verbe attributif.

[B] **ENCADRE** l'attribut du sujet dans chacun des GV relevés en [A].

Attention ! Il est possible qu'un GV contienne plusieurs attributs du sujet joints par une virgule ou par un mot comme *et*, *ou*, etc.

5 Dans une des phrases non numérotées du texte (entre les phrases ① et ⑥), le noyau du GV est le verbe *être* employé comme un verbe non attributif. **RELÈVE** cette phrase.

6 [A] **TRANSCRIS** les verbes ⓐ à ⓙ ci-après en indiquant, s'il y a lieu, l'expansion ou les expansions qui pourraient accompagner chaque verbe dans un GV:

- *QUELQUE CHOSE / QUELQU'UN* ;
- ***à*** ou ***de*** *QUELQUE CHOSE / QUELQU'UN* ;
- *QUELQUE CHOSE / QUELQU'UN* + ***à*** ou ***de*** *QUELQUE CHOSE / QUELQU'UN*.

Ex. : ⓐ *faire mal à QUELQU'UN*

Tu peux utiliser les abréviations *QQCH.* et *QQN.*
Ex. : ⓐ *faire mal à QQN.*

ⓐ *faire mal* ⓑ *laisser tomber* ⓒ *entreprendre* ⓓ *décrocher* ⓔ *coiffer* ⓕ *s'emparer* ⓖ *s'approcher* ⓗ *démarrer* ⓘ *caresser* ⓙ *construire*

[B] Chacun des verbes ci-dessus est le verbe noyau d'un GV dans les phrases numérotées du texte *Une petite ville*. **RELÈVE** chacun de ces GV.

[C] Dans chacun des GV relevés, s'il y a lieu, **ENCADRE** en bleu l'expansion ayant la fonction de complément direct du verbe.

D Dans chacun des GV relevés, s'il y a lieu, **ENCADRE** en noir l'expansion ayant la fonction de complément indirect du verbe.

E Dans chacun des GV relevés, s'il y a lieu, **ENCADRE** en rouge l'expansion ayant la fonction de modificateur du verbe.

J'IDENTIFIE LES RENSEIGNEMENTS DONNÉS PAR LE GROUPE DU VERBE DANS UN TEXTE

7 **REPÈRE** les phrases numérotées du texte *Une petite ville* (pages 93-94) dans lesquelles le GNs désigne Verne Haskel, puis, dans un tableau semblable à celui ci-après, **CLASSE** les GV de ces phrases selon qu'ils contiennent :

- des renseignements décrivant les **caractéristiques** de Verne Haskel (comment il est, ce qu'il est, ce qu'il aime, etc.) ;
- des renseignements sur les différentes **actions** ou **activités** de Verne Haskel.

Caractéristiques du personnage (comment il est, ce qu'il est, ce qu'il aime, etc.)	Actions ou activités du personnage (ce qu'il fait)
Ex. : *était épuisé*	**Ex. :** *laissa tomber son porte-documents*

TRANSCRIS aussi les GV donnés en exemples.

8 A **SOULIGNE** le verbe noyau de chacun des GV que tu as classés.

B Parmi les GV que tu as classés, **REPÈRE** celui dont le noyau est un verbe attributif. Ce GV contient-il des renseignements sur les caractéristiques de Verne Haskel ou sur ses actions ?

C **REPÈRE** maintenant les GV dont le noyau est un verbe non attributif. Quels renseignements contiennent ces GV : des renseignements sur les caractéristiques de Verne Haskel, ou sur ses actions ou activités ?

9 A La phrase ⑧ du texte nous présente un changement d'attitude de Verne Haskel :

> ⑧ *Un enthousiasme nouveau accompagné d'un regain d'énergie s'empara de lui malgré sa fatigue.*

À l'aide des deux premiers GV que tu as classés dans la première colonne de ton tableau, **RÉSUME** l'attitude de Verne Haskel avant ce changement.

B Parmi les GV que tu as classés dans la seconde colonne de ton tableau, **REPÈRE** ceux qui ont fait en sorte que se produise le changement d'attitude chez Verne Haskel. **SURLIGNE** ces GV.

C À l'aide des GV que tu as classés dans la seconde colonne de ton tableau, **RÉSUME** les actions ou les activités de Verne Haskel à la suite de son changement d'attitude.

10 A **DRESSE** la liste des GNs de chacun des verbes noyaux des GV que tu as classés dans ton tableau.

B **COMPARE** la liste des GNs et celle des GV que tu as classés, puis **INDIQUE** lequel des deux groupes constituants obligatoires de la phrase fait avancer l'histoire : le GNs ou le GV ?

Pour appliquer *mes* connaissances lorsque *j'écris*

Appliquer tes connaissances sur le groupe du verbe en écriture suppose que tu es capable :

- de construire des groupes du verbe et de vérifier leur construction;
- de faire les accords dans le groupe du verbe;
- de vérifier la construction du groupe du verbe dans tes propres textes et de réviser les accords dans ce groupe de mots.

Les trois blocs d'activités qui suivent te permettront de vérifier si tu maîtrises ces habiletés.

JE CONSTRUIS DES GROUPES DU VERBE ET JE VÉRIFIE LEUR CONSTRUCTION

Voici des extraits de définitions de huit verbes, tirés d'un dictionnaire usuel.

CRIER v.i.
1. Pousser un cri, des cris. *Crier de douleur.* • v.t. **1.** Dire à haute voix. *Crier un ordre.*

DÉTESTER v.t.
Avoir de l'aversion pour ; avoir en horreur, exécrer.

DEVENIR v.i.
1. Passer d'un état à un autre ; acquérir une certaine qualité. *Elle est devenue ministre. Devenir vieux, irritable.*

DONNER v.t.
I. **1.** Mettre en la possession de qqn. *Donner un jouet à un enfant.*

OBSERVER v.t.
I. **1.** Examiner attentivement, considérer avec attention pour étudier. *Observer les étoiles.* **2.** Regarder attentivement pour surveiller, contrôler. *Observer les faits et gestes de ses voisins.*

PARTICIPER v.t. ind. [à]
1. S'associer, prendre part à qqch. *Participer à une manifestation.*

RESSEMBLER v.t. ind. [à]
Présenter une ressemblance avec.

SEMBLER v.i.
1. Présenter l'apparence de, donner l'impression d'être, de faire qqch. *Ce vin semble trouble. Vous semblez préoccupé.*

Le Petit Larousse illustré, 1998.

1 [A] **LIS** la définition de chacun des verbes de l'encadré, puis **RELÈVES**-en quatre qui pourraient être employés pour décrire les caractéristiques d'un personnage (comment il est, ce qu'il est).

ÉCRIS les verbes à double interligne.

[B] Parmi les verbes relevés en [A], lesquels sont des verbes attributifs ?

[C] Quelle est la fonction de l'expansion qui accompagne toujours un verbe attributif ?

[D] Pour chacun des verbes non attributifs relevés en [A], **DÉCRIS** la ou les constructions possibles d'un GV dont il serait le noyau.

Tu peux utiliser les abréviations *QQCH.* et *QQN.*
EX. : DOUTER *DE QQCH.*

[E] **INDIQUE** la fonction de l'expansion du verbe dans chacun des GV dont tu as décrit la construction.

Compl. indir. du V
Ex. : DOUTER *DE QQCH.*

2 [A] Parmi les verbes de l'encadré, **RELÈVE** ceux qui pourraient être employés pour raconter les actions ou les activités d'un personnage.

ÉCRIS les verbes à double interligne.

[B] Les verbes relevés en [A] sont-ils des verbes attributifs ou non attributifs ?

[C] Pour chacun des verbes relevés en [A], **DÉCRIS** la ou les constructions possibles d'un GV dont il serait le noyau.

Tu peux utiliser les abréviations *QQCH.* et *QQN.*
Ex. :: MANGER *QQCH.*

[D] S'il y a lieu, **INDIQUE** la fonction de l'expansion du verbe dans chacun des GV dont tu as décrit la construction.

Compl. dir. du V
Ex. : MANGER *QQCH.*

3 Dans un texte qui introduit une nouvelle intitulée *Roug*, Philip K. Dick dit que, pour inventer des histoires insolites avec des personnages extraordinaires, il choisit une personne, un animal, une créature ou même une chose et il tente d'entrer dans sa tête, c'est-à-dire qu'il essaie de penser comme elle ou lui et de voir le monde à travers ses yeux.

CHOISIS une personne, un animal, une créature ou une chose qui pourra devenir le personnage principal du texte que tu écriras à la suite de ces activités, puis **DÉCRIS** **cinq caractéristiques** de ce personnage en employant une phrase dont :

ⓐ le verbe noyau du GV est un verbe attributif suivi d'un groupe de l'adjectif (GAdj) ayant la fonction d'attribut du sujet;

Ex. : *Le chien est inquiet.*

ⓑ le verbe noyau du GV est un verbe attributif suivi d'un groupe du nom (GN) ayant la fonction d'attribut du sujet;

Ex. : *Il semble l'ennemi des éboueurs.*

ⓒ le verbe noyau du GV est un verbe attributif suivi d'un groupe prépositionnel (GPrép) ayant la fonction d'attribut du sujet;

Ex. : *Il devient en colère quand les éboueurs passent.*

ⓓ le verbe noyau du GV est un verbe non attributif suivi d'un groupe du nom (GN) complément direct du verbe;

Ex. : *Il adore ses maîtres.*

ⓔ le verbe noyau du GV est un verbe non attributif suivi d'un groupe prépositionnel (GPrép) complément indirect du verbe.

Ex. : *Il a peur des éboueurs.*

CONSULTE un dictionnaire au besoin.

J'ÉCRIS

4 **Raconte** maintenant **quatre actions ou activités** que ton personnage pourrait faire en employant une phrase dont :

ⓐ le verbe noyau du GV est un verbe non attributif suivi d'un groupe du nom (GN) ayant la fonction de complément direct du verbe;
Ex. : *Le chien observe les éboueurs.*

ⓑ le verbe noyau du GV est un verbe non attributif suivi d'un groupe prépositionnel (GPrép) ayant la fonction de complément indirect du verbe;
Ex. : *Le chien fait peur aux voisins.*

ⓒ le verbe noyau du GV est un verbe non attributif suivi à la fois d'un groupe du nom (GN) et d'un groupe prépositionnel (GPrép) ayant, respectivement, la fonction de complément direct et de complément indirect du verbe;
Ex. : *Il éloigne les éboueurs de la maison.*

ⓓ le verbe noyau du GV est un verbe non attributif suivi d'aucun groupe de mots.
Ex. : *Il aboie.*

Consulte un dictionnaire au besoin.

5 A **Réponds** à chacune des questions ci-après en employant le pronom *le (l')* ou *en* pour reprendre l'information présentée en couleur.
Ex. : *Ce chien est-il intelligent ? Oui, il l'est.*

① *Les crocs de ce chien sont-ils acérés ?* ② *La robe de ce chien est-elle noire ?*
③ *Les pattes de ce chien ont-elles l'air cassées ?* ④ *Les chiens sont-ils des mammifères ?*
⑤ *Ce chien deviendra-t-il en colère ?*

B Quelle est la fonction des pronoms que tu as employés pour reprendre l'information présentée en couleur ?

6 A **Réponds** à chacune des questions ci-après en employant le pronom *le (l')*, *la (l')*, *les*, *lui*, *leur*, *en* ou *y* pour reprendre l'information présentée en couleur.
Ex. : *Le chien a-t-il senti l'odeur des éboueurs ? Oui, il l'a sentie.*

① *Le chien a-t-il vu les éboueurs ?* ② *Le chien a-t-il fait peur à son maître ?*
③ *Le chien surveille-t-il sa cour ?* ④ *Les éboueurs sont-ils allés dans sa cour ?*
⑤ *Le chien a-t-il fait peur aux éboueurs ?* ⑥ *Le maître parle-t-il de son chien ?*

B Quelle est la fonction de chacun des pronoms que tu as employés pour rependre l'information présentée en couleur ?

7 **Réponds** à chacune des questions ci-après en employant le pronom *en* devant le verbe et *une*, *un*, *deux*, *trois*..., *beaucoup*, *plusieurs* après le verbe pour reprendre l'information présentée en couleur.
Ex. : *Ce chien deviendra-t-il un bon chien d'aveugle ? Oui, il en deviendra un.*

① *Le chien a-t-il mordu un éboueur ?* ② *Le chien a-t-il plusieurs maîtres ?*
③ *Le chien a-t-il une niche ?* ④ *Le chien fait-il beaucoup de bruit ?*

8 [A] Est-il possible de reprendre l'information présentée en couleur en employant un pronom ?

① *Le chien a-t-il mordu cruellement les éboueurs ?*

② *Le chien a-t-il observé avec attention les éboueurs ?*

[B] Quelle est la fonction de l'expansion du verbe présentée en couleur dans les phrases ① et ②?

9 [A] À l'aide d'un GV contenant un verbe attributif, **DÉCRIS** une caractéristique d'une attitude que pourrait avoir le personnage que tu as choisi précédemment.

Ex. : *Le chien est inquiet.*

[B] **RACONTE** deux actions ou activités que pourrait faire ton personnage en employant, dans chaque GV, un **modificateur** du verbe qui rappelle l'attitude de ton personnage.

Ex. : *Le chien attend **avec impatience** le départ des éboueurs.*
*Le chien aboie **nerveusement** à l'arrivée des éboueurs.*

10 **TRANSCRIS** chacune des phrases suivantes à double interligne, puis **CORRIGE**-les en appliquant seulement les étapes ❶ à ❼ de la stratégie de révision *JE VÉRIFIE LA CONSTRUCTION DU GROUPE DU VERBE ET LES ACCORDS DANS CE GROUPE DE MOTS* (pages 104-105).

① **Elle a procuré du travail.* ② **Elle a déjà quitté.* ③ **Il s'est emparé mon livre.*
④ **Il lui a donné ce matin.* ⑤ **Elle cherche après son livre.* ⑥ **Il aide à son père.*
⑦ **J'ai remplacé ce livre pour celui-ci.* ⑧ **Il a l'air à aimer son livre.*

En première secondaire, tu as observé l'accord de plusieurs mots dans un groupe du verbe (GV): l'accord du verbe conjugué ou de l'auxiliaire d'un verbe conjugué à un temps composé (qui peuvent varier en personne et en nombre); l'accord du participe passé (qui peut varier en genre et en nombre); l'accord de l'adjectif noyau d'un groupe de l'adjectif attribut du sujet (qui peut varier en genre et en nombre).

JE FAIS LES ACCORDS DANS LE GROUPE DU VERBE

Pour faire les accords dans un groupe du verbe (GV), tu dois être capable:

- d'identifier le ou les mots du GV qui peuvent recevoir le genre et le nombre, ou le nombre et la personne d'un nom ou d'un pronom (c'est-à-dire le ou les ***receveurs d'accord*** : le verbe conjugué ou l'auxiliaire d'un verbe conjugué à un temps composé, le participe passé et l'adjectif noyau d'un groupe de l'adjectif attribut du sujet);

- d'identifier, pour chaque ***receveur d'accord***, le mot qui lui donne son genre et son nombre, ou son nombre et sa personne (c'est-à-dire le ***donneur d'accord*** : le nom ou le pronom) et de déterminer le genre et le nombre, ou le nombre et la personne de ce mot;
- s'il y a lieu, d'accorder chaque ***receveur d'accord*** avec son ***donneur d'accord*** et de choisir les marques de genre et de nombre, ou de nombre et de personne appropriées.

Les activités qui suivent te permettront de t'approprier une stratégie pour faire les accords dans un GV.

ORTHOGRAPHE GRAMMATICALE 2. *Les accords dans le groupe du verbe*, pages 299-302.

J'ÉCRIS

J'identifie le ou les *receveurs d'accord* dans le groupe du verbe

1 **TRANSCRIS** les huit phrases ci-après à double interligne, puis **APPLIQUE** les consignes suivantes:

- **SOULIGNE** chacun des verbes conjugués (ou qui doivent être conjugués).
- **SURLIGNE** chacun des GV dont le noyau est souligné.

Si un GV est contenu dans un autre GV, **SURLIGNE**-le d'une couleur différente.

Attention ! Le pronom relatif *que*, placé devant le verbe ou devant le GNs, fait partie du GV.

- **METS** un triangle (▼) au-dessus de chacun de ces ***receveurs d'accord*** dans le GV:
  - le verbe conjugué (ou qui doit être conjugué), ou l'auxiliaire si le verbe est conjugué à un temps composé;
  - le participe passé;
  - l'adjectif noyau d'un groupe de l'adjectif (GAdj) attribut du sujet.

Ex.: *La plupart des romans que j'ai lus étaient captivants.*

Lire des romans est une activité qui me détend .

Attention ! Erreurs.

① *Mes amies et moi adorent la science-fiction.* ② *Tes camarades et toi écouter des films de science-fiction.* ③ *J'ai vus plusieurs films de science-fiction qui était tiré de romans.* ④ *La dernière bande dessinée que tu a emprunté à la bibliothèque était un récit de science-fiction.* ⑤ *Lire des romans sont un vrai plaisir pour la plupart d'entre nous.* ⑥ *Les robots et les aventures interplanétaires ne sont pas essentiel à un bon récit de science-fiction.* ⑦ *Ma mère a dévorée tous les livres que j'avaient acheté.* ⑧ *Que ma mère lise mes livres me font vraiment plaisir.*

J'identifie le ou les *donneurs d'accord* dans le groupe du verbe

J'accorde le ou les *receveurs d'accord* et je choisis les marques de genre et de nombre, ou de nombre et de personne appropriées

Le *donneur d'accord* du verbe

2 **APPLIQUE** les consignes suivantes aux huit phrases que tu as transcrites en **1**.

- **ENCERCLE** le ou les GNs de chaque verbe, puis, s'il y a lieu, **METS** un point au-dessus du noyau de chaque GNs.
- **DÉTERMINE** la personne grammaticale du noyau du GNs ou de l'ensemble des noyaux des GNs, puis, au-dessus du noyau ou de l'ensemble, **INDIQUE** sa personne (1, 2, 3) et son nombre (S ou P).

  Si le GNs est une phrase subordonnée, **INDIQUE** qu'il est à la 3e personne du singulier (3S).

- À l'aide d'une flèche, **RELIE** le ou les GNs au verbe ou à l'auxiliaire du verbe conjugué à un temps composé auquel il donne sa personne et son nombre.

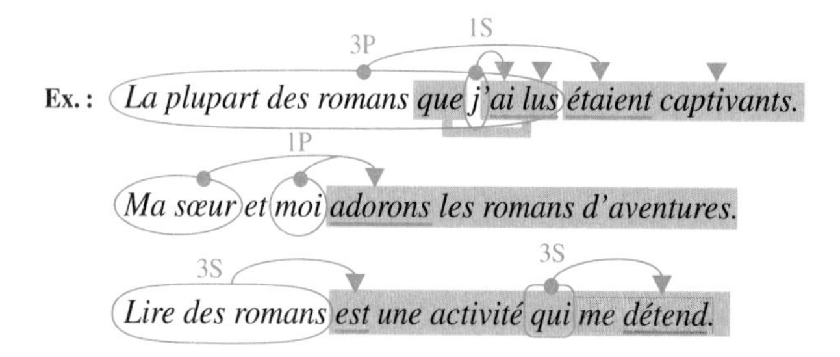

ORTHOGRAPHE GRAMMATICALE 2. *Les accords dans le groupe du verbe*, pages 299-302.

L'accord du verbe

3 **APPLIQUE** la consigne suivante aux huit phrases que tu as transcrites en **1**.

- **CORRIGE**, s'il y a lieu, l'accord du verbe ou de l'auxiliaire du verbe conjugué à un temps composé selon la **personne** et le **nombre** de son ***donneur d'accord***.

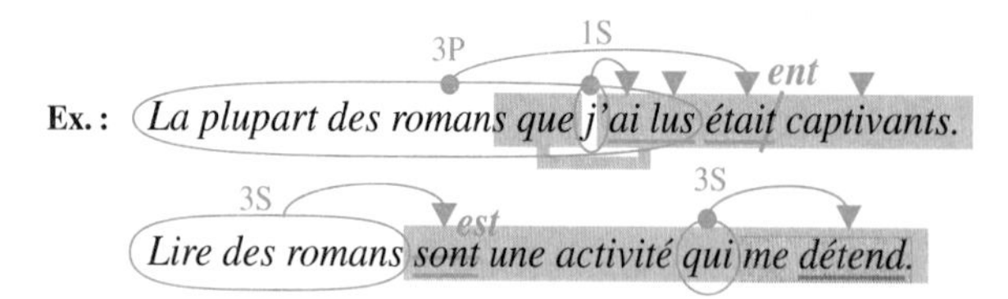

ANNEXE *Les terminaisons des verbes aux temps simples*, pages 307-308.

Le *donneur d'accord* du participe passé

4 **Applique** les consignes suivantes aux huit phrases que tu as transcrites en **1**.

- **Observe** l'emploi du participe passé et, s'il y a lieu, **relie**-le à son ***donneur d'accord*** à l'aide d'une flèche de couleur :
  - s'il s'agit d'un participe passé employé avec l'auxiliaire *être* ou avec un verbe attributif, **relie**-le au GNs du verbe ;
  - s'il s'agit d'un participe passé employé avec l'auxiliaire *avoir*, **relie**-le au complément direct du verbe si ce complément direct est placé devant le verbe.

Attention ! Le pronom relatif *que* a généralement la fonction de complément direct du verbe.

- Au-dessus de chaque ***donneur d'accord***, **indique** son genre (M ou F) et son nombre (S ou P).

ORTHOGRAPHE GRAMMATICALE 2. *Les accords dans le groupe du verbe*, pages 299-302.

L'accord du participe passé

5 **Applique** les consignes suivantes aux huit phrases que tu as transcrites en **1**.

- **Corrige**, s'il y a lieu, l'accord du participe passé selon le **genre** et le **nombre** de son ***donneur d'accord***.

Attention ! Certains participes passés sont invariables.

- **Corrige**, s'il y a lieu, l'orthographe du participe passé qui n'a aucun ***donneur d'accord***.

MP 1S
3P s
Ex. : *La plupart des romans que j'ai lu étaient captivants.*

ORTHOGRAPHE GRAMMATICALE 2. *Les accords dans le groupe du verbe*, pages 299-302.

Le *donneur d'accord* de l'adjectif noyau d'un groupe de l'adjectif attribut du sujet

6 **Applique** les consignes suivantes aux huit phrases que tu as transcrites en **1**.

- À l'aide d'une flèche en pointillé, **relie** le ou les GNs à l'adjectif noyau d'un groupe de l'adjectif (GAdj) attribut du sujet.
- Au-dessus du GNs ou de l'ensemble des GNs reliés à l'adjectif, **indique** son genre (M ou F).

MP 1S
3PM
Ex. : *La plupart des romans que j'ai lus étaient captivants.*

ORTHOGRAPHE GRAMMATICALE 2. *Les accords dans le groupe du verbe*, pages 299-302.

L'accord de l'adjectif noyau d'un groupe de l'adjectif attribut du sujet

7 **APPLIQUE** la consigne suivante aux huit phrases que tu as transcrites en 1 (page 101).

- **CORRIGE**, s'il y a lieu, l'accord de l'adjectif noyau d'un GAdj attribut du sujet selon le **genre** et le **nombre** de son ***donneur d'accord***.

3PM MP 1S

s

Ex. : *La plupart des romans que j'ai lus étaient captivant.*

ORTHOGRAPHE GRAMMATICALE 2. *Les accords dans le groupe du verbe*, pages 299-302.

ANNEXES *La formation du féminin des noms et des adjectifs*, pages 303-304.
La formation du pluriel des noms et des adjectifs, page 305.

J'ÉCRIS UN TEXTE ET JE VÉRIFIE LA CONSTRUCTION DU GROUPE DU VERBE DANS MON TEXTE ET LES ACCORDS DANS CE GROUPE DE MOTS

Voici une stratégie de révision de texte qui t'amènera à t'interroger sur la construction des groupes du verbe (GV) dans tes propres textes et à vérifier les accords dans ces groupes de mots.

JE VÉRIFIE LA CONSTRUCTION DU GROUPE DU VERBE ET LES ACCORDS DANS CE GROUPE DE MOTS

❶ **SOULIGNE** le verbe conjugué (ou qui doit être conjugué).

❷ Sous chaque verbe non attributif souligné, **ÉCRIS** la ou les constructions possibles d'un GV dont il peut être le noyau (**CONSULTE** le dictionnaire au besoin).

Tu peux employer les abréviations *QQCH.* et *QQN.*

Ex. : **Quand les éboueurs ont quitté, le chien a cherché après les ordures qu'ils avaient ramassées.*

QUITTER QQCH./QQN CHERCHER QQCH./QQN RAMASSER QQCH.

❸ **ENCERCLE** le ou les groupes du nom sujets (GNs), puis, s'il y a lieu, **METS** un point au-dessus du noyau de chaque GNs.

❹ **METS** entre parenthèses le ou les groupes compléments de phrase (Gcompl. P) s'il y a lieu.

❺ **SURLIGNE** le GV.

Si un GV est contenu dans un autre GV, **SURLIGNE**-le d'une couleur différente.

❻ **COMPARE** la construction du GV surligné à celle que tu as écrite sous le verbe :

- s'il manque une expansion du verbe dans le GV, **AJOUTES**-en une ;
- s'il y a une expansion du verbe en trop dans le GV, **SUPPRIME**-la ;
- **VÉRIFIE** le choix de la préposition placée au début de l'expansion et, s'il y a lieu, **REMPLACE**-la ou **SUPPRIME**-la.

sa maison

Ex. : *(Quand les éboueurs ont quitté), le chien a cherché après les ordures qu'ils avaient ramassées.*

QUITTER QQCH./QQN CHERCHER QQCH./QQN RAMASSER QQCH.

❼ Au besoin, **ENRICHIS** le GV d'une expansion ayant la fonction de modificateur du verbe.

❽ **METS** un triangle (▼) au-dessus de chacun de ces ***receveurs d'accord*** dans le GV :

- le verbe conjugué (ou qui doit être conjugué), ou l'auxiliaire si le verbe est conjugué à un temps composé ;
- le participe passé ;
- l'adjectif noyau d'un groupe de l'adjectif (GAdj) attribut du sujet.

Ex. : **Quand les éboueurs ont quittés sa maison, le chien as cherché les ordures qu'ils avait ramassé.*

QUITTER QQCH./QQN — CHERCHER QQCH./QQN — RAMASSER QQCH.

❾ **RELIE**, s'il y a lieu, chaque ***receveur d'accord*** à son ***donneur d'accord***, **DÉTERMINE** le genre (M ou F) et le nombre (S ou P), ou la personne et le nombre (1S, 2S, 3S, 1P, 2P, 3P) du ***donneur d'accord***, puis **CORRIGE**, s'il y a lieu, l'accord du ***receveur d'accord***.

Ex. : **Quand les éboueurs* (3P) *ont quittés sa maison, le chien* (3S) *as cherché les ordures qu'ils* (FP, 3P) *avait* (ent) *ramassé* (es).

QUITTER QQCH./QQN — CHERCHER QQCH./QQN — RAMASSER QQCH.

❿ **CORRIGE**, s'il y a lieu, l'orthographe du participe passé qui n'a aucun ***donneur d'accord***.

Ex. : *Quand les éboueurs* (3P) *ont quittés sa maison, le chien* (3S) *a cherché les ordures qu'ils* (FP, 3P) *avaient ramassées.*

QUITTER QQCH./QQN — CHERCHER QQCH./QQN — RAMASSER QQCH.

Activité de révision

La première nouvelle que Philip K. Dick a vendue s'intitule *Roug*. L'écrivain a affirmé que s'il a réussi à vendre cette nouvelle, c'est grâce à Antony Boucher, qui lui a montré comment récrire la première version de son texte.

Imagine que le texte qui suit est un extrait de la toute première version de la nouvelle *Roug* de Philip K. Dick. **LIS** le texte et **OBSERVE** les annotations qui ont été faites en exemple sur les premières phrases de ce texte, puis **CORRIGE** la suite du texte à l'aide de la stratégie de révision de texte JE VÉRIFIE LA CONSTRUCTION DU GROUPE DU VERBE ET LES ACCORDS DANS CE GROUPE DE MOTS (pages 104-105).

Roug*

« Roug ! » cria Boris le chien (3S). Un Roug (3S) approchais (+ de) la maison. Il (3S) examina (attentivement) le chien qui (3S) surveillais (sa cour).

CRIER QQCH. — APPROCHER DE QQCH./QQN — EXAMINER QQCH./QQN — SURVEILLER QQCH./QQN

Attention ! Erreurs.

Celui-ci senti l'odeur pourrie du Roug et lui montra ses crocs. Il aboya : « Roug ! Roug ! » Son aboiement servait d'avertir ses maîtres de la venue des Rougs. Boris se doutait pour quelque chose. Il connaissait et voulait protéger ses maîtres de ces personnages malveillants. Par contre, ses maîtres ne comprenait pas pourquoi Boris aboyait. Ils croyais que leur chien devenaient fous et ils espérais que les voisins tolère encore un moment. Boris étais vieux maintenant, mais il avait été un bon chien, un bon gardien. Les Rougs, eux, aurait voulus que ce gardien soit éliminé. Il leur causaient vraiment trop d'ennuis…

* *Roug* est le son qu'emploie le chien pour désigner les éboueurs.

J'ÉCRIS

Activité d'écriture

Mise en situation

Expérimente la technique d'écriture de Philip K. Dick qui consiste à entrer dans la tête d'un personnage, c'est-à-dire à essayer de penser comme ce personnage et de voir le monde à travers ses yeux.

Contraintes d'écriture

- **Choisis** une personne, une créature ou une chose (par exemple, un chien) et **imagine** que tu es dans sa peau.
- **Pense** à une situation où le personnage que tu as choisi pourrait être présent (par exemple, le moment où les éboueurs ramassent les ordures).
- **Compose** un texte d'environ 15 lignes dans lequel :
  – tu **décris** au moins cinq caractéristiques de ton personnage ;
  – tu **racontes** les actions ou activités que vit ton personnage dans la situation que tu as choisie.
- **Écris** ton texte à double interligne.
- **Enrichis** au moins deux groupes du verbe au moyen d'un modificateur du verbe.

Étape de révision

Vérifie d'abord si tu as bien respecté les contraintes d'écriture, puis **révise** ton texte à l'aide de la stratégie de révision de texte JE VÉRIFIE LA CONSTRUCTION DU GROUPE DU VERBE ET LES ACCORDS DANS CE GROUPE DE MOTS (pages 104-105).

Atelier 4

LE GROUPE DE L'ADJECTIF, LE GROUPE PRÉPOSITIONNEL ET LE GROUPE DE L'ADVERBE

On dit que la beauté tourne la tête aux belles, et que la laideur fait la désolation des laides.

George Sand

En première secondaire, tu as étudié le groupe de l'adjectif et le groupe prépositionnel. **VÉRIFIE** si tu te rappelles les principales caractéristiques associées à la construction, au fonctionnement et au rôle de ces groupes de mots.

LE GROUPE DE L'ADJECTIF

1 [A] **REPÈRE** les douze adjectifs contenus dans les phrases ci-dessous, puis, dans un tableau semblable à celui ci-après, **TRANSCRIS** les groupes de l'adjectif (GAdj) dont ils sont le noyau.

Le roman La Petite Fadette *raconte l'histoire de deux jumeaux identiques: Landry et Sylvain.*
Un fadet ou un farfadet, qu'on appelle parfois follet, est un lutin fort gentil.
Le follet est aussi un peu malicieux.
Landry est le plus jeune des jumeaux (il est né une heure après Sylvain).
Landry deviendra plus épanoui que Sylvain.
Landry est le plus fort.
Sylvain semble jaloux de l'amitié que son frère a pour les autres.
La petite Fadette est une jeune fille très audacieuse, qui est vive comme un follet.

	Construction du GAdj		
	expansion	**noyau**	expansion
①		Ex.: *Petite*	
②			
③			
…			

B **OBSERVE** les trois constructions ci-dessous du GAdj avec expansion(s) exprimant une idée de comparaison, puis **RELÈVE**, parmi les GAdj transcrits en A, un GAdj correspondant à chacune de ces constructions.

Construction du GAdj avec expansion(s) exprimant une idée de comparaison					
ⓐ	*moins, aussi, plus*	+	**adjectif**	+	*que…*
ⓑ	*le moins, le plus*	+	**adjectif**		
ⓒ	*le moins, le plus*	+	**adjectif**	+	GPrép

2 A **OBSERVE** le fonctionnement des GAdj dans les phrases données en 1 A, puis **CLASSE**-les selon que le GAdj est l'expansion :

ⓐ d'un verbe attributif dans un groupe du verbe (GV)

ou :

ⓑ du noyau d'un groupe du nom (GN).

N'INSCRIS que le numéro correspondant à chacun des GAdj que tu as classés en 1 A.

B Quelle est la fonction des GAdj qui sont l'expansion d'un verbe attributif dans un GV ?

C Quelle est la fonction des GAdj qui sont l'expansion du noyau d'un GN ?

D Les GAdj qui sont l'expansion d'un verbe attributif peuvent-ils être supprimés dans le GV ?

E Généralement, les GAdj qui sont l'expansion du noyau d'un GN peuvent-ils être supprimés dans le GN ?

3 A **REPÈRE** les GAdj contenus dans les phrases ci-dessous et **TRANSCRIS**-les sur une colonne.

Landry et Sylvain sont des jumeaux identiques.

Landry et Sylvain sont des jumeaux très attachants.

Landry et Sylvain sont berrichons; ils vivent dans le Berry, la région de France où est née George Sand.

Landry et Sylvain sont aimables.

B À côté de chaque GAdj transcrit en A, **INDIQUE** si son rôle est :

ⓐ d'apporter une précision dans un GN

ou :

ⓑ d'apporter une information essentielle dans un GV dont le noyau est un verbe attributif.

N'INSCRIS que la lettre ⓐ ou ⓑ.

C Parmi les GAdj transcrits en A, **RELÈVE** ceux qui ont une valeur expressive, c'est-à-dire qui servent à exprimer un point de vue favorable ou défavorable, et **PRÉCISE** si le point de vue qu'ils expriment est favorable ou défavorable.

LE GROUPE PRÉPOSITIONNEL

1 A **INDIQUE** la classe de mots à laquelle appartiennent les mots numérotés dans les phrases ci-dessous, puis **PRÉCISE** s'il s'agit de mots dont la forme est variable ou invariable.

Le roman La Petite Fadette *raconte l'histoire ① de deux jumeaux identiques: Landry et Sylvain.*

Fadette apprend ② à Landry l'utilité de chaque plante.

③ Grâce à l'amour de Landry, la petite Fadette se métamorphose.

Landry et Fadette sont ④ en forme.

Sylvain est jaloux ⑤ de son frère.

⑥ Afin de ne pas rendre son frère malade, Landry cache son amour pour Fadette.

Fadette doit s'éloigner de Landry pendant plus d'un an, mais elle pense toujours ⑦ à lui.

⑧ En posant sa main sur le front fiévreux de Sylvain, Fadette le guérit ⑨ de son mal.

B **TRANSCRIS** sur une colonne les groupes prépositionnels (GPrép) qui commencent par chacun des mots numérotés.

C **INDIQUE** quel est le groupe de mots qui, avec le mot numéroté, sert le plus souvent à former un GPrép.

D Les GPrép ci-dessous commencent par un déterminant contracté. Quelle est la préposition qui est incluse dans chacun de ces déterminants contractés ?

Sylvain est jaloux ① des amitiés de son frère.

Sylvain est jaloux ② du temps que son frère passe avec d'autres que lui.

Fadette initie Landry ③ aux secrets des plantes.

Elle pense ④ au plaisir qu'elle a de partager ses secrets avec Landry.

E **Les déterminants contractés sont des mots qui varient.** En quoi varient-ils: en genre ou en nombre ?

2 A **OBSERVE** le fonctionnement des GPrép dans les phrases données en 1A, puis **CLASSE** chacun des GPrép selon qu'il est:

ⓐ un groupe constituant facultatif de la phrase, ayant la fonction de complément de phrase

ou:

ⓑ l'expansion d'un mot dans la phrase.

N'INSCRIS que le numéro qui précède la préposition placée au début de chacun des GPrép.

GAdj GPrép GAdj GAdv GPrép GAdj GAdv GAdv GAdv GPrép

B Pour chaque GPrép qui est l'expansion d'un mot dans la phrase, **REPÈRE** le mot dont il est l'expansion, puis **INDIQUE** la fonction de ce GPrép :

- complément du verbe;
- attribut du sujet;
- complément du nom ou du pronom;
- complément de l'adjectif.

Ex. : ① complément du nom *histoire*

3 A **CLASSE** chaque GPrép transcrit en 1B selon que son rôle est :

ⓐ d'apporter une précision dans un groupe de mots

ou :

ⓑ d'apporter une information supplémentaire à toute la phrase en précisant un lieu, un temps, un but, une manière, etc.

N'INSCRIS que le numéro qui précède la préposition placée au début de chacun des GPrép.

B Parmi les GPrép qui apportent une précision dans un groupe de mots, **RELÈVE** le numéro de ceux qui sont essentiels sur le plan du sens.

C Pour chaque GPrép qui apporte une information supplémentaire à toute la phrase, **INDIQUE** s'il précise un lieu, un temps, un but, une cause, une manière, etc.

j'observe et je découvre

Lis cet extrait de *La Petite Fadette*, un roman champêtre et féerique écrit par la romancière George Sand en 1848. Les groupes de mots mis en évidence dans ce texte sont des groupes de l'adverbe (GAdv).

Texte d'observation

La Petite Fadette

[La petite Fadette] s'occupait à un amusement tranquille que les enfants de chez nous prennent ① quelquefois ② bien sérieusement. Elle cherchait le trèfle à quatre feuilles, qui se trouve ③ bien rarement et qui porte bonheur à ceux qui peuvent mettre la main dessus.

— L'as-tu trouvé Fanchon ? lui dit Landry aussitôt qu'il fut à côté d'elle.

— Je l'ai trouvé ④ souvent, répondit-elle; mais cela ⑤ ne porte point bonheur comme on croit, et rien ne me sert d'en avoir trois brins dans mon livre.

Landry s'assit auprès d'elle, comme s'il allait se mettre à causer. Mais voilà que tout d'un coup il se sentit ⑥ plus honteux[1] qu'il ne l'avait jamais été auprès de Madelon, et que, pour avoir eu l'intention de dire bien des choses, il ne put trouver un mot.

La petite Fadette prit honte[1] aussi, car si le besson[2] ne lui disait rien, du moins il la regardait avec des yeux étanges. ⑦ Enfin, elle lui demanda pourquoi il paraissait étonné en la regardant.

— À moins, dit-elle, que ce ne soit à cause que j'ai arrangé mon coiffage[3]. En cela j'ai suivi ton conseil, et j'ai pensé que, pour avoir l'air raisonnable, il fallait commencer par m'habiller ⑧ raisonnablement.

1. Dans le parler des paysans berrichons de cette époque, la *honte* voulait dire la *timidité*; *honteux* voulait donc dire *timide*.
2. Jumeau.
3. Coiffure et accessoires de coiffure.

⑨ Aussi, je n'ose pas me montrer, car j'ai peur qu'on ne m'en fasse ⑩ encore reproche, et qu'on ne dise que j'ai voulu me rendre ⑪ moins laide sans y réussir.

— On dira ce qu'on voudra, dit Landry, mais je ne sais pas ce que tu as fait pour devenir jolie; la vérité est que tu l'es ⑫ aujourd'hui, et qu'il faudrait se crever les yeux pour ⑬ ne point le voir.

— Ne te moque pas, Landry, reprit la petite Fadette. On dit que la beauté tourne la tête aux belles, et que la laideur fait la désolation des laides. Je m'étais habituée à faire peur, et je ⑭ ne voudrais pas devenir sotte en croyant faire plaisir.

George Sand, *La Petite Fadette*.

J'OBSERVE...

LE GROUPE DE L'ADVERBE	
SA CONSTRUCTION	●
SA FONCTION	
SON RÔLE	

LA CONSTRUCTION DU GROUPE DE L'ADVERBE

1 **OBSERVE** la construction des groupes de l'adverbe (GAdv) dans le texte d'observation *La Petite Fadette*; la plupart sont constitués seulement du noyau de ce groupe: un adverbe.

VÉRIFIE si tu peux mettre l'adverbe au féminin ou au pluriel, puis **PRÉCISE** s'il s'agit d'un mot dont la forme est variable ou invariable.

2 A **Dans certains cas, l'adverbe noyau du GAdv est formé à l'aide du suffixe *-ment* et d'un autre mot.**

RELÈVE, dans le texte d'observation, les adverbes formés à l'aide du suffixe *-ment*, **SOULIGNE** ce suffixe, puis **INDIQUE** si le mot auquel on ajoute le suffixe appartient à la classe des verbes, des noms, des adjectifs ou des adverbes.

B L'adverbe ***sérieuse**ment* dans le texte d'observation ainsi que les adverbes ***complète**ment*, ***heureuse**ment*, ***douce**ment* et ***lente**ment* sont formés à partir d'un **mot féminin** et du suffixe *-ment*.

METS le mot à partir duquel ces adverbes sont formés au masculin, puis **PRÉCISE** si, au masculin, ce mot se termine par une voyelle ou par une consonne.

C Les adverbes ***rare**ment* et ***raisonnable**ment* dans le texte d'observation, ainsi que les adverbes ***vrai**ment*, ***joli**ment* et ***éperdu**ment*, sont formés à partir d'un **mot masculin** et du suffixe *-ment*.

Le mot à partir duquel ces adverbes sont formés se termine-t-il par une voyelle ou par une consonne au masculin?

D À partir des observations que tu as faites en B et en C, **INDIQUE** dans quel cas on doit employer la forme féminine d'un adjectif pour former un adverbe en *-ment*.

3 **OBSERVE** la construction des GAdv ②, ③, ⑤, ⑬ et ⑭ dans le texte d'observation. Qu'est-ce qui distingue ces GAdv des autres ?

4 A Dans les GAdv ⑤, ⑬ et ⑭ du texte d'observation, on ne peut pas supprimer un des deux adverbes qui constituent le GAdv.

RELÈVE l'adverbe commun à ces trois GAdv, puis **INDIQUE** la forme de phrase qu'il caractérise (phrase de forme positive, négative, active, passive, neutre ou emphatique).

B Les GAdv ⑤, ⑬ et ⑭ accompagnent un verbe dans un groupe du verbe (GV). Où ces GAdv sont-ils placés dans le GV quand le noyau est un verbe conjugué ? Et quand le noyau du GV est un verbe à l'infinitif ?

5 A Les GAdv ② et ③ dans le texte d'observation sont constitués de deux adverbes. Lequel de ces deux adverbes peut être supprimé dans le GAdv sans changer le sens de la phrase ?

B À partir de la réponse que tu as donnée en A, **IDENTIFIE**, dans les GAdv ② et ③, le noyau du GAdv et son expansion.

C Dans un GAdv constitué de deux adverbes autres que *ne... pas*, *ne... plus*, etc., l'expansion du noyau a la fonction de **modificateur de l'adverbe**. Où se trouve le modificateur de l'adverbe dans le GAdv : avant ou après l'adverbe noyau ?

D Dans le GAdv suivant, l'**adverbe** noyau est accompagné d'une expansion ayant la fonction de **complément de l'adverbe**.

La petite Fadette s'habille différemment de toutes les autres filles du village.

INDIQUE où se trouve, dans le GAdv, le complément de l'adverbe et **PRÉCISE** de quel groupe de mots il s'agit : d'un groupe du verbe (GV), d'un groupe du nom (GN), d'un groupe de l'adjectif (GAdj), d'un groupe prépositionnel (GPrép) ou d'un groupe de l'adverbe (GAdv).

GAdj GAdj GAdv GPrép GPrép GAdj GAdv GAdv GAdj GPrép

J'AI DÉCOUVERT...

LA CONSTRUCTION DU GROUPE DE L'ADVERBE

La plupart des groupes de l'adverbe (GAdv) sont constitués seulement d'un ✎ noyau. Le noyau du GAdv est un mot dont la forme ne ✎ pas.

L'✎ noyau du GAdv peut être formé à partir d'un adjectif et du suffixe ✎ :

- si l'adjectif avec lequel est formé l'adverbe se termine par une ✎ au masculin, le suffixe ✎ est ajouté à sa forme masculine (EX. : *poli* → ✎);
- si l'adjectif avec lequel est formé l'adverbe se termine par une ✎ au masculin, le suffixe ✎ est ajouté à sa forme féminine (EX. : *lent* → ✎).

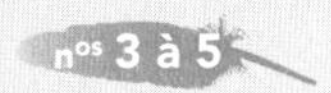

Certains GAdv sont constitués de plus d'un mot.

- Les adverbes *pas* et *point*, par exemple, sont généralement accompagnés de l'adverbe ✎ ; ensemble, ces adverbes forment un GAdv.
- Dans d'autres GAdv, l'adverbe noyau est accompagné d'une ✎. L'✎ de l'adverbe noyau peut avoir la fonction de :
  - modificateur de l'adverbe (dans ce cas, il s'agit généralement d'un ✎ qui est placé ✎ l'adverbe noyau);
  - complément de l'adverbe (dans ce cas, il s'agit généralement d'un ✎ qui est placé ✎ l'adverbe noyau).

J'OBSERVE...

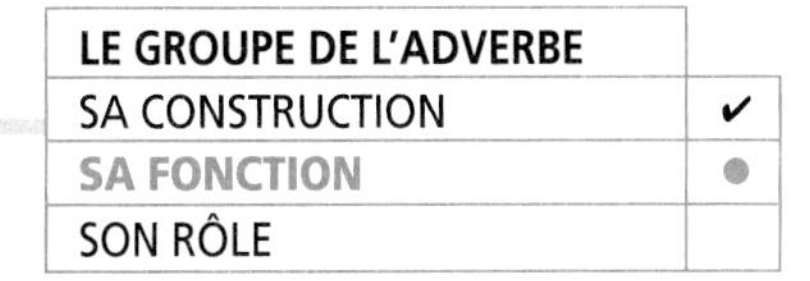

LE GROUPE DE L'ADVERBE	
SA CONSTRUCTION	✔
SA FONCTION	●
SON RÔLE	

LA FONCTION DU GROUPE DE L'ADVERBE

1 **A** Dans le texte d'observation (pages 112-113), les groupes de l'adverbe (GAdv) ④ et ⑫ sont-ils <u>supprimables</u> sans que la phrase devienne agrammaticale ? Sont-ils <u>déplaçables</u> en début de phrase ?

> *Je l'ai trouvé* ④ *souvent* [...]
>
> [...] *tu l'es* ⑫ *aujourd'hui* [...]

B **VÉRIFIE** si les GAdv ④ et ⑫ :

- sont l'un des trois groupes constituants de la phrase

ou :

- s'ils dépendent d'un mot à l'intérieur de la phrase.

S'ils sont l'un des trois groupes constituants de la phrase, **PRÉCISE** s'il s'agit d'un <u>groupe constituant obligatoire ou facultatif</u>, sinon **RELÈVE** le <u>mot dont ils dépendent</u> dans la phrase.

C Quelle est la <u>fonction</u> des GAdv ④ et ⑫ dans la phrase ?

2 **A** Dans le texte d'observation (pages 112-113), les GAdv ⑤, ⑧, ⑪ et ⑭ sont-ils <u>supprimables</u> sans que la phrase devienne agrammaticale ? Sont-ils <u>déplaçables</u> en début de phrase ?

> [...] *mais cela ⑤ ne porte point bonheur comme on croit* [...]
>
> [...] *il fallait commencer par m'habiller ⑧ raisonnablement.*
>
> [...] *j'ai voulu me rendre ⑪ moins laide sans y réussir.*
>
> [...] *je ⑭ ne voudrais pas devenir sotte en croyant faire plaisir.*

B **Les GAdv qui dépendent d'un mot dans la phrase ont la fonction de modificateur de ce mot.**

IDENTIFIE le mot dont dépend chacun des GAdv ⑤, ⑧, ⑪ et ⑭, puis **CLASSE** chaque GAdv selon qu'il a la <u>fonction</u> de :

ⓐ modificateur du verbe;

ⓑ modificateur de l'adjectif.

C Les GAdv ② et ③ contiennent un autre GAdv *(bien)* ; **INDIQUE** de quel mot dépend le GAdv *bien*. En tenant compte du fait qu'un GAdv qui dépend d'un mot a la fonction de modificateur de ce mot, **PRÉCISE** quelle est la <u>fonction</u> du GAdv *bien* dans la phrase.

> *[La petite Fadette] s'occupait à un amusement tranquille que les enfants de chez nous prennent quelquefois ② bien sérieusement. Elle cherchait le trèfle à quatre feuilles, qui se trouve ③ bien rarement* [...]

3 **A** Les GAdv ⑦ et ⑨ n'ont **aucune fonction grammaticale** dans la phrase. Sont-ils <u>supprimables</u> sans que la phrase devienne agrammaticale ? Sont-ils <u>déplaçables</u> en fin de phrase ?

> *⑦ Enfin, elle lui demanda pourquoi il paraissait étonné en la regardant.*
>
> *⑨ Aussi, je n'ose pas me montrer* [...]

B Les GAdv ⑦ et ⑨ sont-ils chacun l'un des trois groupes constituants de la phrase ?

C Les GAdv ⑦ et ⑨ dépendent-ils d'un mot à l'intérieur de la phrase ?

J'AI DÉCOUVERT...

LA FONCTION DU GROUPE DE L'ADVERBE

Le groupe de l'adverbe (GAdv) peut être un **groupe constituant facultatif de la phrase**. Dans ce cas, il a la fonction de ✎.

Le GAdv peut aussi être l'**expansion du noyau d'un groupe de mots** dans la phrase. Il peut être l'expansion d'un:
– ✎ dans un groupe du verbe. Dans ce cas, il a généralement la fonction de modificateur du ✎ ;
– ✎ dans un groupe de l'adjectif. Dans ce cas, il a la fonction de modificateur de ✎ ;
– ✎ dans un GAdv. Dans ce cas, il a la fonction de modificateur de ✎.

Le GAdv peut n'avoir aucune fonction grammaticale dans la phrase. Dans ce cas, il n'est ni l'un des trois ✎ de la phrase ni l' ✎ du noyau d'un groupe de mots dans la phrase.

J'OBSERVE...

LE GROUPE DE L'ADVERBE	
SA CONSTRUCTION	✔
SA FONCTION	✔
SON RÔLE	●

LE RÔLE DU GROUPE DE L'ADVERBE

1 Ⓐ Dans le texte d'observation (pages 112-113), les groupes de l'adverbe (GAdv) ②, ⑧, ⑪, ⑬ et ⑭, ainsi que le GAdv *bien* contenu dans le GAdv ② servent, entre autres, à **apporter une précision dans le groupe de mots où ils sont insérés**.

*[La petite Fadette] s'occupait à un amusement tranquille que les enfants de chez nous prennent quelquefois ② **bien** sérieusement.*

[...] j'ai pensé que, pour avoir l'air raisonnable, il fallait commencer par m'habiller ⑧ raisonnablement.

[...] j'ai voulu me rendre ⑪ moins laide sans y réussir.

[...] il faudrait se crever les yeux pour ⑬ ne point le voir.

[...] je ⑭ ne voudrais pas devenir sotte en croyant faire plaisir.

Classe ces GAdv selon que l'information qu'ils apportent est:

ⓐ essentielle au sens de la phrase (si on les supprime, on change le sens de la phrase)

ou:

ⓑ non essentielle au sens de la phrase (on peut les supprimer sans changer complètement le sens de la phrase).

B Dans le texte d'observation *La Petite Fadette*, les GAdv ① et ⑫ servent à **apporter une information supplémentaire à la phrase dans laquelle ils sont insérés**.

[La petite Fadette] s'occupait à un amusement tranquille que les enfants de chez nous prennent ① quelquefois bien sérieusement.

— On dira ce qu'on voudra, dit Landry, mais je ne sais pas ce que tu as fait pour devenir jolie; la vérité est que tu l'es ⑫ aujourd'hui [...]

INDIQUE si l'information que ces GAdv apportent est essentielle ou non essentielle au sens de la phrase, puis si ces GAdv précisent un lieu, un temps, un but, une manière ou une quantité.

2 A **LIS** le texte ci-dessous, puis **CLASSE** ces personnages: le père et la mère Barbeau, les jumeaux, la mère Sagette, dans l'ordre où on nous les présente dans le roman *La Petite Fadette*.

Dans le premier chapitre du roman La Petite Fadette, *on nous présente d'abord le père et la mère Barbeau, qui, évidemment, sont les parents des jumeaux. Ensuite, un autre personnage, la mère Sagette, est introduit. C'est elle qui assistera la mère Barbeau lors de son accouchement. Enfin, c'est au tour des jumeaux de faire leur entrée dans l'histoire: l'aîné d'une heure, Sylvain, puis le cadet, Landry.*

B **RELÈVE** les GAdv qui t'ont permis de connaître l'ordre dans lequel on présente les personnages du roman.

C **RÉSUME** le texte donné en A en commençant ainsi: «Dans *La Petite Fadette*, on nous présente premièrement…», puis **ENCERCLE** les GAdv que tu as employés pour marquer l'organisation du texte en trois parties.

3 A **COMPARE** les phrases ci-dessous entre elles, puis **PRÉCISE** le point de vue de la personne qui a écrit chacune de ces phrases: cette personne se montre-t-elle favorable, défavorable, surprise ou incertaine quant au fait que les Barbeau avaient trois enfants avant que les jumeaux viennent au monde?

① *Avant que les jumeaux viennent au monde, les Barbeau avaient peut-être trois enfants.*

② *Avant que les jumeaux viennent au monde, les Barbeau, heureusement, avaient trois enfants.*

③ *Avant que les jumeaux viennent au monde, les Barbeau, étonnamment, avaient trois enfants.*

④ *Avant que les jumeaux viennent au monde, les Barbeau, hélas, avaient trois enfants.*

B Pour chaque point de vue précisé en A, **RELÈVE** le GAdv qui l'exprime dans la phrase.

J'AI DÉCOUVERT...

LE RÔLE DU GROUPE DE L'ADVERBE

Le groupe de l'adverbe (GAdv) peut servir à apporter une précision dans un groupe de mots où il est inséré. Cette information peut être :

- ✎ au sens de la phrase (EX. : *Landry ne put trouver un mot*);
- ✎ au sens de la phrase (EX. : *Landry aime beaucoup Fadette*).

Le GAdv peut aussi servir à apporter une information supplémentaire à la phrase dans laquelle il est inséré. Dans ce cas, l'information qu'il apporte est souvent ✎ au sens de la phrase; elle peut préciser un ✎.

Le GAdv peut servir à marquer l'organisation du texte en indiquant ✎ dans lequel sont présentés certains éléments du texte.

Le GAdv peut servir à exprimer le ✎ de la personne qui parle ou qui écrit.

Connaître la construction et le fonctionnement du groupe de l'adjectif, du groupe prépositionnel et du groupe de l'adverbe permet d'identifier ces groupes pour vérifier leur emploi dans la phrase ou à l'intérieur des groupes constituants de la phrase dans lesquels ils peuvent s'insérer. Connaître les différents rôles que peut jouer chacun de ces trois groupes dans la phrase et dans le texte aide à mieux comprendre le sens des phrases et du texte.

DÉJÀ VU

1 LE GROUPE DE L'ADJECTIF

1.1 LA CONSTRUCTION DU GROUPE DE L'ADJECTIF

1.1.1 LA CONSTRUCTION MINIMALE DU GROUPE DE L'ADJECTIF

Le groupe de l'adjectif (GAdj) est constitué au minimum d'un adjectif. L'**adjectif** est le **noyau** du GAdj.

Ex. : *George Sand a écrit plusieurs romans champêtres.* (GAdj : *champêtres* — noyau)

Remarque : Certains **participes passés** sont employés comme des adjectifs; on peut alors les considérer comme des adjectifs et dire qu'ils sont le **noyau** d'un GAdj.

Ex. : *George Sand avait un petit taureau noir frisé.* (GAdj : *frisé* — noyau)

AIDE-MÉMOIRE *L'adjectif*, page 288.

1.1.2 LA CONSTRUCTION ÉTENDUE DU GROUPE DE L'ADJECTIF

Dans un groupe de l'adjectif (GAdj), un ou plusieurs éléments peuvent dépendre de l'**adjectif** noyau : ce sont les expansions de l'**adjectif** noyau.

Ex. : *George Sand était très heureuse de passer du temps au chevet de sa grand-mère malade.* (GAdj : *très* — expansion; ***heureuse*** — noyau; *de passer du temps au chevet de sa grand-mère malade* — expansion)

L'expansion de l'adjectif		
Construction de l'expansion	**Fonction** de l'expansion	*Exemples*
groupe prépositionnel (placé <u>après</u> l'**adjectif**)	**complément de l'adjectif**	*Elle était **heureuse** de passer du temps avec sa grand-mère.*
phrase subordonnée (placée <u>après</u> l'**adjectif**)	**complément de l'adjectif**	*Elle était **heureuse** que sa grand-mère l'incite à lire de grands auteurs.*
groupe de l'adverbe (placé <u>devant</u> l'**adjectif**)	**modificateur de l'adjectif**	*Elle était très **heureuse**.*

Dans un GAdj, l'**adjectif** noyau peut être accompagné d'expansions exprimant une idée de comparaison.

<table>
<tr><th colspan="4">Construction du GAdj avec expansion(s) exprimant une idée de comparaison</th><th>Exemples</th></tr>
<tr><td colspan="2">moins
aussi
plus</td><td>+ adjectif</td><td>+ que (qu')…</td><td>Au couvent, George Sand était aussi farceuse qu'elle était studieuse.
Au couvent, George Sand était aussi farceuse que studieuse.</td></tr>
<tr><td rowspan="2">le, la, les;
mon, ma, mes;
ton, ta, tes;
son, sa, ses;
notre, nos;
votre, vos;
leur, leurs</td><td rowspan="2">moins
plus</td><td colspan="2">+ adjectif</td><td>Au couvent, parmi toutes les jeunes filles, George Sand était la plus farceuse.</td></tr>
<tr><td>+ adjectif</td><td>+ GPrép</td><td>Au couvent, George Sand était la plus farceuse de toutes les jeunes filles.</td></tr>
</table>

Attention ! Généralement, l'adverbe *plus* ne s'emploie pas avec l'adjectif *bon* ; on emploie plutôt l'adjectif *meilleur*.

Ex. : **C'est le ~~plus bon~~ de tous ses romans. C'est le meilleur de tous ses romans.*

Remarque : Pour exprimer la comparaison dans un GAdj, on peut aussi employer un <u>GPrép</u> commençant, par exemple, par les prépositions *comme*, *à l'instar de*, etc. Dans ce cas, l'**adjectif** noyau n'est pas précédé d'un groupe de l'adverbe (GAdv) comme *moins*, *aussi* ou *plus*.

Ex. : *Elle est **libre** <u>comme le vent</u>.*

1.2 LA FONCTION DU GROUPE DE L'ADJECTIF

Le groupe de l'adjectif (GAdj) peut avoir différentes fonctions grammaticales dans la phrase, selon qu'il est l'expansion du noyau d'un groupe du nom (GN) ou l'expansion d'un verbe attributif dans un groupe du verbe (GV).

Le GAdj peut être une expansion du noyau d'un GN; dans ce cas, le GAdj a l'une ou l'autre des fonctions suivantes:

- la fonction de **complément du nom** si le noyau du GN est un **nom**;

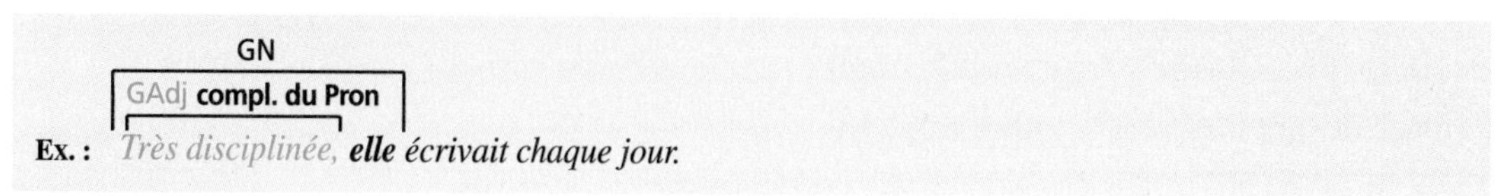

- la fonction de **complément du pronom** si le noyau du GN est un **pronom**.

GN
GAdj **compl. du Pron**

Ex. : *Très disciplinée,* ***elle*** *écrivait chaque jour.*

Remarques:

1° Dans un GN, le GAdj est le plus souvent placé après le **nom** noyau, mais, dans certains cas, il peut ou doit être placé devant.

Ex. : *une **écrivaine** très prolifique* — *une grande **écrivaine***

2° Dans un GN, l'**adjectif** noyau du GAdj s'accorde généralement en genre et en nombre avec le **noyau** du GN.

ORTHOGRAPHE GRAMMATICALE 1. *Les accords dans le groupe du nom*, pages 297-299.

Le GAdj peut être une expansion d'un verbe attributif dans un GV; dans ce cas, le GAdj a la fonction d'**attribut du sujet**.

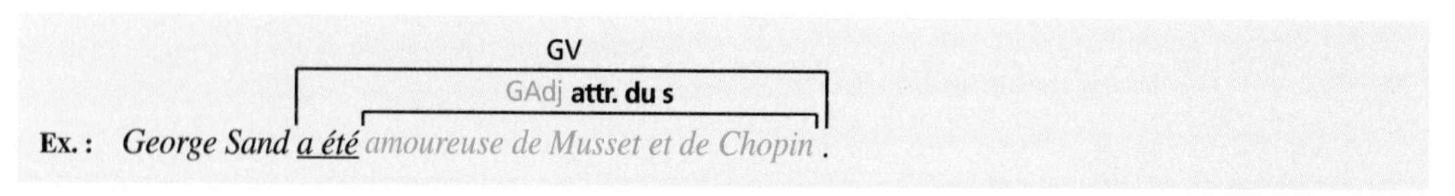

Remarque: Dans un GV dont le noyau est un verbe attributif, l'**adjectif** noyau du GAdj s'accorde généralement en genre et en nombre avec le **noyau** du groupe du nom sujet (GNs).

ORTHOGRAPHE GRAMMATICALE 2. *Les accords dans le groupe du verbe*, pages 299-302.

1.3 LE RÔLE ET LA VALEUR DU GROUPE DE L'ADJECTIF

Le groupe de l'adjectif (GAdj) peut servir :

- à apporter une précision essentielle ou non essentielle dans un groupe du nom (GN) en caractérisant ou en identifiant ce que désigne le **noyau du GN**, ou en fournissant une appréciation à propos de ce que désigne le **noyau du GN** ;

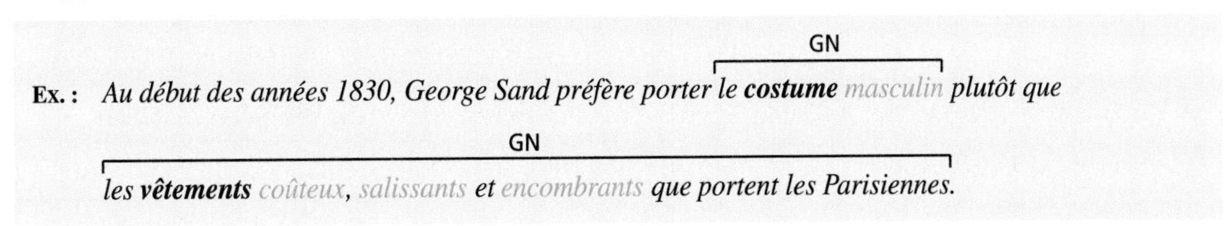

Ex. : *Au début des années 1830, George Sand préfère porter le **costume** masculin plutôt que les **vêtements** coûteux, salissants et encombrants que portent les Parisiennes.*

- à apporter une information essentielle dans un groupe du verbe (GV) dont le noyau est un verbe attributif.

GV

Ex. : *Dans ses vêtements masculins, George Sand se sentait libre.*

Le GAdj peut avoir :

- une **valeur neutre** ;

Ex. : *Au début des années 1830, les Parisiens portaient de longues redingotes grises.*

- une **valeur expressive** (on dit qu'un GAdj a une valeur expressive lorsqu'il sert à exprimer un point de vue favorable ou défavorable).

Ex. : *Les Parisiens portaient des redingotes confortables et très élégantes.*

DÉJÀ VU 2 LE GROUPE PRÉPOSITIONNEL

2.1 LA CONSTRUCTION DU GROUPE PRÉPOSITIONNEL

Le groupe prépositionnel (GPrép) est un groupe de mots qui commence par une **préposition**. La **préposition** est un élément non supprimable dans le GPrép.

Ex. : *Lors de ses premiers séjours à Paris, George Sand portait une cravate de laine.*

AIDE MÉMOIRE *La préposition*, page 294.

Diverses constructions peuvent être introduites par une préposition et constituer avec celle-ci un GPrép.

Principales **constructions** du GPrép	*Exemples*
préposition + groupe du nom	***Lors de** ses premiers séjours parisiens, George Sand portait une cravate **de** laine.* ***Selon** elle, le costume masculin était plus confortable.*
préposition + phrase subordonnée infinitive	***Pour** se sentir plus libre, George Sand s'habillait en homme.*
préposition + phrase subordonnée participiale	***En** s'habillant en homme, George Sand passait inaperçue.*
préposition + groupe de l'adverbe	*Au XIXe siècle, la mode vestimentaire était très différente de celle **d'**aujourd'hui.*

Remarque : La **phrase subordonnée infinitive** est une phrase subordonnée dont le verbe noyau du groupe du verbe (GV) est à l'infinitif, et la **phrase subordonnée participiale** est une phrase subordonnée dont le verbe noyau du GV est au participe présent ou au participe passé.

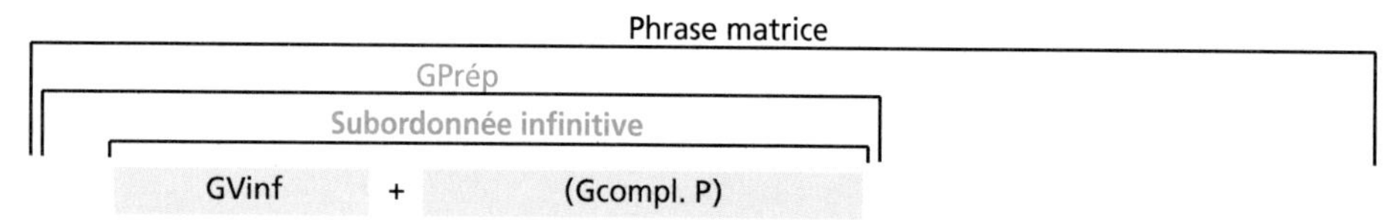

Ex. : *Pour se sentir plus libre lorsqu'elle circulait dans Paris, George Sand s'habillait en homme.*

2.2 LA FONCTION DU GROUPE PRÉPOSITIONNEL

Le groupe prépositionnel (GPrép) peut avoir différentes fonctions grammaticales dans la phrase, selon qu'il est un groupe constituant facultatif de la phrase ou l'expansion du noyau d'un groupe de mots dans la phrase.

Le GPrép peut être un groupe constituant facultatif de la phrase; dans ce cas, le GPrép a la fonction de **complément de phrase** (compl. de P).

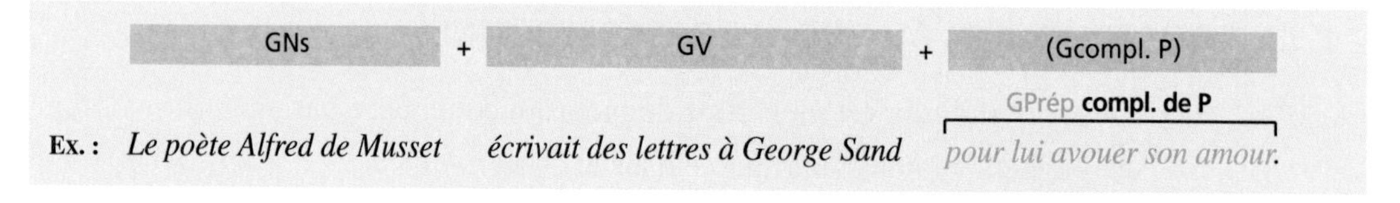

Ex. : *Le poète Alfred de Musset écrivait des lettres à George Sand pour lui avouer son amour.*

Le GPrép peut être l'expansion du noyau d'un groupe de mots dans la phrase.

- Il peut être l'expansion du noyau d'un groupe du verbe (GV); dans ce cas, le GPrép a l'une ou l'autre des fonctions suivantes :
  - **attribut du sujet** (attr. du s) si le noyau du GV est un verbe attributif;

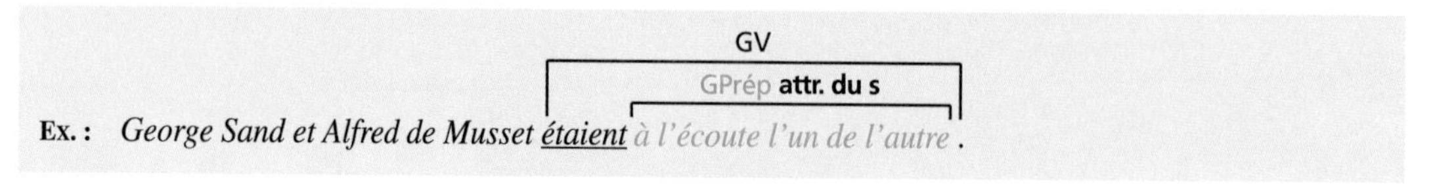

Ex. : *George Sand et Alfred de Musset étaient à l'écoute l'un de l'autre.*

– **complément indirect du verbe** (compl. indir. du V) si le noyau du GV est un verbe non attributif.

GV
GPrép **compl. indir. du V**

Ex. : *Le poète Alfred de Musset écrivait des lettres à George Sand pour lui avouer son amour.*

Remarques :

1º Le GPrép qui est l'expansion d'un verbe peut aussi avoir la fonction de **modificateur du verbe** ; dans ce cas, il peut généralement être remplacé par un **groupe de l'adverbe** (GAdv).

Ex. : *George Sand l'aimait avec passion.* → *George Sand l'aimait* ***passionnément***.

2º Le GPrép qui est l'expansion d'un verbe non attributif peut aussi avoir la fonction de **complément direct du verbe** ; dans ce cas, il peut être remplacé par un **groupe du nom** (GN) comme *QUELQUE CHOSE*.

Ex. : *Elle regrette de ne pas avoir profité de son séjour à Majorque.* → *Elle regrette QUELQUE CHOSE.*

3º Le GPrép qui est l'expansion d'un verbe passif et qui commence par la préposition *par* ou *de* a la fonction de **complément du verbe passif**.

Ex. : *George Sand était émerveillée par le génie de Chopin.*

- Il peut être l'expansion du noyau d'un groupe du nom (GN); dans ce cas, le GPrép a l'une ou l'autre des fonctions suivantes :

  – **complément du nom** (compl. du N) si le noyau du GN est un **nom** ;

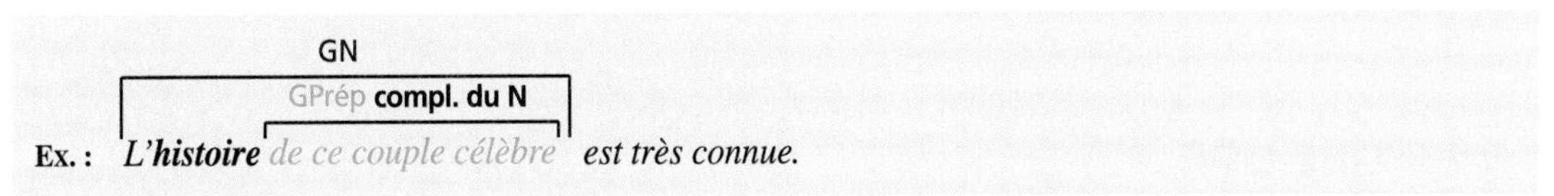

  – **complément du pronom** (compl. du Pron) si le noyau du GN est un **pronom**.

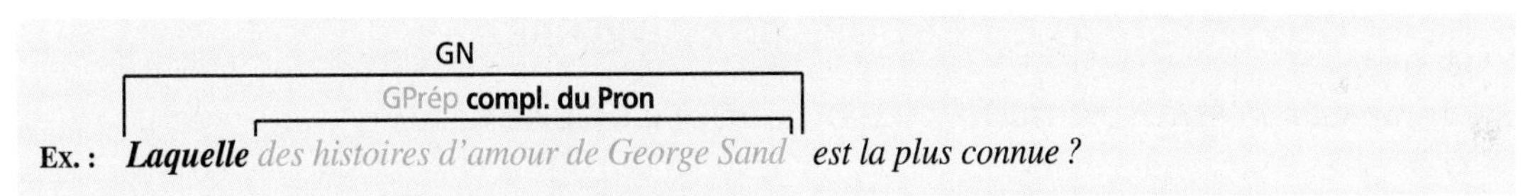

- Il peut être l'expansion de l'**adjectif** noyau d'un GAdj ; dans ce cas, le GPrép a la fonction de **complément de l'adjectif** (compl. de l'Adj).

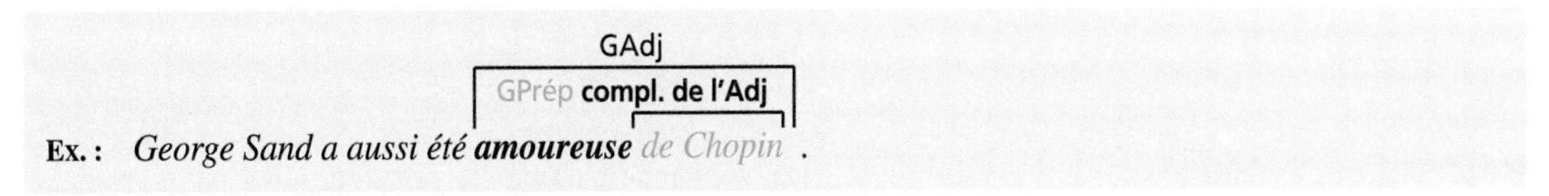

Remarque : Le GPrép peut aussi être l'expansion de l'**adverbe** noyau d'un groupe de l'adverbe (GAdv); dans ce cas, il a la fonction de **complément de l'adverbe** (compl. de l'Adv).

2.3 LE RÔLE DU GROUPE PRÉPOSITIONNEL

Le groupe prépositionnel (GPrép) peut servir :

- à apporter une précision dans un groupe du nom (GN), dans un groupe du verbe (GV), dans un groupe de l'adjectif (GAdj) ou dans un groupe de l'adverbe (GAdv);

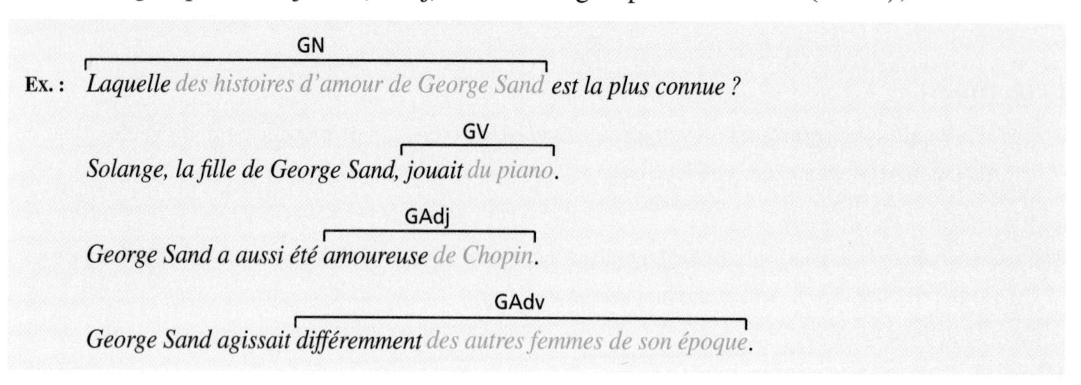

- à apporter une information supplémentaire à toute la phrase en précisant un lieu, un temps, un but, etc.

Ex. : *Au couvent, George Sand aimait jouer des tours.*

George Sand jouait des tours pour amuser ses camarades.

3 LE GROUPE DE L'ADVERBE

3.1 LA CONSTRUCTION DU GROUPE DE L'ADVERBE

3.1.1 LA CONSTRUCTION MINIMALE DU GROUPE DE L'ADVERBE

Le groupe de l'adverbe (GAdv) est constitué au minimum d'un adverbe. L'**adverbe** est le **noyau** du GAdv.

GAdv

Ex. : *George Sand écrivait* ***rapidement****.*

noyau

Remarque : Les adverbes *pas*, *plus*, *point*, *guère*, etc. sont généralement accompagnés de l'adverbe *ne*. Ensemble, ces adverbes forment un GAdv et sont employés pour transformer une phrase de forme positive en une phrase de forme négative.

Ex. : *George Sand dormait.* → *George Sand ne dormait pas.*

Les GAdv *ne... pas*, *ne... plus*, *ne... point*, *ne... guère*, etc. encadrent le verbe conjugué ou l'**auxiliaire du verbe conjugué** dans le groupe du verbe (GV).

GV GV

Ex. : *George Sand ne dormait pas.* *George Sand n'**a** pas dormi.*

Lorsqu'ils sont employés dans un groupe du verbe à l'infinitif (GVinf), les GAdv *ne... pas*, *ne... plus*, *ne... point*, *ne... guère*, etc. précèdent le verbe à l'infinitif.

GVinf

Ex. : *George Sand avait l'habitude de ne pas dormir la nuit : elle écrivait.*

AIDE MÉMOIRE *L'adverbe*, page 293.

ANNEXE *La formation des adverbes en* -ment, page 306.

3.1.2 LA CONSTRUCTION ÉTENDUE DU GROUPE DE L'ADVERBE

Dans un groupe de l'adverbe (GAdv), on peut trouver un ou plusieurs éléments qui dépendent de l'**adverbe** noyau : ce sont des expansions de l'**adverbe** noyau.

GAdv

Ex. : *George Sand écrivait très* ***rapidement****.*
expansion (très) noyau (rapidement)

L'expansion de l'adverbe		
Construction de l'expansion	**Fonction** de l'expansion	*Exemples*
groupe de l'adverbe (placé devant l'**adverbe**)	**modificateur de l'adverbe**	*George Sand écrivait très* ***rapidement****.*
groupe prépositionnel (placé après l'**adverbe**)	**complément de l'adverbe**	*George Sand agissait* ***différemment*** *des autres femmes de son époque.*

Dans un GAdv, l'**adverbe** noyau peut être accompagné d'expansions exprimant une idée de comparaison.

Construction du GAdv avec expansion(s) exprimant une idée de comparaison				*Exemples*
	moins *aussi* *plus*	+ **adverbe**	+ *que (qu')...*	*Peu de gens sont capables d'écrire aussi* ***rapidement*** *que George Sand.*
le	*moins* *plus*	+ **adverbe**		*C'est George Sand qui écrivait le plus* ***rapidement****.*

3.2 LA FONCTION DU GROUPE DE L'ADVERBE

Le groupe de l'adverbe (GAdv) peut avoir différentes fonctions grammaticales dans la phrase, selon qu'il est un groupe constituant facultatif de la phrase ou l'expansion du noyau d'un groupe de mots dans la phrase.

Le GAdv peut être un groupe constituant facultatif de la phrase; dans ce cas, le GAdv a la fonction de **complément de phrase**.

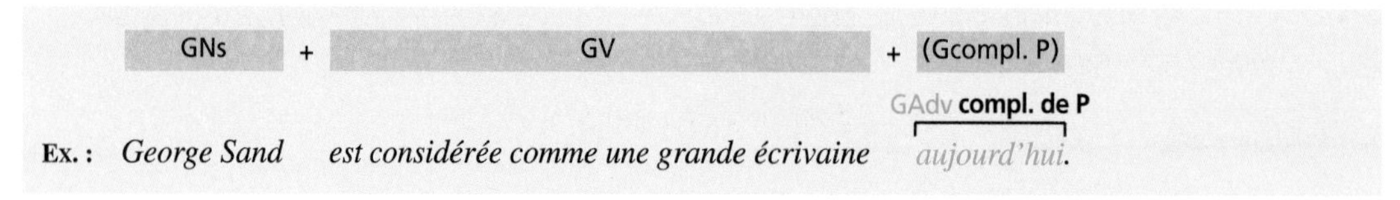

Le GAdv peut être l'expansion du noyau d'un groupe de mots dans la phrase.

- Il peut être l'expansion du verbe noyau d'un groupe du verbe (GV); dans ce cas, le GAdv a généralement la fonction de **modificateur du verbe** (modif. du V).

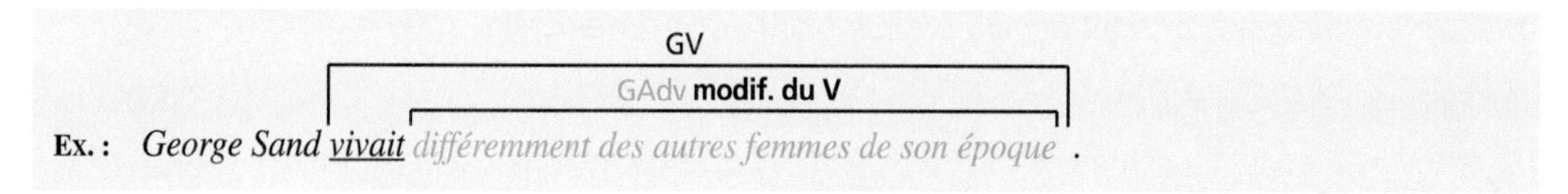

Remarques:

1° Le GAdv qui est l'expansion d'un verbe peut aussi avoir la fonction de **complément du verbe**; dans ce cas, il est **non supprimable** dans le GV.

Ex. : *Elle retournera là-bas.* → **Elle retournera ∅.*

Elle est là-bas. → **Elle est ∅.*

2° Le GAdv qui est l'expansion d'un verbe attributif peut aussi avoir la fonction d'**attribut du sujet**; dans ce cas, il est **non supprimable** dans le GV.

Ex. : *Elle est bien.* → **Elle est ∅.*

- Il peut être l'expansion de l'**adjectif** noyau d'un GAdj; dans ce cas, le GAdv a la fonction de **modificateur de l'adjectif** (modif. de l'Adj).

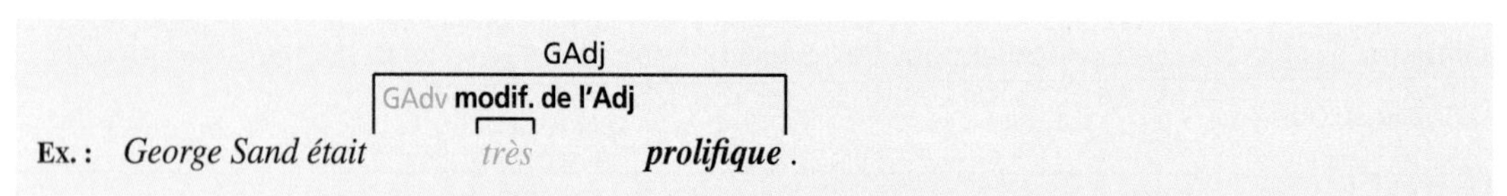

- Il peut être l'expansion de l'**adverbe** noyau d'un GAdv; dans ce cas, le GAdv a la fonction de **modificateur de l'adverbe** (modif. de l'Adv).

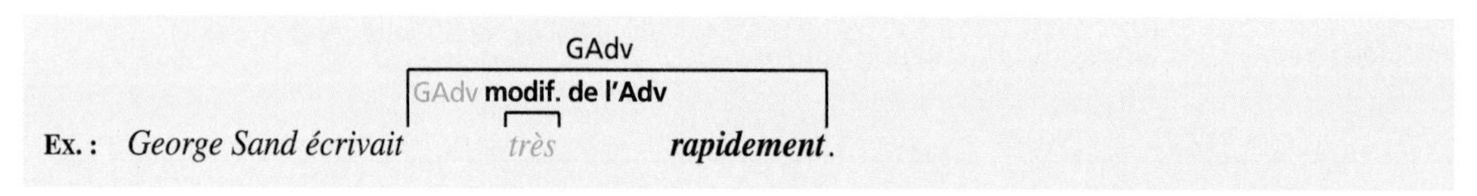

Dans certains cas, le GAdv ne fait partie d'aucun groupe constituant de la phrase.

- Il peut avoir la fonction de **coordonnant** s'il sert à joindre deux groupes de mots ou deux phrases.

Ex. : *George Sand n'écrivait pas souvent le jour, donc elle écrivait la nuit.*

- Il peut n'avoir **aucune fonction** grammaticale dans la phrase.

Ex. : *D'abord, nous étudierons la vie de George Sand. Ensuite, nous lirons un extrait de l'un de ses nombreux romans.*

Curieusement, George Sand préférait écrire la nuit.

Remarque : Le GAdv qui n'a aucune fonction grammaticale est généralement placé en début de phrase, mais il est aussi quelquefois placé après le verbe ou après le groupe du nom sujet.

Ex. : *Nous étudierons d'abord la vie de George Sand. Nous lirons ensuite un extrait de l'un de ses nombreux romans.*

George Sand , curieusement, préférait écrire la nuit.

3.3 LE RÔLE DU GROUPE DE L'ADVERBE

Le groupe de l'adverbe (GAdv) peut servir :

- à apporter une précision dans un groupe du verbe (GV), dans un groupe de l'adjectif (GAdj) ou dans un GAdv;

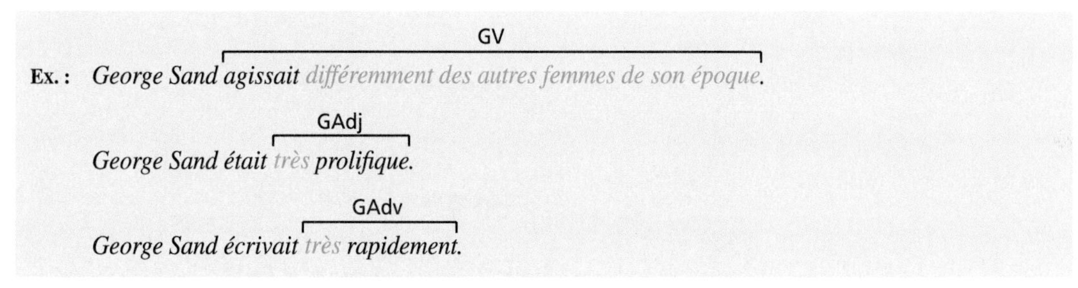

- à apporter une information supplémentaire à toute la phrase;

Ex. : *Aujourd'hui, George Sand est considérée comme une grande écrivaine.*

- à exprimer le point de vue de la personne qui parle ou qui écrit;

Ex. : *Curieusement, George Sand préférait écrire la nuit.*

- à marquer l'organisation du texte;

Ex. : *D'abord, nous étudierons la vie de George Sand. Ensuite, nous lirons un extrait de l'un de ses nombreux romans.*

- à répondre à une question en remplaçant une phrase verbale.

Ex. : *Est-il vrai que George Sand a écrit, en plus de ses nombreux romans, quelques milliers de pages de correspondance ? Oui. / Certes. / Évidemment.*

Pour appliquer *mes* connaissances lorsque *je* lis

Appliquer tes connaissances sur le groupe de l'adjectif, sur le groupe prépositionnel et sur le groupe de l'adverbe en lecture suppose que tu es capable:

- de reconnaître chacun de ces trois groupes de mots et d'identifier sa fonction dans la phrase;
- d'évaluer le rôle de chacun de ces trois groupes de mots dans la phrase et dans le texte.

Les deux blocs d'activités qui suivent te permettront de vérifier si tu maîtrises ces habiletés.

LIS le texte suivant qui te permettra d'en savoir davantage sur les personnages principaux du roman *La Petite Fadette* de George Sand.

Portrait berrichon

C'est dans le Berry*, la région où a grandi George Sand, que se déroule la ① charmante histoire du roman *La Petite Fadette*. Sommairement, cette histoire est celle de trois personnages: Landry et Sylvain, des jumeaux identiques, et Fadette, une jeune fille qui habite avec sa grand-mère et son petit frère, duquel elle prend soin ② avec grande attention.

Traçons ③ premièrement le portrait ④ de Landry. Comme la plupart des garçons de son âge qui vivaient dans les campagnes entre la fin du XVIIIe et le début du XIXe siècle, Landry est un garçon ⑤ fort, ⑥ travailleur et ⑦ un peu naïf. Il est ⑧ le moins dépendant des deux jumeaux et est ⑨ assez rationnel. Landry se distingue de la majorité des autres personnages du roman par son ouverture d'esprit, laquelle lui permet de s'intéresser à Fadette, malgré ses apparences de sorcière et les rumeurs que les habitants font courir à son sujet.

Deuxièmement, décrivons les changements ⑩ malheureux survenus dans le ⑪ comportement du second jumeau qui, ⑫ fort heureusement, est un personnage ⑬ moins présent dans le roman. Au début de

* Région de France située au sud de Paris.

l'histoire, on n'aurait pas pu prévoir qu'un garçon câlin et affable puisse devenir ⑭ si désagréable. Mais Sylvain, ⑮ à partir du moment où il est séparé de Landry qui part travailler dans un domaine voisin, devient ⑯ maladivement jaloux et ⑰ insociable. Sa jalousie ⑱ démesurée conduira son propre jumeau à s'éloigner de lui et à lui cacher les relations d'amitié qu'il entretient avec d'autres, notamment avec Fadette.

Dépeignons troisièmement le personnage le plus coloré et ⑲ le plus savoureux ⑳ du roman: la petite Fadette, qu'on appelle ainsi à cause de sa vivacité d'esprit et de ㉑ mouvement, de son allure que les gens du village voudraient plus soignée, et de ses manières de ㉒ jeune fille malicieuse qui dénotent, en fait, une grande intelligence et une sensibilité délicate. Fadette est ㉓ bonne, juste, honnête et généreuse. Elle est ㉔ charmante et ㉕ charmeuse, et, lorsqu'elle nous parle ㉖ d'amour et ㉗ d'amitié, elle nous fait ㉘ agréablement rêver.

JE RECONNAIS LE GROUPE DE L'ADJECTIF, LE GROUPE PRÉPOSITIONNEL ET LE GROUPE DE L'ADVERBE, ET J'IDENTIFIE LEUR FONCTION DANS LA PHRASE

1 A **TRANSCRIS**, s'il y a lieu, les groupes de mots numérotés dans le texte, dans un tableau semblable à celui ci-dessous.

Groupe de l'adjectif (GAdj)	Groupe prépositionnel (GPrép)	Groupe de l'adverbe (GAdv)

B Dans chacun des groupes de mots que tu as transcrits, **SURLIGNE**, s'il y a lieu, le mot noyau du groupe.

C Dans les GAdj et les GAdv que tu as transcrits, **ENCERCLE**, s'il y a lieu, les GAdv qui constituent une expansion de l'adjectif ou de l'adverbe noyau du groupe.

D Dans les GAdj que tu as transcrits, **SOULIGNE**, s'il y a lieu, les GPrép qui constituent une expansion de l'adjectif noyau.

E **SOULIGNE** d'un double trait la préposition placée au début de chacun des GPrép que tu as transcrits et, si elle est incluse dans un déterminant contracté, **ÉCRIS** cette préposition au-dessus du déterminant contracté.

2 [A] **CLASSE** chacun des GAdj que tu as transcrits en 1 [A] selon qu'il est :

ⓐ une expansion du noyau d'un groupe du nom (GN)

ou :

ⓑ une expansion d'un verbe attributif dans un groupe du verbe (GV).

N'INSCRIS que le numéro correspondant à chacun des GAdj.

[B] Quelle est la fonction des GAdj que tu as classés en ⓐ ? Et celle des GAdj que tu as classés en ⓑ ?

3 [A] **CLASSE** chacun des GPrép que tu as transcrits en 1 [A] selon qu'il est :

ⓐ un groupe constituant facultatif de la phrase

ou :

ⓑ une expansion du noyau d'un GV, d'un GN ou d'un GAdj.

N'INSCRIS que le numéro correspondant à chacun des GPrép.

[B] Quelle est la fonction du ou des GPrép que tu as classés en ⓐ ? Et celle de chacun des GPrép que tu as classés en ⓑ ?

4 [A] **CLASSE** chacun des GAdv que tu as transcrits en 1 [A] selon qu'il est :

ⓐ un groupe constituant facultatif de la phrase

ou :

ⓑ une expansion du noyau d'un GV, d'un GAdj ou d'un GAdv

ou :

ⓒ un groupe ne faisant partie d'aucun groupe constituant de la phrase.

N'INSCRIS que le numéro correspondant à chacun des GAdv.

[B] Quelle est la fonction du ou des GAdv que tu as classés en ⓐ ? Et celle de chacun des GAdv que tu as classés en ⓑ ?

J'ÉVALUE LE RÔLE DU GROUPE DE L'ADJECTIF, DU GROUPE PRÉPOSITIONNEL ET DU GROUPE DE L'ADVERBE DANS LE TEXTE

5 [A] Dans le premier paragraphe du texte *Portrait berrichon* (pages 130-131), l'auteur annonce son point de vue sur l'histoire racontée dans le roman *La Petite Fadette*.

PRÉCISE si ce point de vue est favorable ou défavorable.

[B] **RELÈVE** le groupe de mots à l'aide duquel l'auteur exprime le point de vue que tu as précisé en [A], puis **INDIQUE** de quelle sorte de groupes de mots il s'agit.

[C] **RELÈVE**, dans le premier paragraphe, les groupes de l'adjectif (GAdj) qui sont employés pour apporter une précision sur les jumeaux et sur Fadette.

[D] À la lumière des GAdj que tu as relevés en [C], peux-tu savoir si le point de vue de l'auteur sur les personnages est favorable ou défavorable ?

6 Dans la première phrase du deuxième paragraphe, l'auteur annonce qu'il fera la description de Landry. Sans avoir lu les paragraphes suivants, on peut savoir qu'il fera aussi la description d'autres personnages, et cela grâce à un groupe de mots qu'il a employé pour marquer l'organisation de son texte.

Dans les deuxième, troisième et quatrième paragraphes, **RELÈVE** les groupes de mots employés pour organiser le texte, puis **INDIQUE** de quelle sorte de groupes de mots il s'agit.

7 A Dans le deuxième paragraphe, les cinq GAdj que l'auteur emploie pour faire la description de Landry sont les suivants :

- *fort,*
- *travailleur,*
- *un peu naïf,*
- *le moins dépendant des deux jumeaux,*
- *assez rationnel.*

TRANSCRIS ces GAdj, puis, s'il y a lieu, **ENCERCLE** les groupes de l'adverbe (GAdv) modificateurs de l'adjectif.

B **COMPARE** les GAdj que tu as transcrits en A à ceux présentés ci-dessous.

①	②
exceptionnellement fort	*terriblement naïf*
extraordinairement travailleur	*excessivement dépendant*
vraiment rationnel	

Laquelle des deux séries de GAdj ci-dessus l'auteur aurait-il pu employer s'il avait voulu exprimer, sur Landry, un point de vue :

- très favorable ?
- très défavorable ?

C **REPÈRE** les groupes de mots employés dans les GAdj en B pour nuancer le point de vue qui est exprimé dans les cinq GAdj du texte, puis **INDIQUE** de quelle sorte de groupes de mots il s'agit.

8 A Parmi les GAdj mis en évidence dans le troisième paragraphe, relève ceux qui sont employés pour exprimer un point de vue défavorable sur Sylvain ou sur un aspect de son caractère.

B Le troisième paragraphe contient deux GAdj qui n'ont pas été mis en évidence et qui sont employés pour exprimer un point de vue favorable sur Sylvain.

RELÈVE ces deux GAdj.

C **RELÈVE** le numéro du groupe de mots du troisième paragraphe qui nous indique le moment où sont survenus les changements dans le comportement de Sylvain, puis **INDIQUE** de quelle sorte de groupes de mots il s'agit.

D Dès la première phrase du troisième paragraphe, l'auteur, à l'aide d'un GAdv, annonce son point de vue sur Sylvain en mentionnant le fait qu'il est peu présent dans le roman.

RELÈVE ce GAdv.

9 A **RELÈVE** les trois groupes de mots du quatrième paragraphe qui précisent les raisons pour lesquelles la petite Fadette s'appelle ainsi, puis **INDIQUE** de quelle sorte de groupes de mots il s'agit.

B Comme l'indique le titre du roman, la petite Fadette est le personnage central de l'histoire, et ce dont la jeune fille nous parle dans ce roman en résume bien les grands thèmes.

RELÈVE les deux GPrép du quatrième paragraphe qui pourraient bien être les thèmes principaux de *La Petite Fadette*.

C **RELÈVE** les GAdj et les GAdv du quatrième paragraphe qui révèlent le point de vue de l'auteur sur Fadette.

10 **CLASSE** les trois personnages décrits dans le texte selon que le point de vue de l'auteur est:

ⓐ très favorable;

ⓑ très défavorable;

ⓒ plutôt neutre.

Pour appliquer *mes* connaissances lorsque *j'écris*

Appliquer tes connaissances sur le groupe de l'adjectif, sur le groupe prépositionnel et sur le groupe de l'adverbe en écriture suppose que tu es capable :

- d'employer des groupes de l'adjectif, des groupes prépositionnels et des groupes de l'adverbe;
- d'évaluer l'emploi des groupes de l'adjectif, des groupes prépositionnels et des groupes de l'adverbe dans un texte.

Les deux blocs d'activités qui suivent te permettront de vérifier si tu maîtrises ces habiletés.

J'EMPLOIE LE GROUPE DE L'ADJECTIF, LE GROUPE PRÉPOSITIONNEL ET LE GROUPE DE L'ADVERBE

1 A **Complète** les phrases ci-dessous de trois manières différentes, en suivant les consignes ci-après.

Le personnage que je décris est une femme ① ✎, ② ✎ et ③ ✎.
Elle est aussi ④ ✎ et ⑤ ✎.

Choisis, dans le tableau ci-dessous, cinq groupes de l'adjectif (GAdj) qui te permettraient d'exprimer, sur le personnage décrit,

ⓐ un point de vue plutôt favorable;

Choisis tes GAdj dans la colonne correspondant au numéro inscrit dans les phrases à compléter.

①	②	③	④	⑤
insupportable	*sournoise*	*avenante*	*amusante*	*expressive*
modeste	*attachante*	*cruelle*	*curieuse*	*réconfortante*
chaleureuse	*discrète*	*prudente*	*déloyale*	*prétentieuse*

ⓑ un point de vue plutôt défavorable;

ⓒ un point de vue plutôt neutre.

B Dans les GAdj ③ et ⑤ des phrases ⓐ que tu as complétées, **AJOUTE** une expansion ayant la fonction de modificateur de l'adjectif, de façon à exprimer un point de vue encore plus favorable sur le personnage. **CHOISIS** cette expansion parmi les groupes de l'adverbe (GAdv) suivants.

extrêmement, ridiculement, scandaleusement, admirablement

C Dans les GAdj ③ et ⑤ des phrases ⓑ que tu as complétées, **AJOUTE** une expansion ayant la fonction de modificateur de l'adjectif, de façon à exprimer un point de vue encore plus défavorable sur le personnage. **CHOISIS** cette expansion parmi les GAdv suivants.

extrêmement, ridiculement, scandaleusement, admirablement

2 **A** **RELÈVE** le numéro des GAdj ci-dessous qui sont constitués d'un adjectif à partir duquel on peut former un adverbe.

① *chaleureux* ② *élégant* ③ *amusant* ④ *sage* ⑤ *abusif* ⑥ *négligent* ⑦ *souple* ⑧ *charmant* ⑨ *méchant* ⑩ *violent* ⑪ *admirable* ⑫ *fin* ⑬ *cruel* ⑭ *exagéré* ⑮ *serviable* ⑯ *accueillant*

B **CLASSE** les adjectifs identifiés en **A** dans un tableau semblable à celui ci-dessous.

Adjectifs se terminant au masculin par…			
une **voyelle**	une **consonne**	***-ant***	***-ent***

C **FORME** un adverbe en *-ment* à partir de chacun des adjectifs classés dans ton tableau.

ANNEXE *La formation des adverbes en* -ment, page 306.

3 **A** **REPÈRE** les groupes prépositionnels (GPrép) contenus dans les phrases ci-dessous, puis, s'il y a lieu, **REMPLACE**-les par un GAdv constitué d'un adverbe en *-ment* de sens équivalent.

① *Elle vit de manière dangereuse.* ② *Il vit d'amour et d'eau fraîche.* ③ *Il vit dans la pauvreté.* ④ *Elle vit dans la région des Bois-Francs.* ⑤ *Elle parle avec son ami.* ⑥ *Il parle avec sagesse.* ⑦ *Elle le regarde avec méchanceté.* ⑧ *Il la regarde avec surprise.* ⑨ *Il travaillera dans le silence.* ⑩ *Elle reviendra dans dix minutes.*

B **INDIQUE** si les GPrép remplacés par un GAdv constitué d'un adverbe en *-ment* précisent un lieu, un temps, un but, une cause, une manière, etc.

C S'il y a lieu, **REMPLACE** les autres GPrép des phrases données en **A** par les GAdv *très bientôt* ou *là-bas*.

D **INDIQUE** si les GPrép remplacés par les GAdv *très bientôt* et *là-bas* précisent un lieu, un temps, un but, une cause, une manière, etc.

4 A **REPÈRE**, dans les phrases ci-dessous, les GAdv constitués d'un adverbe en *-ment*, puis, s'il y a lieu, **REMPLACE**-les par un GPrép de sens équivalent.

① Il l'embrasse passionnément. ② Elle l'aime énormément.

B **REPÈRE** les GAdv dans les phrases ci-dessous, puis **REMPLACE**-les par un GPrép qui précise l'information contenue dans chaque GAdv.

Ex. : *C'est* ***ici*** *qu'a eu lieu la bataille de la guerre de Sept Ans. → C'est* ***sur les plaines d'Abraham*** *qu'a eu lieu la bataille de la guerre de Sept Ans.*

① George Sand a vécu là-bas. ② Le printemps arrive bientôt. ③ Autrefois, le Canada était divisé en deux parties: le Haut-Canada et le Bas-Canada. ④ Ailleurs, on cultive le riz. ⑤ L'année bissextile revient souvent.

5 Dans l'encadré ci-après figure le plan du texte d'un exposé oral. Pense à un roman, à un film ou à une bande dessinée qui t'a particulièrement plu, puis **COMPOSE** l'introduction de ce texte.

EMPLOIE les GAdv *tout d'abord*, *ensuite*, *puis*, *enfin*, pour marquer l'organisation du texte.

Ex. : *Dans mon exposé, je vous présenterai* ***tout d'abord*** *les personnages du roman…*

Introduction
1. Présentation des personnages
2. Résumé de l'histoire
3. Appréciation générale de l'œuvre
4. Présentation de l'auteur ou de l'auteure de l'œuvre
Conclusion

J'ÉCRIS UN TEXTE, J'ÉVALUE L'EMPLOI DU GROUPE DE L'ADJECTIF, DU GROUPE PRÉPOSITIONNEL ET DU GROUPE DE L'ADVERBE DANS MON TEXTE, ET JE VÉRIFIE LA FORMATION DES ADVERBES EN *-MENT*

Voici une stratégie de révision de texte qui t'amènera à t'interroger sur l'emploi de certains groupes de l'adjectif (GAdj), groupes prépositionnels (GPrép) et groupes de l'adverbe (GAdv) dans tes textes et à vérifier la formation des adverbes en *-ment* dans les GAdv.

J'ÉVALUE L'EMPLOI DU GROUPE DE L'ADJECTIF, DU GROUPE PRÉPOSITIONNEL ET DU GROUPE DE L'ADVERBE, ET JE VÉRIFIE LA FORMATION DES ADVERBES EN *-MENT*

❶ **SURLIGNE** chaque adjectif noyau d'un GAdj, puis **ENCADRE** chaque GAdj dont l'adjectif noyau est surligné.

VÉRIFIE l'accord de l'adjectif noyau du GAdj.

ORTHOGRAPHE GRAMMATICALE 1. *Les accords dans le groupe du nom*, pages 297-299.
2. *Les accords dans le groupe du verbe*, pages 299-302.

❷ **SURLIGNE** d'une couleur différente chaque adverbe noyau d'un GAdv, puis **ENCERCLE** chaque GAdv dont l'adverbe noyau est surligné.

❸ **ASSURE**-toi que la précision ou l'information apportée par le noyau du GAdj et par le noyau du GAdv exprime bien ton point de vue sur ce dont tu parles.

❹ S'il y a lieu, **PRÉCISE** ton point de vue en ajoutant un GAdv modificateur de l'adjectif dans un GAdj.

❺ **VÉRIFIE** si les GAdv constitués d'un adverbe en *-ment* et les GAdv précisant un lieu ou un temps peuvent être remplacés par un GPrép plus adéquat ou plus précis.

❻ **VÉRIFIE** la formation des adverbes en *-ment* selon que l'adjectif à partir duquel ils sont formés se termine au masculin par:

- une voyelle;
- une consonne;
- *-ant*;
- *-ent*.

ANNEXE *La formation des adverbes en* -ment, page 306.

❼ **SOULIGNE** les GPrép précisant une manière, un lieu ou un temps, puis **VÉRIFIE** s'ils peuvent être remplacés par un GAdv plus adéquat.

❽ **VÉRIFIE** l'emploi des GAdv qui servent à marquer l'organisation du texte.

Activité de révision

APPLIQUE au texte ci-dessous la stratégie de révision J'ÉVALUE L'EMPLOI DU GROUPE DE L'ADJECTIF, DU GROUPE PRÉPOSITIONNEL ET DU GROUPE DE L'ADVERBE, ET JE VÉRIFIE LA FORMATION DES ADVERBES EN *-MENT* en suivant l'exemple.

ttention ! Erreurs.

agréablement

George Sand, la fameuse auteure de *La Petite Fadette*, était différente des autres femmes de son époque. D'abord, dès son adolescence, elle a commencé à vivre de nuit, alors qu'elle

consciencieusement — à ce moment-

veillait de façon consciencieuse sa grand-mère malade. C'est là qu'elle a commencé à écrire vraiement. George Sand était prolifique de manière étonnante; elle noircissait des pages et des pages de manuscrits et ne s'arrêtait pas avant de voir le soleil se lever. Aussi, au cours de sa vie, elle a réussi à écrire plus de 120 romans aux personnages colorés.

Enfin, la vaillante écrivaine, lorsqu'elle s'est installée à Paris, a eu l'idée ingénieuse de vivre comme un homme pour avoir davantage de liberté. Amusée, elle s'est fait tailler une redingote, un pantalon et un gilet gris; et, avec sa cravate de laine, son chapeau gris et ses bottes, elle pouvait déambuler sur les trottoirs facilement et fréquenter les théâtres sans se faire remarquer.

Ensuite, l'extraordinaire romancière a eu la chance de connaître intimemment des personnages illustres. Elle a été amoureuse avec passion de Chopin et de Musset, et elle a entretenu des relations d'amitié avec Balzac.

Activité d'écriture

Mise en situation

Au numéro 5 (page 137), tu as déjà composé l'introduction d'un texte à partir du plan ci-dessous. Maintenant, tu dois composer le texte correspondant à la première partie de ce plan, soit la présentation des personnages.

Introduction
1. Présentation des personnages
2. Résumé de l'histoire
3. Appréciation générale de l'œuvre
4. Présentation de l'auteur ou de l'auteure de l'œuvre
Conclusion

Contraintes d'écriture

- **CHOISIS** deux ou trois personnages d'un roman, d'un film ou d'une bande dessinée.
- **COMPOSE** un texte d'environ 15 lignes dans lequel tu fais la description des personnages choisis :
  - un des personnages doit être présenté sous un point de vue plutôt favorable ;
  - un autre des personnages doit être présenté sous un point de vue plutôt défavorable.
- Ton texte doit contenir :
  - au moins dix groupes de l'adjectif (GAdj), dont quatre enrichis d'un groupe de l'adverbe (GAdv) ayant la fonction de modificateur de l'adjectif ;
  - au moins cinq adverbes en *-ment* ;
  - au moins un groupe prépositionnel (GPrép) précisant une manière ;
  - au moins un GPrép précisant un temps ;
  - au moins un GPrép précisant un lieu ;
  - au moins deux GAdv marquant l'organisation du texte ;

  et être écrit à double interligne.

Étape de révision

VÉRIFIE d'abord si tu as bien respecté les contraintes d'écriture, puis **RÉVISE** ton texte à l'aide de la stratégie de révision J'ÉVALUE L'EMPLOI DU GROUPE DE L'ADJECTIF, DU GROUPE PRÉPOSITIONNEL ET DU GROUPE DE L'ADVERBE, ET JE VÉRIFIE LA FORMATION DES ADVERBES EN *-MENT* (page 138).

Atelier 5

LA SUBORDONNÉE RELATIVE

Son rôle
Sa fonction
Sa construction
Le choix du pronom relatif
Le sens de la subordonnée détachée
Le mode du verbe dans la subordonnée relative

J'ai terminé mon année d'École normale, puis je suis partie prendre ma première classe dans un petit village de nos Prairies.

Gabrielle Roy

je me rappelle...

En première secondaire, tu as fait certains apprentissages sur la subordonnée relative, entre autres sur la subordonnée relative en *qui* et la subordonnée relative en *que*. **VÉRIFIE** si tu te rappelles le rôle, le fonctionnement et la construction de la subordonnée relative.

LE RÔLE, LE FONCTIONNEMENT ET LA CONSTRUCTION DE LA SUBORDONNÉE RELATIVE

APPLIQUE les consignes suivantes <u>pour chacun des énoncés</u> présentés dans les encadrés de la colonne de gauche ci-dessous.

- **LIS** l'énoncé de la colonne de gauche;
- **REPÈRE**, dans la colonne de droite, l'exemple qui illustre le mieux l'énoncé;
- **INSCRIS** côte à côte le chiffre correspondant à l'énoncé de la colonne de gauche et la lettre correspondant à l'exemple de la colonne de droite qui illustre le mieux cet énoncé.

Attention! **TIENS** compte des annotations en couleur pour repérer l'exemple qui illustre chacun des énoncés de la colonne de gauche.

ÉNONCÉS	EXEMPLES
① La subordonnée relative, qui est une phrase insérée dans une autre phrase, permet de réduire le nombre de phrases et d'éviter la **répétition** de mots.	ⓐ *Gabrielle Roy a d'abord exercé le métier d'enseignante, qui lui a procuré de grandes satisfactions.* (Ce métier lui a procuré de grandes sastisfactions.)
② La subordonnée relative fait partie d'un groupe du nom (GN). En précisant le nom, elle permet d'enrichir le GN.	ⓑ • [GNs *Gabrielle Roy*] [GV *a d'abord exercé le* ***métier*** *d'enseignante*]. • [GNs *Ce* ***métier***] [GV *lui a procuré de grandes satisfactions*]. → [GNs *Gabrielle Roy*] [GV *a d'abord exercé le métier d'enseignante,* [GNs *qui*] [GV *lui a procuré de grandes satisfactions*]].

ÉNONCÉS	EXEMPLES
③ À partir de la subordonnée relative, il est possible de construire une phrase qui peut fonctionner seule.	ⓒ • *Elle a enseigné dans un petit village qui se trouve dans les Prairies canadiennes.* (GN : un petit village qui se trouve dans les Prairies canadiennes ; GNs : qui ; GV : se trouve dans les Prairies canadiennes) • **Qui se trouve dans les Prairies canadiennes.*
④ Même si la subordonnée relative est une phrase, elle ne peut pas fonctionner seule parce qu'elle dépend du noyau du GN dont elle fait partie.	ⓓ • *Après huit ans d'enseignement, Gabrielle Roy s'est consacrée à l'écriture.* (GN : l'écriture) • *Après huit ans d'enseignement, Gabrielle Roy s'est consacrée à l'écriture, qui est devenue son gagne-pain et sa passion.* (GN : l'écriture, qui est devenue son gagne-pain et sa passion)
⑤ Sur le plan du sens, le pronom relatif fait toujours référence à un groupe de mots qui le précède dans la phrase; ce groupe de mots est appelé *antécédent*.	ⓔ • *Son premier roman, qui s'intitule* Bonheur d'occasion, *lui a valu une gloire immédiate.* (antécédent : Son premier roman) • *Le succès que Gabrielle Roy a remporté avec son premier roman était dû, entre autres, à ses dons d'observation.* (antécédent : Le succès)
⑥ Le pronom relatif, placé au début de la subordonnée relative, a la même fonction que le groupe de mots qu'il remplace dans la subordonnée relative.	ⓕ • *Les personnages qui peuplent les romans de Gabrielle Roy ont un destin sans gloire.* (GNs : Les personnages qui peuplent les romans de Gabrielle Roy) • *Gabrielle Roy décrit des personnages qui ont un destin sans gloire.* (GV : décrit des personnages qui ont un destin sans gloire)
	GNs : *Ces critiques ont jugé* Bonheur d'occasion. ⓖ • *Les critiques qui ont jugé* Bonheur d'occasion *ont souligné l'exactitude des descriptions de l'auteure.* (sujet : qui) GN compl. dir. du V : Bonheur d'occasion *a reçu cette critique*. • *La critique que* Bonheur d'occasion *a reçue a souligné l'exactitude des descriptions de l'auteure.* (compl. dir. du V : que)

j'observe et je découvre

Dans l'extrait suivant, Gabrielle Roy décrit le petit village où elle a obtenu son premier poste d'enseignante. **Lis** ce texte, dans lequel l'auteure a employé des subordonnées relatives.

Texte d'observation

Gagner ma vie...

J'ai terminé mon année d'École normale, puis je suis partie prendre ma première classe dans un petit village de nos Prairies. C'était un tout petit village par terre, je veux dire vraiment à plat dans les plaines, et presque entièrement rouge, de ce sombre rouge terne des gares de chemin de fer dans l'Ouest. Sans doute le CNR avait-il envoyé de la peinture pour peindre la gare et les petites dépendances du chemin de fer: la baraque aux outils, la citerne à eau, quelques wagons désaffectés qui servaient de logement au chef du secteur et à ses hommes. Il en était resté que les villageois avaient eue à bon marché, peut-être pour rien, et ils en avaient tous peint leurs murs; du moins c'est ce que j'ai imaginé en arrivant dans le village. Même l'élévateur à blé était rouge, même la maison où j'allais habiter, recouverte de tôles dont plusieurs battaient au vent. Il n'y avait que l'école qui eût de l'individualité, toute blanche. Et ce village rouge, il s'appelait, il s'appelle encore: Cardinal.

La dame chez qui j'allais loger dit en me voyant:

— Hein ! C'est pas vous la maîtresse d'école ! Oh non, ce n'est pas possible !

Elle ajusta ses lunettes pour mieux me voir.

— Mais ils ne vont faire qu'une bouchée de vous !

Gabrielle Roy, *Rue Deschambault*, © Fonds Gabrielle Roy.

Dans les activités qui suivent, tu poursuivras ton étude de la subordonnée relative commencée en première secondaire, et tu feras de nouveaux apprentissages quant au choix du pronom relatif et au sens de la subordonnée relative détachée.

J'OBSERVE...

LA SUBORDONNÉE RELATIVE	
LE CHOIX DU PRONOM RELATIF	●
LE SENS DE LA SUBORDONNÉE RELATIVE DÉTACHÉE	

LE CHOIX DU **PRONOM RELATIF**

1 [A] Dans les phrases ci-dessous, le groupe de mots qui est l'**antécédent** des pronoms relatifs *dont* et *que* est souligné. **Relève** le noyau du groupe antécédent.

① *Pour recouvrir la maison, on avait utilisé des tôles rouges [dont] plusieurs battaient au vent.*

② *Pour recouvrir la maison, on avait utilisé des tôles rouges [que] le vent soulevait.*

[B] **À partir de la subordonnée relative, il est possible de construire une phrase qui peut fonctionner seule.** Pour ce faire, on supprime le pronom relatif et on inscrit dans cette phrase le groupe de mots qu'il remplace, formé à l'aide du noyau du groupe antécédent.

Par exemple, à partir de la subordonnée relative de la phrase ①, on construit la phrase suivante.

Plusieurs [de ces tôles] battaient au vent.

Construis une phrase qui peut fonctionner seule, à partir de la subordonnée relative de la phrase ②.

[C] Dans les phrases qui peuvent fonctionner seules construites en [B], **relève** le groupe de mots que remplace le pronom relatif *dont*, puis le groupe de mots que remplace le pronom relatif *que*.

[D] **Le pronom relatif *dont* remplace un groupe prépositionnel** (GPrép). **Relève** la préposition placée au début du GPrép que ce pronom remplace.

[E] **Le pronom relatif *que* remplace un groupe du nom** (GN). Quelle est la fonction de ce GN dans la phrase qui peut fonctionner seule (et, par conséquent, la fonction du pronom relatif *que*)?

[F] À partir des observations que tu as pu faire en [C], [D] et [E], **explique** pourquoi la phrase suivante est agrammaticale.

**Les tôles rouges que la maison était recouverte battaient au vent.*

2 [A] Dans les subordonnées relatives des phrases ① et ② ci-dessous, **les pronoms relatifs *qui* et *laquelle* sont précédés chacun d'une préposition.** **RELÈVE** ces <u>prépositions</u>.

> ① *La dame chez qui j'allais loger s'inquiétait pour moi.*
>
> ② *La dame avec laquelle je discutais s'inquiétait pour moi.*

[B] Dans les phrases ci-dessus, **REPÈRE** le <u>noyau du groupe antécédent</u> du pronom relatif, puis **CONSTRUIS** une <u>phrase qui peut fonctionner seule</u>, à partir de chacune des subordonnées relatives.

[C] Dans les phrases qui peuvent fonctionner seules construites en [B], **ENCADRE** le <u>GPrép que remplacent les ensembles *chez qui* et *avec laquelle*</u>, puis **ENCERCLE** la <u>préposition</u> placée au début de chaque GPrép.

[D] La <u>préposition placée au début de chaque GPrép</u> est-elle la même que la <u>préposition qui précède chacun des pronoms relatifs *qui* et *laquelle*</u> dans les phrases ① et ② ?

3 [A] Dans les phrases ① et ② ci-dessous, **REPÈRE** le <u>noyau du groupe antécédent</u> du pronom relatif, puis **CONSTRUIS** une <u>phrase qui peut fonctionner seule</u>, à partir de chacune des subordonnées relatives.

> ① *La dame de qui Gabrielle Roy parle portait des lunettes.*
>
> ② *La dame de laquelle Gabrielle Roy parle portait des lunettes.*

[B] Dans les phrases qui peuvent fonctionner seules construites en [A], **ENCADRE** le <u>GPrép que remplacent les ensembles *de qui* et *de laquelle*</u>, puis **RELÈVE** le <u>noyau du GN contenu dans ce GPrép</u>.

[C] Le noyau du GN relevé en [B] a-t-il le trait <u>animé</u> ou le trait <u>non animé</u> ?

[D] Dans les phrases ① et ② ci-dessous, **REPÈRE** le <u>noyau du groupe antécédent</u> du pronom relatif, puis **CONSTRUIS** une <u>phrase qui peut fonctionner seule</u>, à partir de chacune des subordonnées relatives.

> ① *L'école de laquelle Gabrielle Roy parle était blanche.*
>
> ② **L'école de qui Gabrielle Roy parle était blanche.*

[E] Dans les phrases qui peuvent fonctionner seules construites en [D], **ENCADRE** le <u>GPrép que remplacent les ensembles *de laquelle* et *de qui*</u>, puis **RELÈVE** le <u>noyau du GN contenu dans ce GPrép</u>.

[F] Le noyau du GN relevé en [E] a-t-il le trait <u>animé</u> ou le trait <u>non animé</u> ?

[G] L'astérisque qui précède la phrase ② indique que cette phrase est agrammaticale; compte tenu de l'observation que tu as faite en [C] et [F], **INDIQUE** <u>à quelle condition on peut employer le pronom relatif *qui* précédé d'une préposition</u>.

4 A Dans les phrases ① et ② ci-dessous, REPÈRE le pronom relatif, puis RELÈVE son antécédent.

> ① *Je me rappelle la maison où j'allais habiter.*
>
> ② *Je me rappelle l'époque où j'ai commencé à enseigner.*

B Voici la **phrase qui peut fonctionner seule** construite à partir de la subordonnée relative de la phrase ①.

> *J'allais habiter dans cette maison.*

Dans cette phrase, RELÈVE le GPrép que le pronom relatif *où* remplace.

C Le GPrép relevé en B pourrait être la réponse à la **question** suivante : *Où allais-tu habiter ?*

INDIQUE ce qu'exprime ce GPrép : le lieu, la manière, le temps, le but, etc.

D Dans la phrase ② donnée en A, REPÈRE le noyau du groupe antécédent du pronom relatif, puis CONSTRUIS une phrase qui peut fonctionner seule, à partir de la subordonnée relative.

E Dans la phrase qui peut fonctionner seule construite en D, ENCADRE le GPrép que le pronom relatif *où* remplace.

F Tout comme le GPrép *dans cette maison*, le GPrép encadré en E pourrait être la réponse à une **question**. FORMULE cette question, puis INDIQUE ce qu'exprime le GPrép encadré en E : le lieu, la manière, le temps, le but, etc.

G Dans les phrases ① et ② ci-dessous, REPÈRE le noyau du groupe antécédent du pronom relatif, puis CONSTRUIS une phrase qui peut fonctionner seule, à partir de chacune des subordonnées relatives.

> ① *La peinture que le chef du secteur avait reçue **était rouge.***
>
> ② **Le wagon que le chef du secteur était installé **était rouge.***

H Compte tenu de l'observation que tu as faite en B et C, EXPLIQUE pourquoi la phrase ② est agrammaticale et CORRIGE-la.

J'AI DÉCOUVERT...

LE CHOIX DU PRONOM RELATIF

On emploie le pronom relatif *que* pour remplacer un ✎ qui a la fonction de ✎.

On peut employer le pronom relatif *dont* pour remplacer un ✎ qui commence par la préposition ✎.

On emploie les pronoms relatifs *qui* ou *lequel (laquelle/lesquels/lesquelles)* précédés d'une ✎ pour remplacer certains groupes prépositionnels (GPrép). La ✎ qui précède le pronom relatif est la même que celle qui commence le GPrép.

Lorsqu'on remplace un GPrép par un pronom relatif précédé d'une préposition, on doit vérifier si le noyau du GN contenu dans le GPrép a le trait ✎ ou ✎.

- Si ce noyau a le trait ✎, on peut employer le pronom relatif *qui* ou le pronom relatif *lequel (laquelle/lesquels/lesquelles)* précédés d'une préposition.
- Si ce noyau a le trait ✎, on peut employer seulement le pronom relatif *lequel (laquelle/lesquels/lesquelles)* précédé d'une préposition.

On peut employer le pronom relatif *où* pour remplacer un groupe de mots qui exprime le ✎ (en répondant à la question *Où...?*) ou le ✎ (en répondant à la question *Quand...?*).

J'OBSERVE...

LA SUBORDONNÉE RELATIVE	
LE CHOIX DU PRONOM RELATIF	✔
LE SENS DE LA SUBORDONNÉE RELATIVE DÉTACHÉE	●

LE SENS DE LA SUBORDONNÉE RELATIVE DÉTACHÉE

1 **OBSERVE** la construction des trois phrases ci-dessous.

① *Tous les villageois logeaient dans des wagons désaffectés.*

② *Tous les villageois, qui travaillaient pour la compagnie ferroviaire, logeaient dans des wagons désaffectés.*

③ *Tous les villageois qui travaillaient pour la compagnie ferroviaire logeaient dans des wagons désaffectés.*

Sur le plan de la construction, qu'est-ce qui différencie la phrase ① des phrases ② et ③ ?

2 Lorsqu'une subordonnée relative est détachée par la **virgule** (c'est-à-dire encadrée de virgules, ou précédée d'une virgule si elle termine la phrase), on dit qu'il s'agit d'une **subordonnée relative détachée**.

Une subordonnée relative est détachée lorsqu'elle apporte une **information non essentielle au sens de la phrase** ; par conséquent, sans la subordonnée relative détachée, le sens de la phrase serait le même.

Compte tenu de cette explication, **INDIQUE** si chacun des énoncés ci-dessous correspond à la phrase ② ou à la phrase ③ données en 1.

ⓐ *La phrase signifie que ce sont tous les villageois, sans exception, qui logeaient dans des wagons désaffectés; cette phrase a le même sens que la phrase ①.*

ⓑ *La phrase signifie que ce ne sont pas tous les villageois qui logeaient dans des wagons désaffectés, mais seulement ceux qui travaillaient pour la compagnie ferroviaire; cette phrase n'a pas le même sens que la phrase ①.*

J'AI DÉCOUVERT...

LE SENS DE LA SUBORDONNÉE RELATIVE DÉTACHÉE

nos 1 et 2

La subordonnée relative qui apporte une information ___ au sens de la phrase doit être encadrée de ___ (ou seulement précédée d'une ___ si elle termine la phrase). On l'appelle **subordonnée relative détachée**.

MA GRAMMAIRE

La subordonnée relative est un des moyens dont nous disposons pour enrichir le groupe du nom. Elle est fréquemment employée, mais souvent mal construite. Connaître les critères dont il faut tenir compte pour choisir le pronom relatif permet de construire correctement la subordonnée relative.

1 LE RÔLE DE LA SUBORDONNÉE RELATIVE

La subordonnée relative (Sub. rel.) **enrichit le groupe du nom** (GN) en précisant le sens du nom (N) ou du pronom (Pron) noyau de ce groupe. De plus, elle **permet d'éviter les <u>répétitions</u> et de réduire le nombre de phrases** dans un texte.

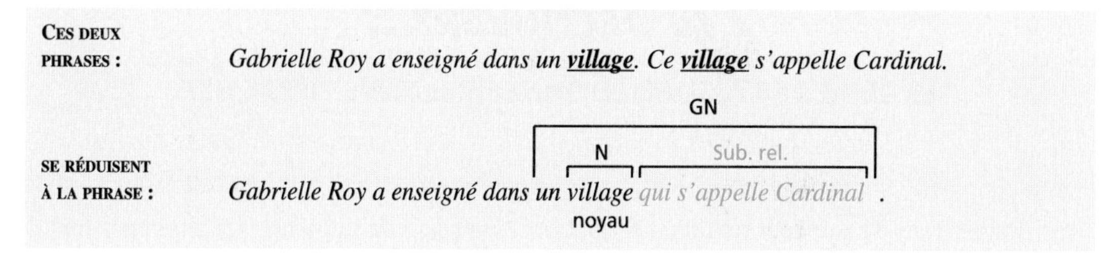

2 LA FONCTION DE LA SUBORDONNÉE RELATIVE

Dans la phrase, la subordonnée relative (Sub. rel.) dépend du nom (N) ou du pronom (Pron) noyau d'un groupe du nom (GN). Dans ce GN, elle est un élément facultatif sur le plan grammatical (sauf si elle dépend du pronom *ce*, *celui*, *celle*, *ceux* ou *celles*). La subordonnée relative est donc une expansion du noyau du GN; elle a la fonction de **complément du nom** (compl. du N) si le noyau dont elle dépend est un nom (N) et celle de **complément du pronom** (compl. du Pron) si ce noyau est un pronom (Pron).

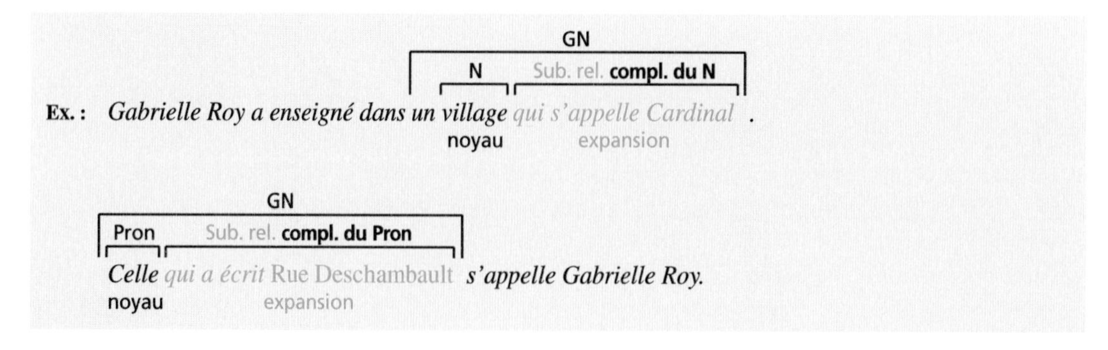

3 LA CONSTRUCTION DE LA SUBORDONNÉE RELATIVE

La subordonnée relative contient un groupe du nom sujet (GNs) et un groupe du verbe (GV), complétés ou non par un ou plusieurs groupes compléments de phrase (Gcompl. P). **La subordonnée relative est donc une phrase**; cette phrase est insérée dans le GN d'une autre phrase de niveau supérieur (appelée *phrase matrice*), à l'aide d'un pronom relatif, qui peut parfois être précédé d'une préposition dans la subordonnée relative. Dans la phrase matrice, le pronom relatif a la fonction de subordonnant.

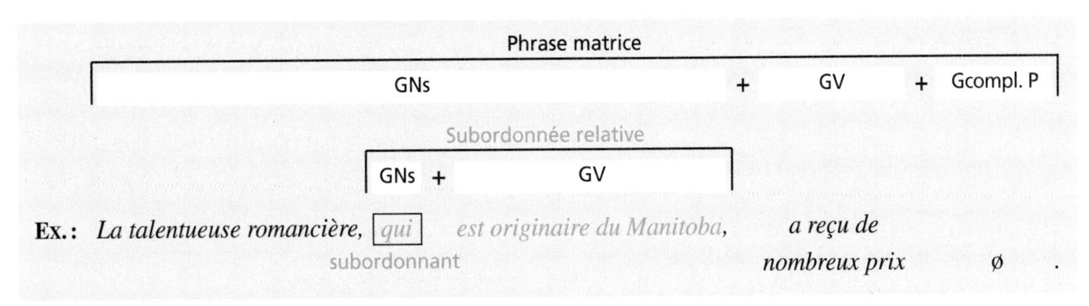

Sur le plan du sens, le pronom relatif **fait référence à un GN** qui le précède dans la phrase. Ce GN est l'*antécédent* du pronom relatif.

Remarque: Dans la phrase donnée en exemple ci-dessus, le pronom relatif *qui* a pour antécédent le GN *la talentueuse romancière*.

Sur le plan grammatical, dans la subordonnée relative, le pronom relatif **remplace un groupe de mots**. Il a, dans la subordonnée relative, la fonction de ce groupe de mots (la fonction de sujet, de complément du verbe, de complément du nom, etc.).

Remarque: On détermine le groupe de mots que remplace le pronom relatif en construisant, à partir de la subordonnée relative, une phrase qui peut fonctionner seule. Pour ce faire, on se sert du noyau du groupe antécédent. Par exemple, à partir de la subordonnée relative de l'exemple de l'encadré ci-dessus, on construit la phrase suivante: *Cette romancière est originaire du Manitoba.*

Dans la subordonnée relative, le pronom relatif *qui* remplace le GN *cette romancière*, qui a la fonction de sujet; donc, dans la subordonnée relative, le pronom *qui* a aussi la fonction de sujet.

4 LE CHOIX DU PRONOM RELATIF

Le pronom relatif remplace un groupe de mots. Le choix du pronom relatif peut dépendre:

- de la **construction** de ce groupe de mots;
- de la **fonction** de ce groupe de mots;
- parfois aussi du **sens** de ce groupe de mots.

Dans certains cas, le pronom relatif doit être précédé d'une préposition dans la subordonnée relative.

4.1 LES PRONOMS RELATIFS EMPLOYÉS SEULS

Certains pronoms relatifs peuvent à eux seuls remplacer un groupe de mots dans une subordonnée relative. Ces pronoms relatifs se trouvent alors au tout début de la subordonnée relative. Il s'agit des pronoms relatifs ***qui***, ***que***, ***dont*** et ***où***.

4.1.1 LE PRONOM RELATIF *QUI*

On emploie le pronom relatif *qui* (seul) pour remplacer un **groupe du nom** (GN) ayant la fonction de **sujet** (s). Donc, dans la subordonnée relative, le pronom relatif *qui* (seul) a aussi cette fonction.

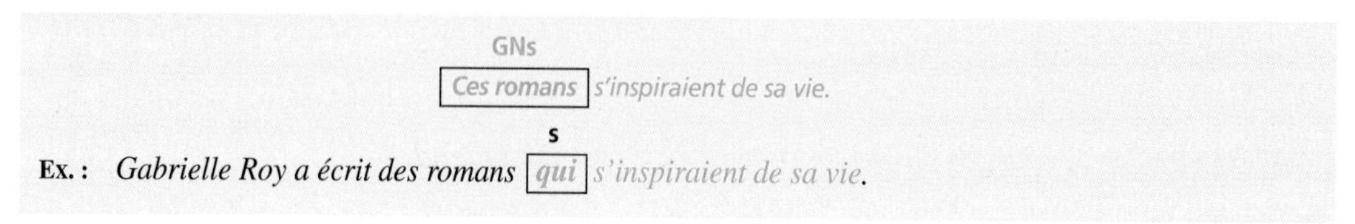

4.1.2 LE PRONOM RELATIF *QUE (QU')*

On emploie le pronom relatif *que (qu')* pour remplacer un **groupe du nom** (GN) ayant la fonction de **complément direct du verbe** (compl. dir. du V) ou d'**attribut du sujet** (attr. du s). Donc, dans la subordonnée relative, le pronom relatif *que (qu')* a aussi l'une de ces fonctions.

GN **compl. dir. du V**

Gabrielle Roy a écrit ce roman.

compl. dir. du V

Ex. : *Le premier roman* que *Gabrielle Roy a écrit s'intitule* Bonheur d'occasion.

4.1.3 LE PRONOM RELATIF *DONT*

On emploie le pronom relatif *dont* pour remplacer un **groupe prépositionnel** (GPrép) qui commence par la préposition *de (d')*. Ce GPrép peut avoir la fonction de complément indirect du verbe (compl. indir. du V), de complément du nom (compl. du N) ou de complément de l'adjectif (compl. de l'Adj). Donc, dans la subordonnée relative, le pronom relatif *dont* a aussi l'une de ces fonctions.

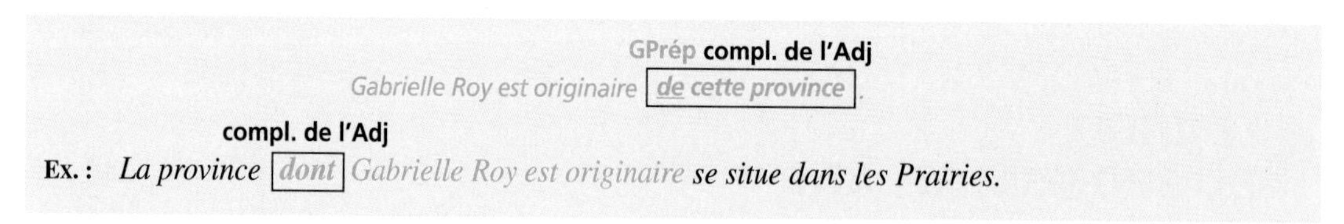

Attention ! La préposition ***de*** est incluse dans les déterminants contractés ***du*** et ***des***, et le mot ***de*** n'est pas toujours une préposition.

- Les déterminants contractés ***du*** et ***des*** incluent :
  - la préposition ***de***

  et :
  - les déterminants ***le*** ou ***les***.

(de le) (de les)

Ex. : *Elle se souvient* ***du*** *petit village /* ***des*** *petits villages où elle a enseigné.*

- Le mot ***de** (d')* n'est pas toujours une préposition : il peut être un déterminant indéfini (comme *des*), par exemple, lorsqu'il introduit un nom dans une phrase négative ou lorsqu'un adjectif le sépare d'un nom.
  Ex. : *Elle ne porte pas **de** lunettes.* → *Elle porte **des** lunettes.*
  *Elle a visité **de** grandes écoles.* → *Elle a visité **des** écoles.*
- Les suites ***de la**, **de l'*** et le mot ***du*** sont parfois des déterminants partitifs qui introduisent un nom non comptable.
  Ex. : *Elle a eu **de la** patience. Elle a eu **du** courage.*

AIDE-MÉMOIRE *La préposition*, page 294.

4.1.4 LE PRONOM RELATIF *OÙ*

On emploie le pronom relatif *où* pour remplacer un groupe prépositionnel (GPrép), un groupe du nom (GN) ou un groupe de l'adverbe (GAdv) exprimant le **lieu** (en répondant à la question *Où...?*) ou le **temps** (en répondant à la question *Quand...?*). Ce groupe peut avoir la fonction de complément du verbe (compl. du V) ou de complément de phrase (compl. de P). Donc, dans une subordonnée relative, le pronom relatif *où* a aussi l'une de ces fonctions.

4.2 LES PRONOMS RELATIFS PRÉCÉDÉS D'UNE PRÉPOSITION

Les pronoms relatifs ***qui*** et ***lequel** (laquelle/lesquels/lesquelles)* doivent parfois être précédés d'une préposition. Ensemble, la préposition et le pronom relatif remplacent un groupe prépositionnel (GPrép). **La préposition qui précède le pronom relatif est la même que celle placée au début du GPrép remplacé.**

4.2.1 LE PRONOM RELATIF *QUI* PRÉCÉDÉ D'UNE PRÉPOSITION

On emploie le pronom relatif *qui* précédé d'une préposition pour remplacer un groupe prépositionnel (GPrép) contenant un groupe du nom (GN) dont le noyau a le **trait *animé***. Ce GPrép peut avoir la fonction de complément du nom (compl. du N), de complément de l'adjectif (compl. de l'Adj), de complément indirect du verbe (compl. indir. du V) ou de complément de phrase (compl. de P). Donc, dans la subordonnée relative, l'ensemble formé du pronom relatif *qui* et de la préposition qui le précède a aussi l'une de ces fonctions.

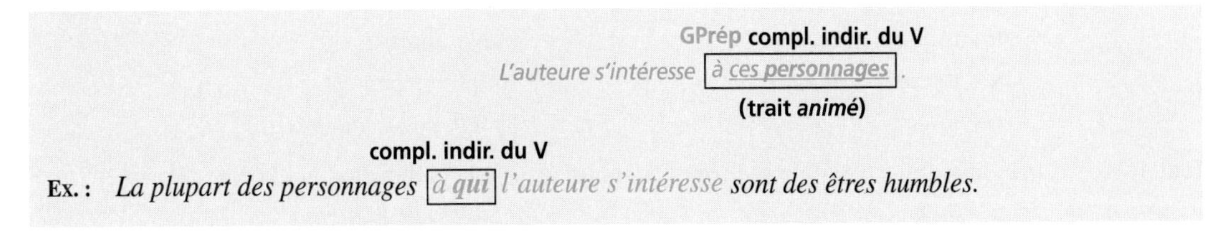

Remarque : Le pronom relatif *dont* peut être employé à la place de l'ensemble *de qui* : l'un et l'autre remplacent un GPrép qui commence par ***de***.

Ex. : *Les personnages* [*de qui*] *l'auteure décrit l'existence sont des êtres tourmentés.*
ou :
Les personnages [*dont*] *l'auteure décrit l'existence sont des êtres tourmentés.*

4.2.2 LE PRONOM RELATIF *LEQUEL (LAQUELLE/LESQUELS/LESQUELLES)* PRÉCÉDÉ D'UNE PRÉPOSITION

Le pronom relatif *lequel* est un pronom dont la forme varie en genre et en nombre.

	Masculin	**Féminin**
Singulier	*lequel*	*laquelle*
Pluriel	*lesquels*	*lesquelles*

On emploie le pronom relatif ***lequel*** *(laquelle/lesquels/lesquelles)* précédé d'une préposition pour remplacer un groupe prépositionnel (GPrép) contenant un groupe du nom (GN) dont le **noyau** peut avoir le **trait *animé*** ou ***non animé***. Ce GPrép peut avoir la fonction de complément du nom (compl. du N), de complément de l'adjectif (compl. de l'Adj), de complément indirect du verbe (compl. indir. du V) ou de complément de phrase (compl. de P). Donc, dans la subordonnée relative, l'ensemble formé du pronom relatif ***lequel*** *(laquelle/lesquels/lesquelles)* et de la préposition qui le précède a aussi l'une de ces fonctions.

Remarque : Le pronom relatif ***lequel*** prend le genre et le nombre du **noyau** du GN contenu dans le GPrép remplacé.

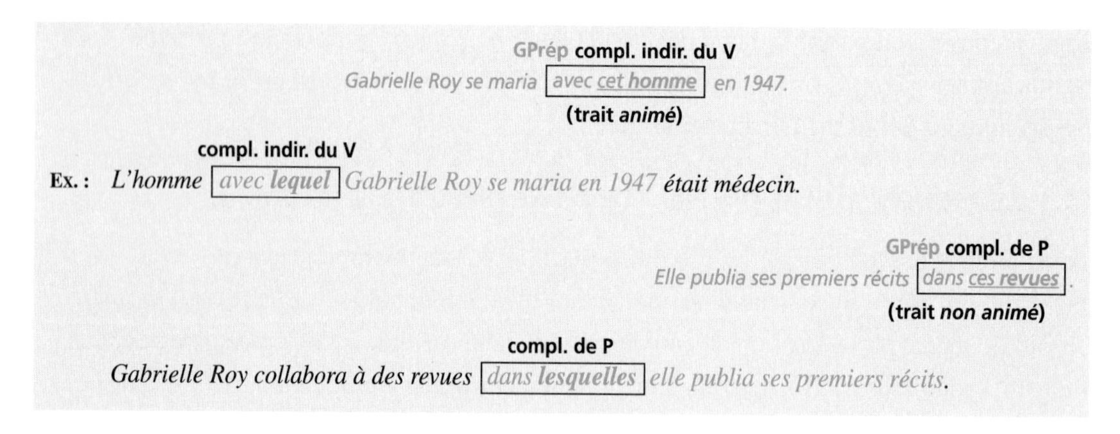

Attention ! Quand ***lequel***, ***lesquels*** et ***lesquelles*** sont précédés de la préposition ***à*** ou de la préposition ***de***, la préposition et le pronom s'unissent pour ne former qu'un seul mot :

à + lequel = ***auquel***	*de + lequel =* ***duquel***
à + lesquels = ***auxquels***	*de + lesquels =* ***desquels***
à + lesquelles = ***auxquelles***	*de + lesquelles =* ***desquelles***

Toutefois, la forme du féminin singulier ***laquelle*** ne s'unit jamais à la préposition qui la précède :

à + laquelle = ***à laquelle***	*de + laquelle =* ***de laquelle***

Quand le pronom relatif ***lequel*** *(laquelle/lesquels/lesquelles)* est précédé d'une **préposition autre que *à*** ou ***de***, la préposition et le pronom restent deux mots séparés : ***pour lequel***, ***avec laquelle***, ***chez lesquels***, etc.

Remarques :

1° Le pronom relatif *lequel (laquelle/lesquels/lesquelles)* précédé d'une préposition peut être employé à la place du pronom relatif *qui* précédé d'une préposition (mais l'inverse n'est pas toujours possible).

Ex. : *La dame* [*chez qui*] *l'auteure logeait paraissait alarmée.*
ou :
La dame [*chez laquelle*] *l'auteure logeait paraissait alarmée.*

2° Le pronom relatif *dont* peut être employé à la place des ensembles *duquel*, *de laquelle*, *desquels*, *desquelles* : tous remplacent un GPrép qui commence par ***de***.

Ex. : *Les personnages* [*desquels*] *l'auteure décrit l'existence sont des êtres tourmentés.*
ou :
Les personnages [*dont*] *l'auteure décrit l'existence sont des êtres tourmentés.*

4.3 LE CHOIX DU PRONOM RELATIF : TABLEAU SYNTHÈSE

Le tableau suivant indique quel pronom relatif, précédé ou non d'une préposition, on doit employer selon les caractéristiques (construction, fonction, sens) du groupe de mots à remplacer.

L'EMPLOI DES PRONOMS RELATIFS

ON EMPLOIE CE PRONOM RELATIF OU CET ENSEMBLE FORMÉ PAR UNE PRÉPOSITION ET UN PRONOM RELATIF :	POUR REMPLACER :
qui **Ex. :** *Elle écrit des romans **qui** racontent la vie des gens simples.*	un GNs. **Ex. :** ***Ces romans** racontent la vie des gens simples.*
que ***(qu')*** **Ex. :** *Les romans **qu'**elle écrit racontent la vie des gens simples.*	un GN complément direct du verbe ou attribut du sujet. **Ex. :** *Elle écrit **ces romans**.*
dont **Ex. :** *Les personnages **dont** elle raconte la vie sont des gens simples.*	un GPrép qui commence par la préposition *de (d')* [ou par les déterminants contractés *du* et *des*]. **Ex. :** *Elle raconte la vie **de ces personnages**.*
préposition : *à*, *de*, *par*, *pour*, *sans*, *avec*, *contre*, etc. } + *qui* **Ex. :** *L'éditeur **avec qui** elle a révisé son premier roman a été très encourageant.*	un GPrép contenant un GN dont le noyau a le trait *animé*. **Ex. :** *Elle a révisé son premier roman **avec cet éditeur**.* **Attention !** La **préposition** qui précède le **pronom relatif** est toujours la même que celle placée au début du **GPrép** remplacé.

L'EMPLOI DES PRONOMS RELATIFS *(suite)*

ON EMPLOIE CE PRONOM RELATIF OU CET ENSEMBLE FORMÉ PAR UNE PRÉPOSITION ET UN PRONOM RELATIF:	POUR REMPLACER:
préposition : *par*, *pour*, *sans*, *avec*, *contre*, etc. + *lequel (laquelle/ lesquels/lesquelles)* *à* + *lequel / laquelle / lesquels / lesquelles* = *auquel / à laquelle / auxquels / auxquelles* *de* + *lequel / laquelle / lesquels / lesquelles* = *duquel / de laquelle / desquels / desquelles* Ex. : *Les romans pour lesquels elle a reçu des prix sont nombreux.*	un GPrép (contenant un GN dont le noyau a le trait *animé* ou *non animé*). Ex. : *Elle a reçu des prix **pour ces romans**.* **Attention !** La préposition qui précède le pronom relatif est toujours la même que celle placée au début du GPrép remplacé.
où Ex. : *Les milieux où ses personnages évoluent sont tantôt urbains, tantôt ruraux.*	un GPrép, un GN ou un GAdv qui exprime le lieu (en répondant à la question *Où...?*) ou le temps (en répondant à la question *Quand...?*). Ex. : *Ses personnages évoluent **dans ces milieux**.*

5 LE SENS DE LA SUBORDONNÉE RELATIVE DÉTACHÉE

La subordonnée relative est une expansion du nom ou du pronom noyau d'un groupe du nom (GN). Sur le plan grammatical, la subordonnée relative, comme les autres expansions du nom ou du pronom, est généralement supprimable, donc non essentielle.

Sur le plan du sens, par contre, l'information apportée par la subordonnée relative est parfois essentielle, parfois non essentielle. **On sait qu'une subordonnée relative apporte une information non essentielle dans une phrase si le sens de cette phrase reste le même quand on omet la subordonnée relative**, c'est-à-dire si le groupe du nom (GN) dans lequel est insérée la subordonnée relative désigne la même chose, la même réalité **avec ou sans** la subordonnée relative.

Une subordonnée relative qui apporte une information non essentielle dans la phrase est généralement **détachée par la virgule** (elle est précédée d'une virgule si elle termine la phrase, ou encadrée de virgules si elle se trouve ailleurs dans la phrase); on l'appelle *subordonnée relative* ***détachée***.

GN

Ex. : La détresse et l'enchantement, *qui a été écrit dans les dernières années de Gabrielle Roy, est de nature autobiographique.*

Remarques :

1º La phrase de l'encadré ci-dessus aurait le même sens si elle ne contenait pas de subordonnée relative.

GN

Ex. : La détresse et l'enchantement *est de nature autobiographique.*

Dans cette phrase, le GN désigne la même réalité **avec ou sans** la subordonnée relative : l'œuvre intitulée *La détresse et l'enchantement.*

2º On sait qu'une subordonnée relative apporte une information essentielle dans une phrase si le sens de cette phrase est différent quand on omet la subordonnée relative, c'est-à-dire si le GN **avec** subordonnée relative ne désigne plus la même réalité **sans** la subordonnée relative. Une subordonnée relative qui apporte une information essentielle dans la phrase ne doit pas être détachée par la virgule.

GN

Ex. : *Les textes de Gabrielle Roy qui ont été écrits dans ses dernières années sont de nature autobiographique.*

GN

Les textes de Gabrielle Roy sont de nature autobiographique.

Le GN **avec** subordonnée relative désigne certains textes de Gabrielle Roy : ceux qui ont été écrits dans ses dernière années.

Le GN **sans** subordonnée relative désigne tous les textes de Gabrielle Roy (puisqu'on ne précise pas de quels textes il s'agit).

6 LE MODE DU VERBE DANS LA SUBORDONNÉE RELATIVE

Dans la subordonnée relative, le verbe est généralement au mode **indicatif**.

Ex. : *Un des métiers que Gabrielle Roy **a exercés** fut celui d'institutrice.*

*À dix-neuf ans, Gabrielle Roy avait un travail qui lui **permettait** de gagner sa vie.*

Cependant, on emploie généralement le mode **subjonctif** dans la subordonnée relative si :

- le noyau de l'antécédent du pronom relatif est accompagné d'un adjectif comme ***seul***, ***premier***, ***dernier***, ***meilleur***, ou d'un adverbe comme ***plus***, ***moins*** ;

Ex. : *Le **premier** métier que Gabrielle Roy **ait exercé** fut celui d'institutrice.*

- la phrase matrice contient un **mot exprimant un souhait, une attente, une volonté** et se trouvant à l'extérieur de la subordonnée relative.

Ex. : *À dix-neuf ans, Gabrielle Roy **souhaitait** avoir un travail qui lui **permette** de gagner sa vie.*

Pour appliquer *mes* connaissances lorsque *je* lis

Appliquer tes connaissances sur la subordonnée relative en lecture suppose que tu es capable :

- de reconnaître une subordonnée relative et d'identifier sa fonction;
- de justifier le choix du pronom relatif dans la phrase;
- d'évaluer l'apport de la subordonnée relative au sens du texte.

Les trois blocs d'activités qui suivent te permettront de vérifier si tu maîtrises ces habiletés.

Lis l'extrait ci-dessous, dans lequel Gabrielle Roy nous ramène à l'époque où elle étudiait pour devenir institutrice. Plus particulièrement, elle nous fait part des émotions et des réflexions qui ont marqué son premier stage dans une école.

Pour apporter des précisions sur cette expérience, Gabrielle Roy a eu recours, entre autres, à des subordonnées relatives. Celles-ci apportent une information que tu devrais être en mesure d'interpréter grâce à tes connaissances sur la subordonnée relative.

Un premier stage éprouvant

① Au cours du deuxième semestre, nous* étions expédiées çà et là dans les écoles de la Commission scolaire de Winnipeg pour y prendre, chacune de nous, charge d'une classe sous l'œil de la maîtresse en titre qui jugerait de notre aptitude à l'enseignement et à maintenir la discipline. ② Les notes qu'elle nous décernait comptaient pour beaucoup dans l'ensemble octroyé en fin d'année. ③ La plupart d'entre nous craignions *(sic)* fort cette épreuve qui pouvait être désastreuse si nous tombions sur une coriace. C'est ce qui m'arriva.

④ À peine, en effet, avais-je ouvert la bouche pour me présenter qu'elle me demanda de quelle nationalité j'étais, à cause, dit-elle, de mon accent si particulier; ensuite, de lui épeler mon nom, qui lui tira

*Par le pronom *nous*, Gabrielle Roy désigne le groupe d'étudiantes en enseignement dont elle faisait partie.

le commentaire suivant: «French, eh!» [...] Tout ce que j'ai retenu de cette classe, c'est un sentiment d'horreur. Les élèves étaient d'un quartier réputé dur. Ils étaient assez âgés, de douze à quatorze ans, moitié garçons et filles. Ils eurent vite saisi **que j'étais timide et effrayée** et se déchaînèrent. Jamais dans une salle de classe je n'ai vu pareil chahut. Ils claquaient les bords de leur règle, bourdonnaient à l'unisson ou sifflaient. La maîtresse ne tentait rien pour me venir en aide. Un peu à l'écart, les bras croisés, un soupçon de dur sourire sur les lèvres, elle semblait prendre plaisir à me voir m'enfoncer irrémédiablement. Au-delà de mon désespoir immédiat s'en dressait un autre encore plus écrasant. Car si c'était cela être institutrice, me disais-je, jamais je n'y arriverais, j'en serais toujours incapable. ⑤ Je voyais se fermer devant moi la seule voie pour laquelle j'avais été préparée. ⑥ En vérité, tout m'échappait: la classe qui se moquait de moi, mon avenir qui se dérobait, ma confiance en mes aptitudes, même l'espoir de passer mes examens de fin d'année. ⑦ Pour achever de m'abattre, sans cesse me revenait l'image de mon père dont l'état avait subitement empiré. Atteint d'hydropisie, il avait dû être hospitalisé pendant quelques jours. ⑧ On lui avait proposé l'opération qu'il avait refusée vu son âge. ⑨ Après des traitements qui n'étaient que de nature à le soulager, on lui avait permis de rentrer à la maison.

Gabrielle Roy, *La détresse et l'enchantement*, © Fonds Gabrielle Roy.

JE RECONNAIS LA SUBORDONNÉE RELATIVE ET J'IDENTIFIE SA FONCTION

1 [A] Les phrases ②, ⑤, ⑥ et ⑦ du texte *Un premier stage éprouvant* contiennent chacune un ou plus d'un groupe du nom (GN) avec subordonnée relative. **TRANSCRIS** à double interligne ces GN avec subordonnée relative.

[B] **ENCADRE** le ou les pronoms relatifs contenus dans chacun des GN transcrits en [A] et, s'il y a lieu, la préposition qui précède le pronom, puis **METS** entre crochets chacune des subordonnées relatives.

Ex.: *les émotions [qui ont marqué son premier stage]*
(Le GN ci-dessus est tiré de la phrase: *Gabrielle Roy nous décrit les émotions qui ont marqué son premier stage.*)

[C] **SOULIGNE** le groupe antécédent du pronom relatif, **METS** un point au-dessus de son noyau, puis, au-dessus de la subordonnée relative, **INDIQUE** sa fonction dans la phrase.

•　　　　compl. du N
Ex.: *les émotions [qui ont marqué son premier stage]*

2 [A] **TRANSCRIS** à double interligne la subordonnée relative contenue dans la phrase ② du texte *Un premier stage éprouvant* ainsi que la **subordonnée** en gras dans ce même texte, puis **ENCADRE** le subordonnant placé au début de chacune de ces subordonnées.

[B] **VÉRIFIE** si ces deux subordonnées complètent un nom (ou un pronom), puis, s'il y a lieu, **RELÈVE** ce nom (ou ce pronom): il s'agit du noyau de l'antécédent du subordonnant *que (qu')* (encadré en [A]), qui, dans ce cas, est un pronom relatif.

[C] **CONSTRUIS** une phrase qui peut fonctionner seule, à partir de chacune des subordonnées et, s'il y a lieu, en te servant du noyau de l'ancétédent de *que (qu')*.

[D] Dans chacune des subordonnées transcrites en [A] :

- **SOULIGNE** le verbe conjugué;
- **ENCERCLE** le groupe du nom sujet (GNs);
- **METS** entre parenthèses, s'il y a lieu, le ou les groupes compléments de phrase (Gcompl. P);
- **SURLIGNE** le groupe du verbe (GV);

Attention ! Certains pronoms relatifs peuvent faire partie du GV.

puis, s'il y a lieu, **SOULIGNE** de deux traits le subordonnant qui ne fait partie d'aucun groupe constituant de la subordonnée.

[E] Dans les phrases que tu as construites en [C], **ENCADRE**, s'il y a lieu, le groupe de mots que le subordonnant *que (qu')* remplace, puis, au-dessus de ce groupe, **INDIQUE** sa fonction dans la phrase.

[F] À partir des annotations que tu as faites en [D] et [E], **EXPLIQUE** la différence qui existe entre le pronom relatif *que* placé au début d'une subordonnée relative et le subordonnant *que* placé au début d'une phrase subordonnée qui n'est pas une relative.

JE JUSTIFIE LE CHOIX DU PRONOM RELATIF DANS LA PHRASE

3 [A] **TRANSCRIS** à double interligne les groupes du nom (GN) avec subordonnée relative contenus dans les phrases ⑤, ⑦, ⑧ et ⑨ du texte *Un premier stage éprouvant* (pages 158-159), puis **ENCADRE** le pronom relatif et, s'il y a lieu, la préposition qui le précède.

[B] **SOULIGNE** le groupe antécédent du pronom relatif, **METS** un point au-dessus de son noyau, puis, à partir de ce noyau et de la subordonnée relative, **CONSTRUIS** une phrase qui peut fonctionner seule.

INSCRIS cette phrase au-dessus de la subordonnée relative.

[C] Dans la phrase qui peut fonctionner seule, **ENCADRE** le groupe de mots que remplace le pronom relatif précédé ou non d'une préposition.

[D] Si le groupe de mots encadré répond aux questions *Où...?* ou *Quand...?*, **INDIQUE**, selon le cas, ce qu'il exprime: le lieu ou le temps.

E Si le groupe de mots encadré ne répond pas aux questions *Où...?* ou *Quand...?* et qu'il est:

- un **groupe du nom** (GN), IDENTIFIE sa fonction: sujet (s), complément direct du verbe (compl. dir. du V), complément de phrase (compl. de P);
- un **groupe prépositionnel** (GPrép), ENCERCLE la préposition placée au début de ce groupe et INDIQUE si le noyau du GN qu'il contient a le trait *animé* ou *non animé*.

F À l'aide de tes annotations accompagnant les groupes de mots que remplacent les pronoms relatifs, EXPLIQUE pourquoi l'auteure du texte a employé le pronom relatif:

- *laquelle* précédé de la préposition *pour* dans la subordonnée relative de la phrase ⑤;
- *dont* dans la subordonnée relative de la phrase ⑦;
- *que (qu')* dans la subordonnée relative de la phrase ⑧;
- *qui* dans la subordonnée relative de la phrase ⑨.

JE LIS

J'ÉVALUE L'APPORT DE LA SUBORDONNÉE RELATIVE AU SENS DU TEXTE

4 Dans le premier paragraphe du texte *Un premier stage éprouvant* (pages 158-159), Gabrielle Roy décrit le contexte dans lequel se situe l'expérience dont elle nous parlera: la prise en charge d'une classe.

Dans ce paragraphe, l'auteure emploie des groupes du nom (GN) avec subordonnée relative pour:

ⓐ désigner une personne qui jouera un rôle important dans cette expérience;

ⓑ désigner ce que pourrait être cette expérience dans le pire cas.

RELÈVE ces deux GN avec subordonnée relative.

5 Voici un extrait de la phrase ④ du texte. Cet extrait est d'abord présenté **avec** sa subordonnée relative (Sub. rel.), comme dans le texte, puis **sans** subordonnée relative:

Avec Sub. rel.: *À peine, en effet, avais-je ouvert la bouche pour me présenter qu'elle me demanda [...] de lui épeler mon nom, qui lui tira le commentaire suivant: «French, eh!»*

Sans Sub. rel.: *À peine, en effet, avais-je ouvert la bouche pour me présenter qu'elle me demanda [...] de lui épeler mon nom.*

A Dans la phrase **avec** subordonnée relative, RELÈVE le groupe antécédent du pronom relatif placé au début de cette subordonnée relative.

B Quel est le nom que «la maîtresse en titre» demande d'épeler dans la phrase **avec** subordonnée relative?

C Dans la phase **sans** subordonnée relative, REPÈRE le groupe du nom (GN) qui est identique au groupe antécédent relevé en A.

D Quel est le nom que «la maîtresse en titre» demande d'épeler dans la phrase **sans** subordonnée relative ?

E À partir de tes réponses en B et D, explique pourquoi la subordonnée relative de la phrase ④ est détachée par une virgule.

6 Dans le second paragraphe du texte, Gabrielle Roy raconte comment s'est déroulée sa première prise en charge d'une classe et comment elle s'est sentie au cours de cette expérience «désespérante».

A Dans la phrase ⑥ du texte, elle emploie, entre autres, des groupes du nom (GN) avec subordonnée relative pour décrire certaines choses qui lui échappaient au cours de cette expérience. **RELÈVE** ces GN avec subordonnée relative.

B Si le stage de Gabrielle Roy avait été pour elle une expérience très positive plutôt que décourageante, aurait-elle employé ces groupes du nom (GN) avec subordonnée relative ? Pourquoi ?

C **IMAGINE** que son stage ait été une expérience très positive, puis **COMPLÈTE** la phrase suivante à l'aide de subordonnées relatives (Sub. rel.) qu'aurait pu employer l'auteure pour désigner ce qui l'aurait encouragée.

En vérité, tout me stimulait et m'encourageait: la classe (Sub. rel.), *mon avenir* (Sub. rel.).

7 A Dans la phrase ⑦ du texte, Gabrielle Roy nous apprend qu'un élément particulier de sa vie achève de l'abattre. **RELÈVE** le GN avec subordonnée relative qu'elle emploie pour désigner cet élément.

B L'opération qu'on a proposée au père de Gabrielle Roy et les traitements qu'on lui a donnés le guériront-ils ? **RELÈVE** les GN avec subordonnée relative qui te permettent de répondre à cette question.

Pour appliquer *mes* connaissances lorsque *j'écris*

Appliquer tes connaissances sur la subordonnée relative en écriture suppose que tu es capable :

- de réduire, quand c'est possible, deux phrases à une seule phrase en employant une subordonnée relative, de vérifier le choix du pronom relatif dans la subordonnée relative et d'évaluer l'emploi de la subordonnée relative ;
- d'évaluer l'emploi de la subordonnée relative dans tes propres textes et de vérifier le choix du pronom relatif dans la subordonnée relative.

Les deux blocs d'activités qui suivent te permettront de vérifier si tu maîtrises ces habiletés.

J'EMPLOIE LA SUBORDONNÉE RELATIVE, JE VÉRIFIE LE CHOIX DU PRONOM RELATIF DANS LA SUBORDONNÉE RELATIVE ET J'ÉVALUE L'EMPLOI DE LA SUBORDONNÉE RELATIVE

1 Dans le texte suivant, chacune des phrases contient une subordonnée relative dans laquelle on a effacé le pronom relatif précédé ou non d'une préposition. Au-dessus de chacune des subordonnées relatives figure une phrase en italique qui correspond à cette subordonnée.

Notes biographiques sur Gabrielle Roy

① En 1929, Gabrielle Roy, alors âgée de 19 ans, enseigne dans le petit village ▒▒▒ son père avait jadis géré un magasin général.

Son père avait jadis géré un magasin général [dans ce village].

② De 1930 à 1937, elle fait la classe aux petits garçons de l'institut Provencher, ▒▒▒ se trouve à quelques pas de la maison familiale.

[Cet institut] se trouve à quelques pas de la maison familiale.

③ Durant ses années d'enseignement, Gabrielle Roy fait partie d'une troupe de théâtre ▒▒▒ M. et Mme Arthur Boutal animent.

M. et Mme Arthur Boutal animent [cette troupe].

④ En 1937, l'année ▒▒▒ elle s'embarque pour l'Europe, elle donne une dernière fois des leçons à un petit groupe d'enfants.

Elle s'embarque pour l'Europe [cette année-là].

Le nom [de cette presqu'île] *servira de titre à son roman* La petite poule d'eau.

⑤ Ces enfants vivent dans une presqu'île ▬ le nom servira de titre à son roman *La petite poule d'eau*.

Elle cherche un éditeur [pour ce roman].

⑥ En 1945, Gabrielle Roy écrit son premier roman, ▬ elle cherche un éditeur.

Elle passe quelques soirées à relire attentivement son manuscrit [avec cet éditeur].

⑦ Heureusement, Gabrielle Roy trouve un éditeur ▬ elle passe quelques soirées à relivre attentivement son manuscrit.

A **CONSTRUIS** un tableau semblable à celui ci-dessous, puis **CLASSES**-y chacun des groupes encadrés dans les phrases en italique.

Le groupe de mots répond à la question…		Le groupe de mots ne répond pas à la question *Où…?* ou *Quand…?*			
		GN ayant la fonction de…		GPrép contenant un GN dont le noyau a le trait…	
Où…?	*Quand…?*	sujet	complément direct du verbe	animé	non animé

B **ENCADRE** la préposition placée au début de chacun des groupes prépositionnels (GPrép) ne répondant pas aux questions *Où…?* ou *Quand…?*

C Chacun des groupes de mots que tu as classés peut être remplacé par un pronom relatif précédé ou non d'une préposition. Dans la dernière ligne du tableau, inscris ce pronom relatif et, s'il y a lieu, la préposition qui le précède.

2 **LIS** le texte ci-après, qui contient des erreurs d'emploi du pronom relatif.

Attention ! Erreurs.

Un séjour en Europe

Gabrielle Roy a consacré à l'enseignement huit années dont elle considère comme les plus belles années de sa vie. Après ces huit années, elle est partie pour l'Europe, un rêve qu'elle caressait depuis longtemps. Elle s'est d'abord installée à Londres et s'est inscrite à une école qu'elle a suivi des cours d'art dramatique. La visite des musées et des galeries d'art était la principale activité à qui elle consacrait ses moments de loisir. De plus, elle écrivait des reportages, desquels elle a reçu des encouragements. Les sujets qu'intéressaient Gabrielle Roy concernaient surtout la vie en société.

Ci-dessous, on a vérifié le choix du pronom relatif contenu dans la première phrase du texte en appliquant la stratégie de révision ci-après au groupe du nom (GN) dans lequel est insérée la subordonnée relative. **OBSERVE** les annotations qui accompagnent la correction.

compl. dir. du V

• *qu'* *Elle considère* [ces années] *comme les plus belles années de sa vie.*

Ex. : *huit années* [~~dont~~ *elle considère comme les plus belles années de sa vie*]

VÉRIFIE le choix des pronoms relatifs contenus dans les autres phrases du texte en appliquant la stratégie de révision ci-après à chaque GN dans lequel est insérée une subordonnée relative.

JE VÉRIFIE LE CHOIX DU PRONOM RELATIF DANS LA SUBORDONNÉE RELATIVE

❶ **METS** entre crochets la subordonnée relative, puis **ENCADRE** le pronom relatif et, s'il y a lieu, la préposition qui le précède.

❷ **SOULIGNE** le groupe antécédent du pronom relatif, puis **METS** un point au-dessus du noyau de ce groupe.

❸ À partir de la subordonnée relative et du nom noyau du groupe antécédent, **CONSTRUIS** une phrase qui peut fonctionner seule, puis **ÉCRIS** cette phrase au-dessus de la subordonnée relative.

❹ Dans la phrase qui peut fonctionner seule, **ENCADRE** le groupe de mots que remplace le pronom relatif précédé ou non d'une préposition.

❺ Si le groupe de mots encadré répond aux questions *Où…?* ou *Quand…?*, **INDIQUE**, selon le cas, ce qu'il exprime: le lieu ou le temps.

Si le groupe de mots encadré ne répond pas aux questions *Où…?* ou *Quand…?* et qu'il est:

- un **groupe du nom** (GN), **IDENTIFIE** sa fonction: sujet (s), complément direct du verbe (compl. dir. du V), complément de phrase (compl. de P);
- un **groupe prépositionnel** (GPrép), **ENCERCLE** la préposition placée au début de ce groupe et **IDENTIFIE** le trait (*animé* ou *non animé*) du noyau du GN qu'il contient.

❻ **OBSERVE** tes annotations et, s'il y a lieu, **REMPLACE** le pronom relatif précédé ou non d'une préposition par la forme qui convient.

Voir le tableau *L'emploi des pronoms relatifs*, pages 155-156.

3 La première phrase ci-dessous contient un groupe de l'adjectif (GAdj). Dans les phrases qui suivent, on a remplacé ce GAdj par différentes subordonnées relatives (Sub. rel.).

Phrase avec GAdj. :
Gabrielle Roy a été une femme très déterminée.

Phrases avec Sub. rel. :

① *Gabrielle Roy a été une femme qui a fait preuve d'une très grande détermination.*

② *Gabrielle Roy a été une femme dont on considérait comme très déterminée.*

③ *Gabrielle Roy a été une femme qu'on disait qu'elle était très déterminée.*

④ *Gabrielle Roy a été une femme pour laquelle on reconnaissait une très grande détermination.*

Attention ! Erreurs.

TRANSCRIS les GN contenant une subordonnée relative, puis **REMPLACE**, s'il y a lieu, les pronoms relatifs précédés ou non d'une préposition en appliquant à chaque GN la stratégie de révision JE VÉRIFIE LE CHOIX DU PRONOM RELATIF DANS LA SUBORDONNÉE RELATIVE (page 165).

4 Ⓐ **TRANSCRIS** chaque paire de phrases ci-dessous, puis, s'il y a lieu, **SURLIGNE** le nom qui est répété dans les deux phrases formant chaque paire.

① ⓐ *À un âge avancé, Gabrielle Roy a eu une voisine attentionnée.*
ⓑ *Elle appréciait la générosité de cette voisine.*

② ⓐ *Le père de Gabrielle Roy souffrait d'hydropisie.*
ⓑ *Certaines personnes âgées refusaient parfois d'être opérées.*

③ ⓐ *Gabrielle Roy a vécu une situation familiale semblable à celle d'une enfant unique.*
ⓑ *Gabrielle Roy était la benjamine.*

Ⓑ S'il y a lieu, dans la phrase ⓑ de chaque paire, **ENCADRE** le GN qui a pour noyau le nom surligné; si ce GN est précédé d'une préposition, **ENCADRE** le GPrép dont il fait partie.

Ⓒ **APPLIQUE** à chaque groupe de mots encadré le point ❺ de la stratégie de révision JE VÉRIFIE LE CHOIX DU PRONOM RELATIF DANS LA SUBORDONNÉE RELATIVE (page 165).

Ⓓ **BARRE** chaque groupe de mots encadré, puis, compte tenu des annotations faites en Ⓒ, **INSCRIS** au début de la phrase ⓑ le pronom relatif ou l'ensemble formé par une préposition et un pronom relatif pouvant remplacer le groupe de mots barré (tu viens ainsi de construire une subordonnée relative).

Ⓔ En partant du pronom relatif précédé ou non d'une préposition, **TRACE** une flèche dont la pointe indique l'endroit où il faut insérer, dans la phrase ⓐ, la subordonnée relative que tu as construite à partir de la phrase ⓑ.

Ⓕ Compte tenu de tes observations, **INDIQUE** dans quel cas on ne peut pas remplacer une phrase par une subordonnée relative.

Ⓖ En construisant une subordonnée relative à partir de la phrase ⓑ de la paire de phrases ③ données en Ⓐ, tu as obtenu la phrase suivante avec subordonnée relative.

Gabrielle Roy, qui était la benjamine, a vécu une situation familiale semblable à celle d'une enfant unique.

Si tu avais plutôt construit une subordonnée relative à partir de la phrase ⓐ, voici la phrase avec subordonnée relative que tu aurais obtenue.

Gabrielle Roy, qui a vécu une situation familiale semblable à celle d'une enfant unique, était la benjamine.

Dans les deux phrases ci-dessus, la subordonnée relative est-elle insérée à la fin de la phrase matrice ou ailleurs dans la phrase ?

H Sur le plan de la forme, quelle différence évidente y a-t-il entre les deux subordonnées relatives des phrases données en **G** ?

I **INDIQUE** laquelle des deux subordonnées relatives brise le plus la continuité de la phrase matrice et nuit à sa compréhension, puis **EXPLIQUE** pourquoi en te servant de tes réponses en **G** et **H**.

5 **LIS** le texte ci-après, qui contient un grand nombre de subordonnées relatives, particulièrement des subordonnées relatives en ***qui***.

En 1929, Gabrielle Roy, qui est âgée de 19 ans, enseigne dans le petit village de Cardinal, où elle met les pieds pour la première fois. La dame chez qui Gabrielle loge craint que les élèves ne fassent qu'une bouchée de la jeune institutrice, qui est plutôt frêle. Gabrielle Roy a parfois affaire à des élèves qui sont très turbulents, et, malgré tout, les huit années qu'elle consacre à l'enseignement sont des années qui comptent parmi les plus belles de sa vie.

Après un séjour en Europe qui lui ouvre de nouveaux horizons, elle pratique le journalisme, qui est un métier soulevant son enthousiasme. Puis, en 1945, elle publie un roman qui s'intitule Bonheur d'occasion. *Ce premier roman, qui décrit la vie d'une famille pauvre de Montréal, lui vaut une gloire immédiate à laquelle elle ne s'attendait pas. Les romans qui sont à venir lui vaudront aussi l'éloge de nombreux critiques, qui reconnaissent ses dons d'observation et d'imagination.*

Il est possible d'alléger ce texte en remplaçant des subordonnées relatives en ***qui*** par une autre construction : un GAdj, un GN, un GPrép.

Ex. : *Gabrielle Roy, qui est une auteure de grand talent, a reçu plusieurs prix.*
→ *Gabrielle Roy, une auteure de grand talent, a reçu plusieurs prix.*

A **TRANSCRIS** à double interligne chaque GN contenant une subordonnée relative en couleur commençant par *qui*.

B Dans chaque GN transcrit, **BARRE** la subordonnée relative, puis, au-dessus, **INSCRIS** une autre construction ayant le même sens que la subordonnée relative.

C Au-dessus des nouvelles constructions, **INDIQUE** s'il s'agit d'un GAdj, d'un GN ou d'un GPrép.

J'ÉCRIS UN TEXTE, J'ÉVALUE L'EMPLOI DE LA SUBORDONNÉE RELATIVE DANS MON TEXTE ET JE VÉRIFIE LE CHOIX DU PRONOM RELATIF DANS LA SUBORDONNÉE RELATIVE

Voici une stratégie de révision de texte qui t'amènera à t'interroger sur l'emploi de la subordonnée relative dans tes propres textes et à vérifier le choix du pronom relatif dans la subordonnée relative.

J'ÉVALUE L'EMPLOI DE LA SUBORDONNÉE RELATIVE ET JE VÉRIFIE LE CHOIX DU PRONOM RELATIF DANS LA SUBORDONNÉE RELATIVE

❶ **VÉRIFIE** si un même nom se retrouve dans deux ou plus de deux phrases consécutives. Lorsque c'est le cas, **SURLIGNE** le nom qui est répété dans ces phrases.

❷ **CONSTRUIS** une subordonnée relative à partir de la plus courte de ces phrases, à condition que le nom surligné dans cette phrase :
- ne fasse pas partie d'une phrase subordonnée;
- n'ait pas d'expansion.

Si ces conditions sont remplies, **PROCÈDE** de la façon suivante.

- Dans la phrase la plus courte, **ENCADRE** le groupe du nom (GN) qui a pour noyau le nom surligné; si ce GN est précédé d'une préposition, **ENCADRE** le groupe prépositionnel (GPrép) dont il fait partie.
- **APPLIQUE** au groupe de mots encadré le point ❺ de la stratégie de révision JE VÉRIFIE LE CHOIX DU PRONOM RELATIF DANS LA SUBORDONNÉE RELATIVE (page 165).
- **BARRE** le groupe de mots encadré, puis, compte tenu de tes annotations, **ÉCRIS** au début de la phrase le pronom relatif ou l'ensemble formé par une préposition et un pronom relatif pouvant remplacer le groupe de mots barré (tu viens ainsi de construire une subordonnée relative).
- En partant du pronom relatif précédé ou non d'une préposition, **TRACE** une flèche dont la pointe indique l'endroit où il faut insérer la subordonnée relative dans la phrase la plus longue, qui devient ainsi la phrase matrice.
- Dans le cas où la subordonnée relative est longue et qu'elle est insérée ailleurs qu'à la fin de la phrase matrice, **VÉRIFIE** si, en raison de sa longueur, la subordonnée relative brise la continuité de la phrase et nuit à sa compréhension. Si c'est le cas, **CONSERVE** les deux phrases de départ telles qu'elles étaient.

❸ **ÉVALUE** l'emploi des subordonnées relatives en ***qui*** en vérifiant si une autre construction pourrait remplacer une ou plusieurs de ces subordonnées relatives, puis :
- s'il y a lieu, **BARRE** la subordonnée relative à remplacer;
- au-dessus de la subordonnée relative barrée, **ÉCRIS** la construction de remplacement.

❹ **VÉRIFIE** le choix du pronom relatif dans les subordonnées relatives, sans oublier celles qui pourraient se trouver dans les constructions de remplacement, en appliquant la stratégie de révision JE VÉRIFIE LE CHOIX DU PRONOM RELATIF DANS LA SUBORDONNÉE RELATIVE (page 165).

Activité de révision

Applique d'abord cette stratégie de révision au texte ci-dessous en suivant l'exemple.

compl. dir. du V
qu' Elle fait ce séjour en Europe heureuse d'élargir ses

Durant le premier séjour [où elle fait en Europe], Gabrielle Roy, ~~qui est heureuse d'élargir~~

Attention ! Erreurs.

horizons
~~ses horizons~~, se rend compte à quel point elle tient à la langue française. qu'elle Elle utilise

compl. dir. du V
cette langue habilement pour véhiculer ses idées. Elle décide donc que le français sera la langue avec laquelle elle se servira pour produire ses textes littéraires. Après quelques mois passés en Angleterre, elle se rend, entre autres, sur la Côte d'Azur. Elle fait de longues randonnées à pied sur la Côte d'Azur. À cette époque, les événements politiques où se déroulent en Europe créent une situation qui devient de plus en plus menaçante. Gabrielle Roy doit revenir au Canada et s'installe au Québec, dont elle choisit comme province de résidence. Elle publie alors ses premiers récits dans des revues pour lesquelles elle collabore. En 1947, elle épouse Marcel Carbotte, qui est un médecin. Ce médecin habite à Saint-Vital, au Manitoba. Sa carrière de romancière, qui est déjà marquée par un premier grand succès, se poursuivra dans des œuvres qu'elle recevra plusieurs prix. Gabrielle Roy aura écrit plusieurs romans qui sont inspirés de sa vie ou de celle des gens de qui elle a observés dans son entourage.

Activité d'écriture

Vérifie maintenant si tu es capable d'employer des subordonnées relatives de façon appropriée dans tes phrases.

Mise en situation

Tu as probablement déjà fait une sortie qui t'a procuré beaucoup de plaisir ou, au contraire, qui t'a déplu. À partir des contraintes d'écriture présentées ci-après, **rédige** un texte qui décrit les activités que tu as pratiquées au cours de cette sortie, le ou les lieux où se sont déroulées ces activités, et les gens que tu y as rencontrés ou observés.

Contraintes d'écriture

Ton texte doit :

- comprendre au moins dix phrases ;
- être écrit à double interligne ;
- comprendre au moins cinq subordonnées relatives commençant par des pronoms relatifs différents :
  - *qui*, précédé ou non d'une préposition,
  - *que*,
  - *dont*,
  - *où*,
  - *lequel (laquelle/lesquels/lesquelles)* précédé d'une préposition.

Étape de révision

VÉRIFIE d'abord si tu as bien respecté les contraintes d'écriture, puis **RÉVISE** ton texte à l'aide de la stratégie de révision J'ÉVALUE L'EMPLOI DE LA SUBORDONNÉE RELATIVE ET JE VÉRIFIE LE CHOIX DU PRONOM RELATIF DANS LA SUBORDONNÉE RELATIVE (page 168).

Atelier 6

LA SUBORDONNÉE COMPLÉTIVE

Son rôle, son sens, son emploi et son fonctionnement

Sa construction

Le mode de son verbe

Il souhaitait que j'enquête sur place. J'ai refusé. Je lui ai dit qu'il me suffisait d'un exposé des faits pour lui donner mon avis d'expert.

Agatha Christie

je me rappelle...

Tu as appris qu'une phrase peut contenir plus d'une construction comparable à celle de la PHRASE DE BASE : GNs + GV + (Gcompl. P). Tu sais aussi qu'on appelle ces constructions *phrases subordonnées* lorsqu'elles sont insérées, généralement à l'aide d'un subordonnant, dans une autre phrase de niveau supérieur, appelée *phrase matrice*.

LA CONSTRUCTION ET LE FONCTIONNEMENT DES PHRASES SUBORDONNÉES

1 A Chacune des phrases ci-après contient plus d'une construction comparable à celle de la PHRASE DE BASE. Les mots encadrés sont des subordonnants. **TRANSCRIS** ces phrases, puis, dans chacune d'elles :

- **SOULIGNE** les verbes conjugués ;
- **ENCERCLE** les groupes du nom sujets (GNs) ;
- **METS** entre parenthèses le ou les groupes compléments de phrase (Gcompl. P) s'il y a lieu ;
- **SURLIGNE** les groupes du verbe (GV).

① *Agatha Christie, qui est une auteure renommée, a participé à des expéditions archéologiques.*

② *Agatha Christie a participé à des expéditions archéologiques que son mari dirigeait.*

③ *Agatha Christie prenait des notes quand elle participait à des expéditions archéologiques.*

B Dans chacune des phrases transcrites en A, **METS** entre crochets la phrase subordonnée, puis la phrase matrice.

Ex. : [*Agatha Christie est une auteure* [que *j'aime beaucoup*].]

j'observe et je découvre

Dans l'extrait suivant, tiré du roman *Les Quatre*, le fameux détective belge Hercule Poirot — personnage fétiche d'Agatha Christie — reçoit la visite surprise de son compagnon d'enquête, le colonel Hastings, qu'il croyait en Argentine. Poirot s'apprête à prendre le bateau pour l'Amérique du Sud et explique les raisons de son départ à Hastings. Or, Poirot déteste les longues traversées en bateau, et son ami le lui rappelle tout en manifestant son étonnement.

Lis ce texte, dans lequel l'auteure a employé des subordonnées complétives.

TEXTE D'OBSERVATION

Les Quatre

— Je vous croyais résolument allergique aux longs voyages en bateau ?

Poirot ferma les yeux et réprima un frisson.

— Ne m'en parlez pas, mon bon ami. ① Mon médecin m'assure que ce n'est pas mortel, alors… ② Et puis, c'est seulement pour une fois; soyez sûr que jamais — au grand jamais ! — je ne recommencerai.

Il me poussa dans un fauteuil.

— ③ Tenez, reprit-il, je vais vous expliquer comment cela s'est produit. ④ **Savez**-vous qui est l'homme le plus riche du monde ? Plus riche que Rockefeller ? Abe Ryland.

— Le Roi du Savon américain ?

— Exactement. Un de ses secrétaires m'a appelé. Il y a un énorme sac d'embrouilles — comme vous diriez — dans une grosse société de Rio. ⑤ Il souhaitait que j'enquête sur place. J'ai refusé. ⑥ Je lui ai dit qu'il me suffisait d'un exposé des faits pour lui donner mon avis d'expert. Mais à l'en croire, c'était impossible. Je ne devais être au courant des faits qu'à mon arrivée là-bas. Dicter sa conduite à Hercule Poirot ! Quelle impudence ! Mais il proposait une somme si prodigieuse que, pour la première fois de ma vie, je me suis laissé tenter par l'appât du gain. […] Je me suis dit: «Pourquoi pas ? Tu commences à

être fatigué de résoudre sans arrêt des problèmes stupides. Tu as atteint une notoriété suffisante. Prends cet argent et va t'installer quelque part, près de ton vieil ami.»

Je fus profondément touché de cette marque d'estime.

— ⑦ J'ai donc accepté, poursuivit-il, et je dois sauter d'ici une heure dans le train qui me conduit au bateau. Voilà bien une de ces petites ironies de la vie, n'est-ce pas ? ⑧ Mais je vous avoue, Hastings, que si la somme offerte n'avait pas été aussi rondelette, j'aurais sans doute hésité… car j'ai entrepris dernièrement une petite enquête pour mon propre compte.

Les Intégrales – Agatha Christie, Tome II,

Les activités qui suivent feront appel à tes connaissances sur la subordonnée relative et la subordonnée circonstancielle, et t'amèneront à faire des apprentissages sur le fonctionnement et la construction de la subordonnée complétive.

J'OBSERVE…

LA SUBORDONNÉE COMPLÉTIVE	
SON FONCTIONNEMENT, SON SENS ET SON EMPLOI	•
SA CONSTRUCTION ET LE MODE DE SON VERBE	

LE FONCTIONNEMENT, LE SENS ET L'EMPLOI DE LA SUBORDONNÉE COMPLÉTIVE

1 [A] Les phrases ④ et ⑦ du texte d'observation contiennent une subordonnée commençant par le subordonnant *qui*. **LIS** chacune de ces phrases en remplaçant la subordonnée par *QUELQUE CHOSE* ou par *cela*. Dans laquelle des deux phrases la subordonnée est-elle remplaçable par *QUELQUE CHOSE* ou par *cela* ?

[B] **RELÈVE** le mot dont dépend la subordonnée qui n'est pas remplaçable par *QUELQUE CHOSE* ou par *cela*, puis **INDIQUE** comment s'appelle le groupe de mots dont fait partie cette subordonnée.

[C] **LIS** sans la subordonnée la phrase contenant la subordonnée qui n'est pas remplaçable par *QUELQUE CHOSE* ou par *cela*. Cette subordonnée est-elle supprimable sur le plan grammatical ?

[D] Compte tenu de tes réponses en [B] et [C], **INDIQUE** la fonction de la subordonnée qui n'est pas remplaçable par *QUELQUE CHOSE* ou par *cela*, puis le nom par lequel on désigne cette subordonnée.

[E] **RELÈVE** le mot en gras dont dépend la subordonnée remplaçable par *QUELQUE CHOSE* ou par *cela*, puis **INDIQUE** comment s'appelle le groupe de mots dont fait partie cette subordonnée.

Sub. complét.
Sub. complét.
Sub. complét.
Sub. complét.

[F] **Lis** sans la subordonnée la phrase contenant la subordonnée remplaçable par *QUELQUE CHOSE* ou par *cela*. Cette subordonnée est-elle supprimable sur le plan grammatical ?

[G] **La subordonnée remplaçable par *QUELQUE CHOSE* ou par *cela* s'appelle *subordonnée complétive.*** Compte tenu de tes réponses en [E] et [F], **INDIQUE** une des fonctions que peut avoir une subordonnée complétive.

2 [A] La subordonnée complétive de la phrase ② du texte d'observation dépend du mot qui la précède immédiatement. **Relève** ce mot, puis **INDIQUE** à quelle classe de mots il appartient.

[B] La subordonnée de la phrase ② est-elle déplaçable ?

[C] Compte tenu de tes réponses en [A] et [B], **INDIQUE** une des fonctions que peut avoir une subordonnée complétive.

3 [A] La phrase ③ du texte d'observation contient une subordonnée complétive qui fait référence à une information que Poirot va bientôt divulguer à son ami Hastings. **Transcris** cette subordonnée complétive, puis **RELÈVE** le subordonnant placé au début de la subordonnée.

[B] Au début de quel type de phrase peut-on aussi trouver le mot que tu as relevé en [A] ?

[C] À partir de la subordonnée complétive transcrite en [A] et en te servant du mot relevé, **CONSTRUIS** une phrase qui peut fonctionner seule et qui est du type de phrase indiqué en [B].

[D] La subordonnée complétive dans la phrase ci-après exprime avec force un jugement, un sentiment ou une émotion.

Voyez comme cela s'est produit rapidement.

Transcris cette subordonnée, puis **ENCADRE** le subordonnant placé au début de la subordonnée.

[E] Au début de quel type de phrase peut-on aussi trouver le mot que tu as encadré en [D] ?

4 [A] Dans la phrase ci-après, Poirot rapporte, **exactement comme il les a prononcées**, les paroles qu'il a dites à un des secrétaires du Roi du Savon américain. On dit alors que les paroles sont rapportées en **discours direct**.

Je lui ai dit: «Il me suffit d'un exposé des faits pour vous donner mon avis d'expert.»

Dans le texte d'observation, **RELÈVE** le numéro de la phrase avec subordonnée complétive correspondant à la phrase ci-dessus.

[B] Dans la phrase avec subordonnée complétive repérée en [A], Poirot rapporte ses paroles en **discours indirect**, c'est-à-dire **sans les reproduire telles qu'elles ont été prononcées**. Dans le discours direct et dans le discours indirect, les paroles rapportées sont introduites par le même verbe. **Relève** ce verbe introducteur.

[C] Sur le plan de la <u>ponctuation</u>, qu'est-ce qui différencie la phrase donnée en [A] de la phrase correspondante avec subordonnée complétive dans le texte ?

[D] Sur le plan de la <u>construction</u>, qu'est-ce qui différencie les paroles rapportées dans la phrase donnée en [A] de celles rapportées dans la phrase correspondante avec subordonnée complétive dans le texte ?

[E] Sur le plan de la <u>formulation</u> des paroles rapportées, on peut noter que le <u>temps du verbe</u> *suffire* n'est pas le même dans la phrase donnée en [A] et dans la phrase correspondante avec subordonnée complétive dans le texte. Quelle autre différence notes-tu entre les deux phrases qui rapportent les paroles de Poirot ?

J'AI DÉCOUVERT...

LE FONCTIONNEMENT, LE SENS ET L'EMPLOI DE LA SUBORDONNÉE COMPLÉTIVE

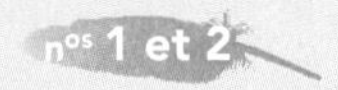

La subordonnée complétive dépend généralement d'un verbe. Elle fait alors partie d'un ✎. Dans ce groupe, elle est non ✎ et elle est remplaçable par ✎ ou par ✎ si elle dépend d'un verbe qui accepte cette construction (c'est-à-dire d'un verbe transitif direct). Elle peut donc avoir la fonction de ✎.

La subordonnée complétive peut aussi dépendre d'un ✎. Elle fait alors partie d'un ✎, où elle est non déplaçable. Elle peut donc avoir la fonction de ✎.

La subordonnée complétive peut faire référence à une information qui n'est pas tout de suite divulguée. Elle peut alors commencer par un subordonnant comme ✎, qu'on peut aussi trouver au début d'une phrase de type ✎.

La subordonnée complétive peut aussi servir à exprimer avec force un jugement, un sentiment ou une émotion. Elle peut alors commencer par un subordonnant comme ✎, qu'on peut aussi trouver au début d'une phrase de type ✎.

Dans le discours indirect, on emploie généralement la subordonnée complétive pour ✎ les paroles de quelqu'un. Ces paroles ne sont pas reproduites telles qu'elles ont été prononcées et elles sont introduites par un ✎ comme ✎. Le discours indirect se différencie du discours direct sur différents plans, entre autres celui de la ✎, celui de la ✎ et celui de la ✎.

J'OBSERVE...

LA SUBORDONNÉE COMPLÉTIVE	
SON FONCTIONNEMENT, SON SENS ET SON EMPLOI	✔
SA CONSTRUCTION ET LE MODE DE SON VERBE	●

LA **CONSTRUCTION** DE LA SUBORDONNÉE COMPLÉTIVE ET LE **MODE** DU VERBE DANS CETTE SUBORDONNÉE

1 Les phrases suivantes sont toutes celles qui contiennent une subordonnée complétive dans le texte d'observation (pages 173-174):

① *Mon médecin m'assure que ce n'est pas mortel, alors...*

② *Et puis, c'est seulement pour une fois; soyez sûr que jamais — au grand jamais ! — je ne recommencerai.*

③ *Tenez, reprit-il, je vais vous expliquer comment cela s'est produit.*

④ *Savez-vous qui est l'homme le plus riche du monde ?*

⑤ *Il souhaitait que j'enquête sur place.*

⑥ *Je lui ai dit qu'il me suffisait d'un exposé des faits pour lui donner mon avis d'expert.*

⑧ *Mais je vous avoue, Hastings, que si la somme offerte n'avait pas été aussi rondelette, j'aurais sans doute hésité... car j'ai entrepris dernièrement une petite enquête pour mon propre compte.*

A **Le mot qui se trouve au début des subordonnées complétives est un subordonnant. RELÈVE** le subordonnant de chacune des subordonnées complétives ci-dessus.

B Compte tenu des subordonnants relevés en A, **INDIQUE** lequel on trouve le plus souvent au début des subordonnées complétives.

2 A Les deux phrases ci-dessous contiennent une phrase subordonnée commençant par le subordonnant *que*.

ⓐ *Il souhaitait que j'enquête sur place.*

ⓑ *Il souhaitait une enquête que je mènerais sur place.*

Dans chaque phrase, s'il y a lieu, **RELÈVE** le groupe antécédent du subordonnant *que*, puis **CONSTRUIS** une phrase qui peut fonctionner seule, à partir de chacune des subordonnées en *que*.

B Dans les phrases qui peuvent fonctionner seules construites en A, **ENCADRE**, s'il y a lieu, le groupe de mots que le subordonnant *que* remplace.

C **Le subordonnant *que* placé au début de la subordonnée complétive n'a pas d'antécédent et ne remplace pas un groupe de mots dans cette subordonnée.** Compte tenu de ce fait et de tes observations, **INDIQUE** laquelle des deux phrases données en A contient une subordonnée relative en *que*, et laquelle contient une subordonnée complétive en *que*.

3 [A] La phrase ci-après est tirée du texte d'observation (pages 173-174).

> ⑤ *Il souhaitait que j'enquête sur place.*

Si on se fie uniquement à la forme du verbe de la subordonnée complétive en *que* ci-dessus, il est impossible de savoir si ce verbe est à l'indicatif ou au subjonctif. Pour connaître le mode du verbe, **TRANSCRIS** la phrase ci-dessus en remplaçant le verbe *enquêter* par un verbe qui ne se termine pas en *-er*, par exemple le verbe *être*.

[B] Dans la phrase transcrite en [A], le verbe *être* est-il à l'indicatif ou au subjonctif ?

[C] **RELÈVE** le verbe que complète la subordonnée complétive en *que*, puis **INDIQUE** si ce verbe exprime une opinion ou une volonté.

[D] Dans la phrase transcrite en [A], **BARRE** le verbe relevé en [C], puis, au-dessus, **ÉCRIS** le verbe *pense*.

[E] **INDIQUE** si le verbe *pense* exprime une opinion ou une volonté, puis à quel mode doit être le verbe de la subordonnée complétive en *que* qui complète le verbe *pense*.

[F] Dans la phrase transcrite en [A], **VÉRIFIE** si tu dois changer le mode du verbe *être* dans la subordonnée complétive lorsque celle-ci complète le verbe *pense*. Si oui, **BARRE** le verbe *être* dans sa forme conjuguée, puis, au-dessus, **ÉCRIS**-le au mode approprié.

4 [A] **INDIQUE** quels subordonnants, à part *que (qu')*, on trouve au début de certaines subordonnées complétives des phrases données en **1**.

[B] **EXPLIQUE** pourquoi les subordonnants indiqués en [A] peuvent être appelés *subordonnants interrogatifs*. (Si nécessaire, **REPORTE**-toi aux observations que tu as faites à la page 175, en **3** [B] et [C].)

[C] Quel est le mode du verbe de chacune des subordonnées complétives commençant par un subordonnant interrogatif ?

Sub. complét.

Sub. complét.

Sub. complét. Sub. complét.

Sub. complét.

Sub. complét.

Sub. complét.

J'AI DÉCOUVERT…

LA CONSTRUCTION DE LA SUBORDONNÉE COMPLÉTIVE ET LE MODE DU VERBE DANS CETTE SUBORDONNÉE

nos 1 et 2

La subordonnée complétive commence généralement par le subordonnant ✎. Ce subordonnant n'a pas ✎ et ne ✎ pas un groupe de mots dans la subordonnée complétive.

no 3

Dans la subordonnée complétive en *que*, le verbe peut être au mode ✎ ou au mode ✎, selon le sens du mot (généralement un verbe) que complète cette subordonnée. Par exemple, le verbe de la subordonnée complétive en *que* est au mode ✎ si cette subordonnée complète un verbe qui exprime une opinion, et il est au mode ✎ si cette subordonnée complète un verbe qui exprime une volonté.

no 4

À partir d'une subordonnée complétive commençant par un ✎ comme ✎ ou ✎, il est possible de construire une phrase de type interrogatif qui peut fonctionner seule. Le verbe d'une telle subordonnée complétive est généralement au mode ✎.

1 LE RÔLE, LE SENS ET L'EMPLOI DE LA SUBORDONNÉE COMPLÉTIVE

1.1 LE RÔLE DE LA SUBORDONNÉE COMPLÉTIVE

La subordonnée complétive (Sub. complét.) est l'un des moyens dont on dispose pour apporter une **information essentielle au sens d'un verbe** dans un groupe du verbe (GV); elle peut aussi servir à enrichir un groupe de l'adjectif (GAdj) en apportant une **précision au sens d'un adjectif**.

GV : [V] [Subordonnée complétive]

Ex. : *Clara avait décidé qu'Agatha, sa fille, ne devait pas apprendre à lire avant l'âge de huit ans.*

GAdj : [Adj] [Subordonnée complétive]

Clara était certaine que la lecture était mauvaise pour les yeux et l'esprit d'un enfant.

1.2 LE SENS DE LA SUBORDONNÉE COMPLÉTIVE

Certaines subordonnées complétives **font référence à une information qu'on recherche, qu'on ignore ou qui n'est pas tout de suite divulguée**. Dans ce cas, on peut, à partir de la subordonnée complétive, construire une phrase de type interrogatif (ou phrase interrogative) qui peut fonctionner seule. On appelle de telles subordonnées des subordonnées complétives interrogatives indirectes ou simplement subordonnées interrogatives indirectes (la phrase de type interrogatif, elle, est une interrogation directe).

Subordonnée complétive interrogative indirecte

Ex. : *Petite, Agatha Christie se demandait comment son frère vivait lorqu'il était absent de la maison.*

Remarque : Dans la phrase ci-dessus, la subordonnée interrogative indirecte fait référence à une information qu'on recherche. À partir de cette subordonnée, on peut construire une phrase de type interrogatif : *Comment son frère vivait-il lorsqu'il était absent de la maison ?*

Certaines subordonnées complétives **expriment avec force un jugement, un sentiment ou une émotion**. Dans ce cas, on peut, à partir de la subordonnée complétive, construire une phrase de type exclamatif (ou phrase exclamative) qui peut fonctionner seule. On appelle de telles subordonnées des subordonnées complétives exclamatives indirectes ou simplement subordonnées exclamatives indirectes (la phrase de type exclamatif, elle, est une exclamation directe).

Subordonnée complétive exclamative indirecte

Ex. : *Agatha Christie imaginait comme son frère devait mener une vie passionnante en bateau.*

Remarque : Dans la phrase ci-avant, la subordonnée exclamative indirecte exprime avec force un jugement. À partir de cette subordonnée, on peut construire une phrase de type exclamatif : *Comme son frère devait mener une vie passionnante en bateau !*

Les subordonnées complétives qui ne sont ni des subordonnées interrogatives indirectes ni des subordonnées exclamatives indirectes s'appellent subordonnées complétives en *que*, puisqu'elles commencent par le mot *que*.

1.3 L'EMPLOI DE LA SUBORDONNÉE COMPLÉTIVE DANS LE DISCOURS RAPPORTÉ

À l'oral et à l'écrit, on peut rapporter les paroles de quelqu'un de deux façons : par le **discours direct** ou par le **discours indirect**. Quand on emploie le discours direct, on rapporte les paroles d'une personne exactement comme elle les a prononcées. Quand on emploie le discours indirect, on rapporte les paroles d'une personne sans les reproduire telles qu'elles ont été prononcées.

DISCOURS DIRECT

EX. : *Clara disait : « La lecture est sûrement mauvaise pour les yeux et l'esprit de mon enfant. »*

DISCOURS INDIRECT

EX. : *Clara disait que la lecture était sûrement mauvaise pour les yeux et l'esprit de son enfant.*

Pour rapporter les paroles de quelqu'un par le **discours indirect**, on emploie fréquemment la subordonnée complétive (Sub. complét.). Les paroles rapportées sont alors introduites par un verbe appelé **verbe introducteur** ; il s'agit d'un verbe de parole comme *dire* (*crier*, *demander*, *mentionner*, *prétendre*, *promettre*, *répéter*, etc.) ou d'un verbe comme *penser*, qui indique qu'on rapporte les pensées de quelqu'un. Dans le discours indirect, la subordonnée complétive est insérée dans un groupe du verbe (GV) ayant pour noyau un **verbe introducteur** ; elle a la fonction de complément du verbe (compl. du V).

DISCOURS INDIRECT

GV

Sub. complét. **compl. du V**

EX. : *Agatha Christie m'**a dit** qu'elle discutait souvent de romans policiers avec sa sœur .*

Remarque : Ci-dessus, les paroles d'Agatha Christie ne sont pas rapportées telles qu'elles ont été prononcées. Ci-dessous, les mêmes paroles sont rapportées, par le **discours direct**, exactement comme elles auraient pu être prononcées.

EX. : *Agatha Christie m'a dit : « Je discutais souvent de romans policiers avec ma sœur. »*

Le discours direct se distingue du discours indirect sur les plans de la construction, de la ponctuation et de la formulation. La phrase qui rapporte les paroles par le **discours direct** a la particularité :

- de ne pas être insérée à l'aide d'un subordonnant dans le GV ayant pour noyau le verbe introducteur ;
- d'être introduite par un **deux-points** et encadrée de **guillemets** (ou, dans un dialogue, d'être simplement introduite par un **tiret**) ;
- de pouvoir contenir des **pronoms** et des **déterminants de première et de deuxième personnes** (*je*, *tu*, *ma*, *ta*, etc.), qui font référence aux interlocuteurs (les personnes qui s'adressent l'une à l'autre) dans la situation de communication.

2 LE FONCTIONNEMENT DE LA SUBORDONNÉE COMPLÉTIVE

Généralement, la subordonnée complétive (Sub. complét.) dépend d'un **verbe** dans un groupe du verbe (GV). Dans le GV, elle est non déplaçable et généralement non supprimable, et elle est remplaçable par un groupe du nom (GN) comme *QUELQUE CHOSE*, *cela*, *le (l')*, ou par un GPrép comme *À QUELQUE CHOSE*, *à cela* ou *DE QUELQUE CHOSE*, *de cela*. Elle peut donc avoir la fonction de **complément direct du verbe** (compl. dir. du V) ou de **complément indirect du verbe** (compl. indir. du V).

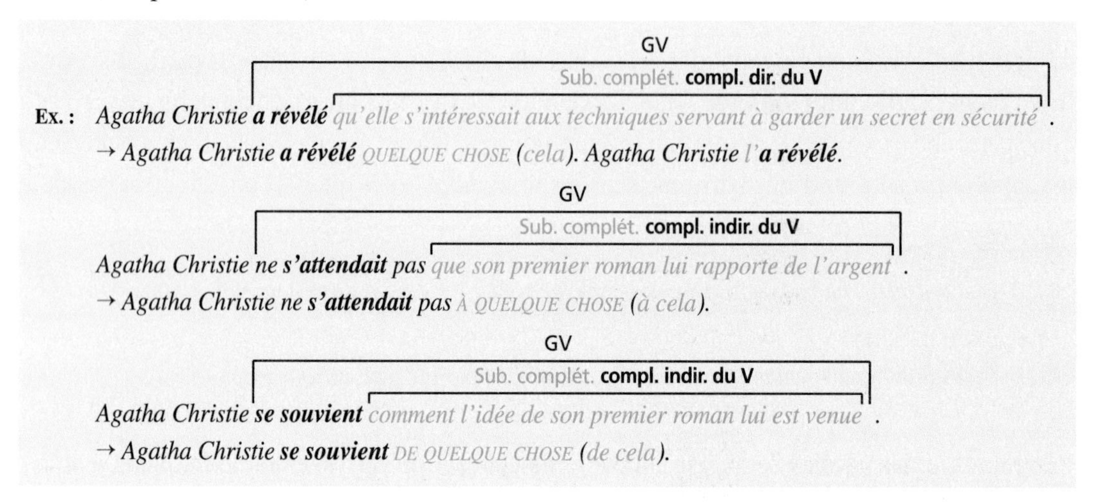

La subordonnée complétive peut aussi dépendre d'un **adjectif** dans un groupe de l'adjectif (GAdj). Dans le GAdj, elle est non déplaçable. Elle peut donc avoir la fonction de **complément de l'adjectif** (compl. de l'Adj).

GAdj

Sub. complét. **compl. de l'Adj**

Ex. : *Agatha Christie était **ravie** que son premier roman policier ait du succès.*

3 LA CONSTRUCTION DE LA SUBORDONNÉE COMPLÉTIVE

La subordonnée complétive contient un groupe du nom sujet (GNs) et un groupe du verbe (GV), complétés ou non par un ou plusieurs groupes compléments de phrase (Gcompl. P). **La subordonnée complétive est donc une phrase** ; cette phrase est insérée le plus souvent dans le groupe du verbe (GV) ou le groupe de l'adjectif (GAdj) d'une autre phrase de niveau supérieur (appelée *phrase matrice*), à l'aide d'un marqueur de relation ayant la fonction de **subordonnant**. Ce marqueur est généralement le mot *que* ; il appartient à la classe des conjonctions, mais on le désigne par sa fonction.

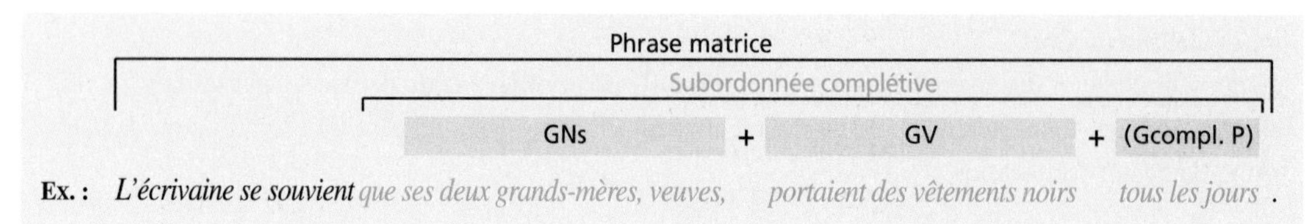

3.1 LA CONSTRUCTION DE LA SUBORDONNÉE COMPLÉTIVE EN *QUE*

Comme son nom l'indique, la subordonnée complétive en ***que*** commence par le subordonnant ***que***. Ce subordonnant n'a pas d'antécédent, et il ne remplace pas un groupe de mots dans la subordonnée complétive; c'est ce qui le différencie du **pronom relatif *que***, qui a un antécédent et qui remplace un **groupe de mots** dans la **subordonnée relative**.

PHRASE AVEC SUBORDONNÉE COMPLÉTIVE EN *QUE* :

Sa sœur s'est déguisée dans toutes sortes d'occasions.

Ex. : *Agatha Christie raconte* [*que*] *sa sœur s'est déguisée dans toutes sortes d'occasions.*

PHRASE AVEC **SUBORDONNÉE RELATIVE EN *QUE*** :

Sa sœur démontra [cette audace] en plusieurs occasions.

Ex. : *Agatha Christie parle avec orgueil de l'audace* [***que***] ***sa sœur démontra en plusieurs occasions.***

antécédent

Remarque : En construisant une phrase qui peut fonctionner seule, à partir de la phrase subordonnée, on peut vérifier si le mot *que* remplace ou non un groupe de mots dans la phrase subordonnée. Dans les exemples ci-dessus, la phrase qui peut fonctionner seule est inscrite au-dessus de la phrase subordonnée. Celle-ci est une subordonnée complétive en *que* si le subordonnant *que* n'est pas remplacé par un groupe de mots dans la phrase qui peut fonctionner seule.

3.2 LA CONSTRUCTION DE LA SUBORDONNÉE INTERROGATIVE INDIRECTE ET DE LA SUBORDONNÉE EXCLAMATIVE INDIRECTE

- La subordonnée interrogative indirecte peut commencer par différents **subordonnants**. Elle commence par :
  - le **subordonnant *si*** lorsque, à partir de cette subordonnée, on peut construire une phrase de type interrogatif exprimant une interrogation à laquelle on peut répondre par *oui* ou par *non* (interrogation totale);

Accepterait-elle de passer sa vie avec un homme qui «déterrait les morts» ?

Ex. : *Max, un archéologue, avait demandé à Agatha Christie* [*si*] *elle accepterait de passer sa vie avec un homme qui «déterrait les morts».*

  - un **subordonnant interrogatif** (***où***, ***quand***, ***comment***, ***pourquoi***, ***qui***, ***quel***, etc.) lorsque, à partir de cette subordonnée, on peut construire une phrase de type interrogatif exprimant une interrogation à laquelle on ne peut répondre ni par *oui* ni par *non* (interrogation partielle). Les subordonnants interrogatifs ont généralement la même forme que les mots interrogatifs placés au début des phrases de type interrogatif.

Quand accepta-t-elle d'épouser Max?

Ex. : *L'autobiographie d'Agatha Christie n'indique pas* [*quand*] *elle accepta d'épouser Max.*

La subordonnée interrogative indirecte ne se construit pas comme la phrase de type interrogatif : elle n'admet pas l'emploi de *est-ce que*, ni l'inversion du groupe du nom sujet (GNs) et du verbe quand le GNs est un pronom de conjugaison (*je/j'*, *tu*, *il/elle/on*, *nous*, *vous, ils/elles)* ou le pronom *ce*, ni la reprise du GNs par un pronom après le verbe, ni le point d'interrogation.

Remarque : À partir de certaines subordonnées interrogatives indirectes, on peut construire des phrases de type interrogatif commençant par ***qu'est-ce que*** (ou ***que***) ou ***qu'est-ce qui***. Ces subordonnées interrogatives indirectes commencent par le subordonnant ***ce que*** ou ***ce qui***.

	PHRASES AVEC SUBORDONNÉE COMPLÉTIVE INTERROGATIVE	PHRASES DE TYPE INTERROGATIF
Ex. :	*J'aimerais savoir ce que vous lisez.*	***Qu'est-ce que** vous lisez ? (**Que** lisez-vous ?)*
	Je me demande ce qui inspirait Agatha Christie.	***Qu'est-ce qui** inspirait Agatha Christie ?*

- La subordonnée exclamative indirecte commence par un **subordonnant exclamatif** comme ***quel***, ***comme***, ***combien***, ***si***, etc. Les **subordonnants exclamatifs** ont généralement la même forme que les mots exclamatifs placés au début des phrases de type exclamatif.

  De plus, la subordonnée exclamative indirecte se construit comme la phrase de type exclamatif, sauf pour la ponctuation. En effet, généralement, contrairement à la phrase de type exclamatif, la subordonnée exclamative indirecte ne se termine pas par un point d'exclamation.

Combien la présence de Max l'avait réconfortée durant des moments difficiles !

Ex. : *Agatha Christie révéla combien la présence de Max l'avait réconfortée durant des moments difficiles.*

4 LE **MODE** DU VERBE DANS LA SUBORDONNÉE COMPLÉTIVE

Dans la subordonnée interrogative indirecte et la subordonnée exclamative indirecte, le verbe est généralement au mode indicatif.

Dans la subordonnée complétive en *que*, le verbe est parfois au mode indicatif, parfois au mode subjonctif, selon le **sens du mot (verbe, adjectif) que complète cette subordonnée**.

- Le verbe de la subordonnée complétive en *que* est généralement au mode **indicatif** quand cette subordonnée complète un **verbe** de déclaration ou de perception, ou quand elle complète un **verbe** ou un **adjectif** qui expriment une certitude ou une opinion, c'est-à-dire :
  - un **verbe** comme : *déclarer*, *dire*, *affirmer*, *avouer* (déclaration); *voir*, *remarquer*, *entendre*, *sentir* (perception); *penser*, *croire*, *espérer* (opinion); etc.

Ex. : *Agatha Christie **croit** que le personnage d'Hercule Poirot plaira aux lecteurs.*

  - un **adjectif** comme : *certain*, *sûr*, *évident* (certitude); *probable*, *vraisemblable* (opinion); etc.

Ex. : *Agatha Christie est **certaine** que le personnage d'Hercule Poirot plaira aux lecteurs.*

Remarque : Lorsque le verbe de déclaration ou de perception, ou le verbe ou l'adjectif qui expriment une certitude ou une opinion sont accompagnés de **mots de négation**, par exemple ***ne… pas***, ce verbe ou cet adjectif prennent un sens différent : ils expriment un **doute**. Dans ce cas, le verbe de la subordonnée complétive en *que* se met généralement au **subjonctif**.

Ex. : *Agatha Christie **ne** croit **pas** que le personnage d'Hercule Poirot plaise aux lecteurs.*
*Agatha Christie **n'**est **pas** certaine que le personnage d'Hercule Poirot plaise aux lecteurs.*

- Le verbe de la subordonnée complétive en *que* est généralement au mode **subjonctif** quand cette subordonnée complète un **verbe** ou un **adjectif** qui expriment un doute, une négation, une nécessité, un sentiment, une volonté ou une possibilité, c'est-à-dire :
  - un **verbe** comme : *douter*, *désespérer* (doute); *nier*, *démentir* (négation); *falloir* (nécessité); *craindre*, *se réjouir*, *regretter* (sentiment); *vouloir*, *souhaiter*, *ordonner* (volonté); *pouvoir*, *permettre* (possibilité); etc.;

Ex. : *Agatha Christie **doute** que le personnage d'Hercule Poirot plaise aux lecteurs.*

  - un **adjectif** comme : *douteux* (doute); *nécessaire* (nécessité); *heureux*, *content* (sentiment); *possible* (possibilité); etc.

Ex. : *Agatha Christie est **heureuse** que le personnage d'Hercule Poirot plaise aux lecteurs.*

5 UNE **PROCÉDURE** POUR REPÉRER UNE SUBORDONNÉE COMPLÉTIVE ET POUR CONSTRUIRE CORRECTEMENT LA SUBORDONNÉE INTERROGATIVE INDIRECTE

PROCÉDURE

1. Dans la phrase ou dans le texte, **ENCADRE** le ou les subordonnants, puis **REPÈRE** les groupes constituants de chaque phrase subordonnée.
2. Pour chaque phrase subordonnée, **VÉRIFIE** si elle est remplaçable par *QUELQUE CHOSE* (ou par les pronoms *le (l')* ou *cela*), ou encore par *À QUELQUE CHOSE* (ou *à cela*) ou *DE QUELQUE CHOSE* (ou *de cela*); si c'est le cas, il s'agit d'une subordonnée complétive.
3. Pour chaque subordonnée complétive commençant par un subordonnant autre que *que*, **VÉRIFIE** si elle fait référence à une information qu'on recherche, qu'on ignore ou qui n'est pas tout de suite divulguée; si c'est le cas, il s'agit d'une subordonnée interrogative indirecte, et son subordonnant est un subordonnant interrogatif.
4. Dans chaque subordonnée interrogative indirecte, **VÉRIFIE** si :
   - la tournure ***est-ce que*** **est employée** au début de la phrase subordonnée ou après le subordonnant; si c'est le cas, **CORRIGE** la construction de la phrase subordonnée.
   - **le groupe du nom sujet (GNs) et le verbe sont inversés** dans le cas où **le GNs est un pronom de conjugaison** (*je / j'*, *tu*, *il / elle / on*, *nous*, *vous*, *ils / elles*) ou le **pronom *ce*** ; si c'est le cas, **CORRIGE** la construction de la phrase subordonnée.
   - **le GNs est repris par un pronom après le verbe** ; si c'est le cas, **CORRIGE** la construction de la phrase subordonnée.
   - **un point d'interrogation marque la fin de la phrase subordonnée** ; si c'est le cas, **CORRIGE** la ponctuation.

Pour appliquer *mes* connaissances lorsque *je* lis

Appliquer tes connaissances sur la subordonnée complétive en lecture suppose que tu es capable:

- de reconnaître une subordonnée complétive par son fonctionnement;
- de reconnaître une subordonnée complétive par sa construction;
- d'évaluer l'apport de la subordonnée complétive au sens du texte.

Les trois blocs d'activités qui suivent te permettront de vérifier si tu maîtrises ces habiletés.

Lis le texte ci-dessous, dans lequel Agatha Christie témoigne de l'époque où elle commença à s'adonner à l'écriture romanesque. Elle se remémore les réflexions et les sentiments qui l'habitaient alors, ainsi qu'un événement qui fit naître chez elle l'idée d'écrire un premier roman policier.

Agatha Christie nous communique ses impressions avec détail et précision. Pour ce faire, elle emploie, entre autres, des subordonnées complétives. Grâce à tes connaissances sur ces subordonnées, tu devrais être en mesure d'interpréter l'information qu'elles apportent dans le texte.

Je ne pense pas ① que j'aie jamais été entièrement satisfaite de mes nouvelles[1], mais il faut toujours un certain laps de temps entre le moment ② où une œuvre a été créée et celui où vous pouvez la juger.

Vous vous lancez sur une idée, pleine d'espoir et aussi pleine de confiance (c'est même le seul moment de ma vie où je me sente confiante !). ③ Si vous êtes vraiment modeste, vous n'écrivez pas du tout et alors vous ne connaîtrez jamais cet instant délicieux où vous savez ④ comment vous allez exploiter votre idée, où vous vous jetez sur un crayon et où vous commencez à remplir un cahier avec un sentiment d'exaltation.

Bientôt, vous allez rencontrer des difficultés. Vous ne savez plus comment vous en sortir et finalement, vous arrivez à accomplir ce que vous aviez projeté, tout en perdant peu à peu votre belle assurance. Quand vous avez terminé, vous savez ⑤ que c'est complètement raté.

1. La nouvelle est un récit généralement bref.

Deux mois plus tard, vous vous demandez ⑥ si ce n'était pas bon, après tout.

[…]

Ce fut aussi à cette époque que j'eus avec Madge[2] une discussion ⑦ qui devait porter ses fruits plus tard. Nous avions lu une histoire policière. […]

Nous en discutâmes longuement en échangeant nos points de vue. […] Nous étions des connaisseuses en matière de romans policiers. Madge m'avait initiée, très jeune, à Sherlock Holmes et j'avais suivi ses traces avec enthousiasme, en commençant par *Le Cas Levenworth*, qui m'avait fascinée lorsque Madge me l'avait raconté alors que j'avais huit ans. […] Enthousiasmée par tout cela, je déclarai ⑧ que j'aimerais écrire un roman policier.

— Je ne crois pas ⑨ que tu en serais capable, répondit Madge, c'est très difficile à imaginer. J'y ai réfléchi.

— J'aimerais quand même essayer.

— Eh bien, je parie ⑩ que tu n'y arriveras pas ! dit Madge.

La discussion en resta là. Ce n'était pas un véritable défi, mais des paroles en l'air. Néanmoins, à partir de cet instant, je me sentis déterminée à écrire un roman policier.

2. Madge est la sœur d'Agatha Christie.

Agatha Christie, *Autobiographie*, traduction Marie-Louise Navarro,

JE RECONNAIS LA SUBORDONNÉE COMPLÉTIVE PAR SON FONCTIONNEMENT

1 A **Relève** le mot que complète chacune des phrases subordonnées en *que* ① et ⑤, puis **indique** à quelle classe de mots appartiennent les mots relevés.

B **Indique** si les phrases subordonnées ① et ⑤ sont des subordonnées relatives en *que* ou des subordonnées complétives en *que*, puis **justifie** ta réponse.

C **Relève** le mot que complète la phrase subordonnée en *où* ② et le mot que complète la phrase subordonnée en *qui* ⑦, puis **indique** à quelle classe de mots appartiennent les mots relevés.

D **Indique** si les phrases subordonnées ② et ⑦ sont des subordonnées relatives en *où* et en *qui* ou des subordonnées interrogatives indirectes en *où* et en *qui*, puis **justifie** ta réponse.

2 [A] **LIS** les phrases qui contiennent les subordonnées en *si* ③ et ⑥ en y remplaçant ces subordonnées par *QUELQUE CHOSE* (ou *DE QUELQUE CHOSE*), puis **INDIQUE** laquelle des deux subordonnées peut être remplacée par *QUELQUE CHOSE* (ou *DE QUELQUE CHOSE*).

[B] Quelle est la fonction de la subordonnée en *si* pouvant être remplacée par *QUELQUE CHOSE* (ou *DE QUELQUE CHOSE*)?

[C] Quelle est la fonction de la subordonnée en *si* ne pouvant pas être remplacée par *QUELQUE CHOSE* (ou *DE QUELQUE CHOSE*)?

JE RECONNAIS LA SUBORDONNÉE COMPLÉTIVE PAR SA CONSTRUCTION

3 [A] **TRANSCRIS** à double interligne les subordonnées ⑧, ⑨ et ⑩ du texte (page 187), puis **ENCADRE** le subordonnant qui se trouve au début de chacune.

[B] Dans les phrases qui contiennent les subordonnées transcrites en [A], **RELÈVE**, s'il y a lieu, le groupe antécédent de chacun des subordonnants encadrés.

[C] À partir de chacune des subordonnées transcrites en [A], **CONSTRUIS** une phrase qui peut fonctionner seule, puis **ÉCRIS** cette phrase au-dessus de la subordonnée.

[D] S'il y a lieu, dans chaque phrase construite en [C], **ENCADRE** le groupe de mots que remplace le subordonnant *que*.

[E] **INDIQUE** si les subordonnées ⑧, ⑨ et ⑩ sont des subordonnées relatives en *que* ou des subordonnées complétives en *que*, puis **JUSTIFIE** ta réponse.

4 [A] **RELÈVE** le subordonnant qui se trouve au début de chacune des subordonnées complétives ④ et ⑥.

[B] **INDIQUE** quel type de phrase, parmi les suivants, on peut construire à partir des subordonnées complétives ④ et ⑥: type déclaratif, type impératif, type interrogatif, type exclamatif.

[C] À partir de la subordonnée complétive ④, **CONSTRUIS** une phrase du type indiqué en [B].

[D] **INDIQUE** si la phrase construite en [C] commence par le même mot que la subordonnée complétive ④, puis **PRÉCISE** si elle exprime une interrogation totale ou une interrogation partielle.

[E] À partir de la subordonnée complétive ⑥, on peut construire l'une ou l'autre des phrases suivantes.

Est-ce que ce n'était pas bon, après tout?
N'était-ce pas bon, après tout?

INDIQUE si les deux phrases ci-dessus commencent par le même mot que la subordonnée complétive ⑥, puis **PRÉCISE** si elles expriment une interrogation totale ou une interrogation partielle.

J'ÉVALUE L'APPORT DE LA SUBORDONNÉE COMPLÉTIVE AU SENS DU TEXTE

5 Dans les quatre premiers paragraphes du texte des pages 186-187, Agatha Christie explique le processus qui se déroule lorsqu'une personne entreprend la création d'une œuvre littéraire.

A **RELÈVE** le numéro de la subordonnée complétive qui indique ce qu'une personne sait quand elle commence à écrire son texte.

B **RELÈVE** le numéro de la subordonnée complétive qui indique ce qu'une personne sait quand elle a terminé son texte.

C **RELÈVE** le numéro de la subordonnée complétive qui indique ce qu'une personne se demande deux mois après avoir terminé l'écriture de son texte.

D **RELÈVE** le numéro de la subordonnée complétive contenue dans la phrase qui indique si Agatha Christie était satisfaite ou non de ses nouvelles.

6 Dans les six derniers paragraphes du texte des pages 186-187, Agatha Christie rapporte une petite discussion qu'elle a eue avec sa sœur Madge.

A **RELÈVE** le numéro de la subordonnée complétive indiquant ce qu'Agatha Christie aimerait faire.

B La subordonnée complétive dont tu as relevé le numéro en A complète un verbe signifiant qu'Agatha Christie a communiqué oralement ce qu'elle aimerait faire. **RELÈVE** ce verbe.

C **RELÈVE** les verbes que complètent les subordonnées complétives ⑨ et ⑩.

D Les verbes relevés en C ont été employés par Madge, la sœur d'Agatha Christie. En employant ces verbes, Madge exprime-t-elle un sentiment ou une opinion à propos de la capacité d'Agatha d'écrire un roman policier ?

E Les phrases contenant les subordonnées complétives ⑨ et ⑩ représentent-elles des paroles d'encouragement ?

Pour appliquer *mes* connaissances lorsque *j'écris*

Appliquer tes connaissances sur la subordonnée complétive en écriture suppose que tu es capable :

- de déterminer le sens du mot que complète la subordonnée complétive en *que* et d'employer le mode du verbe qui convient dans cette subordonnée;
- de vérifier la construction de la subordonnée interrogative indirecte et de la subordonnée exclamative indirecte;
- de vérifier, dans tes propres textes, le mode dans la subordonnée complétive en *que* ainsi que la construction de la subordonnée interrogative indirecte.

Les trois blocs d'activités qui suivent te permettront de vérifier si tu maîtrises ces habiletés.

Dans l'extrait ci-dessous, Agatha Christie rapporte les commentaires qu'elle a reçus sur le tout premier roman qu'elle a écrit.

Après quelques hésitations, ma mère me proposa de montrer ce manuscrit à Eden Philpotts[1], pour lui demander aide et conseil. [...]

Il répondit ① qu'il lirait volontiers l'essai littéraire d'Agatha.

[...]

La lettre qu'il m'écrivit contenait des conseils pertinents.

«[...] Efforcez-vous de laisser vos personnages évoluer seuls, afin qu'ils s'expriment avec naturel, au lieu de les obliger à dire ② ce qu'ils doivent dire ou à expliquer au lecteur ③ ce qu'ils ont voulu dire. D'autre part, vous avez monté deux intrigues au lieu d'une seule. C'est là une erreur de débutante. Vous vous apercevrez vite ④ qu'il ne faut pas gaspiller vos sujets. Je vous joins une lettre pour mon agent littéraire, Hughes Massie. Il acceptera de vous faire une critique et de vous dire ⑤ quelles sont vos chances d'être éditée. Je crains ⑥ qu'il ne soit pas facile de faire accepter un premier roman, aussi ne soyez pas trop déçue. [...]

Ensuite j'eus une entrevue à Londres avec Hughes Massie. [...]

— Ah ! dit-il en regardant le titre, Neige sur le désert ? Hum, un titre suggestif... découvrir le feu.

Cette réflexion me mit mal à l'aise, car c'était loin de représenter ce que j'avais voulu exprimer. Je ne sais pas exactement ⑦ pourquoi j'avais choisi ce titre, en dehors du fait que je l'avais probablement lu dans les poèmes d'Omar Khayyam. Je suppose que je voulais dire que telle la neige sur le désert, tous les événements qui se suivent dans la vie sont en eux-mêmes superficiels et passent sans laisser de vrais souvenirs. En réalité, je ne pense pas

1. Eden Philpotts était un célèbre écrivain.

⑧ que le livre ait vraiment démontré cela quand il fut terminé, mais j'avais quand même eu cette idée au départ.

Hughes Massie garda le manuscrit pour le lire et me le renvoya quelques mois plus tard en disant ⑨ qu'il était douteux ⑩ qu'il pût[2] le placer. La meilleure chose à faire était d'oublier complètement ce roman et d'en recommencer un autre.

2. Le mot *pût* est le verbe *pouvoir* au subjonctif imparfait.

Agatha Christie, *Autobiographie*, traduction Marie-Louise Navarro,

JE DÉTERMINE LE SENS DU MOT QUE COMPLÈTE LA SUBORDONNÉE COMPLÉTIVE EN *QUE (QU')* ET J'EMPLOIE LE MODE DU VERBE QUI CONVIENT DANS CETTE SUBORDONNÉE

1 A Les subordonnées complétives en couleur dans le texte ci-avant sont soit des subordonnées complétives en *que (qu')*, soit des subordonnées interrogatives indirectes. **CONSTRUIS** un tableau semblable au suivant, puis, dans la colonne appropriée, **INSCRIS**, les uns sous les autres, les numéros des différentes subordonnées complétives.

Subordonnées complétives	
Subordonnées complétives en *que (qu')*	**Subordonnées interrogatives indirectes**

B À côté de chaque numéro inscrit dans le tableau, **TRANSCRIS** le verbe ou l'adjectif que complète la subordonnée complétive.

C À côté de chaque verbe ou adjectif transcrit dans la première colonne, **INDIQUE** entre parenthèses les deux renseignements suivants :

- le sens du verbe ou de l'adjectif parmi les suivants : déclaration, opinion, certitude, perception, doute, négation, nécessité, sentiment, volonté, possibilité ;
- le mode du verbe de la subordonnée complétive en *que (qu')* : indicatif ou subjonctif.

D Lorsqu'une subordonnée complétive en *que (qu')* complète un verbe d'opinion, le verbe de cette subordonnée doit être à l'indicatif.

À quel mode est le verbe *ait démontré* dans la subordonnée complétive en *que* ⑧, qui complète le verbe d'opinion *pense* ?

E Parmi les mots qui accompagnent le verbe d'opinion *pense*, **RELÈVE** ceux qui modifient le sens de ce verbe, puis **ÉCRIS** ces mots au-dessus du verbe *pense* dans ton tableau.

F **DÉTERMINE** le sens que prend le verbe *pense* lorsqu'il est accompagné des mots relevés en E, puis **ÉCRIS** ce sens au-dessus de celui que tu avais indiqué dans ton tableau.

2 Les phrases ci-dessous sont incomplètes. Chacune contient soit l'un des verbes, soit l'adjectif qui devrait figurer dans le tableau que tu as rempli au numéro 1.

① *Le libraire dit* ____________________.

② *Le libraire répond* ____________________.

③ *Je pense* ____________________.

④ *Je crains* ____________________.

⑤ *Je ne pense pas* ____________________.

⑥ *Mon éditeur s'aperçoit* ____________________.

⑦ *Il est douteux* ____________________.

[A] **TRANSCRIS** à double interligne le début de chacune des phrases ci-dessus, puis **COMPLÈTE** le verbe de chaque phrase avec une subordonnée complétive en *que (qu')* construite à partir du groupe du nom sujet (GNs) et du groupe du verbe (GV) donnés ci-dessous. **METS** le verbe de la subordonnée complétive au mode qui convient, c'est-à-dire soit à l'indicatif présent, soit au subjonctif présent.

Le numéro de la première colonne correspond au numéro de la phrase dans laquelle tu dois insérer la subordonnée complétive.

	GNs	GV
①	*il*	*lire cinq romans par semaine*
②	*les romans policiers*	*être très populaires*
③	*mon personnage de détective*	*plaire aux lecteurs*
④	*mon personnage de détective*	*déplaire aux lecteurs*
⑤	*je*	*devoir mon succès à mon éditeur*
⑥	*mon roman*	*contenir plusieurs erreurs*
⑦	*je*	*faire plusieurs erreurs*

[B] **VÉRIFIE** si tu as employé le mode du verbe qui convient dans les subordonnées complétives que tu as construites en [A], en appliquant à chaque phrase les consignes suivantes.

- **SOULIGNE** le verbe ou l'adjectif que complète la subordonnée complétive.
- Si le verbe souligné ou le verbe attributif introduisant l'adjectif souligné est accompagné d'une marque de négation comme *ne... pas*, **SURLIGNE** cette marque de négation.
- Au-dessus du mot souligné, **INDIQUE** son sens en tenant compte, s'il y a lieu, de la marque de négation surlignée : certitude, opinion, déclaration, perception, doute, négation, nécessité, sentiment, volonté, possibilité.
- Au-dessus du verbe de la subordonnée complétive, **ÉCRIS** le mode auquel il est employé : indicatif ou subjonctif.

- **Observe** tes annotations, puis, s'il y a lieu, change le mode du verbe de la subordonnée complétive.

C **Transcris** les phrases que tu as construites en A en y remplaçant le verbe que complète la subordonnée complétive par l'un des verbes ci-dessous que tu mettras à l'indicatif présent et que tu emploieras sans marque de négation. Dans la phrase ⑦, tu dois seulement remplacer l'adjectif par celui donné ci-dessous.

Le numéro qui précède le verbe ou l'adjectif correspond au numéro de la phrase dans laquelle tu dois employer le verbe ou l'adjectif.

Attention ! Certaines des phrases que tu construiras contiendront des erreurs dans le mode du verbe de la subordonnée complétive.

① *nier* ② *souhaiter* ③ *vouloir* ④ *savoir* ⑤ *avouer* ⑥ *regretter* ⑦ *certain*

D **Vérifie** si tu as employé le mode du verbe qui convient dans les subordonnées complétives des phrases que tu as construites en C, en appliquant à chaque phrase les consignes données en B.

J'ÉCRIS

JE VÉRIFIE LA CONSTRUCTION DE LA SUBORDONNÉE INTERROGATIVE INDIRECTE

3 Chacune des phrases ci-dessous contient une subordonnée interrogative indirecte.

Attention ! Erreurs.

① *Dis-moi pourquoi tu aimes ce roman policier ?*

② *Le détective explique comment est-ce que le coupable a réalisé son méfait.*

③ *Le détective n'a pas encore dit quel indice l'a-t-il mené au coupable.*

④ *Dis-moi si le détective soupçonne quelqu'un en particulier.*

⑤ *L'auteure ne sait pas quand terminera-t-elle son roman.*

⑥ *L'auteure saura bientôt si est-ce que son roman sera publié.*

Transcris les phrases ci-dessus à double interligne, puis **vérifie** la construction des subordonnées interrogatives indirectes à l'aide de la stratégie de révision suivante.

Dans chaque subordonnée interrogative indirecte, **vérifie** si :

- la tournure ***est-ce que*** **est employée** au début de la phrase subordonnée ou après le subordonnant; si c'est le cas, **corrige** la construction de la phrase subordonnée.
- **le groupe du nom sujet (GNs) et le verbe sont inversés** dans le cas où **le GNs est un pronom de conjugaison** *(je/j', tu, il/elle/on, nous, vous, ils/elles)* ou le **pronom *ce***; si c'est le cas, **corrige** la construction de la phrase subordonnée.
- **le GNs est repris par un pronom après le verbe**; si c'est le cas, **corrige** la construction de la phrase subordonnée.
- **un point d'interrogation marque la fin de la phrase subordonnée**; si c'est le cas, **corrige** la ponctuation.

J'ÉCRIS UN TEXTE, JE VÉRIFIE LE MODE DU VERBE DANS LA SUBORDONNÉE COMPLÉTIVE EN *QUE (QU')* AINSI QUE LA CONSTRUCTION DE LA SUBORDONNÉE INTERROGATIVE INDIRECTE

Voici une stratégie de révision de texte qui t'amènera à vérifier le mode du verbe dans la subordonnée complétive en *que (qu')* ainsi que la construction des subordonnées interrogatives indirectes.

JE VÉRIFIE LE MODE DU VERBE DANS LA SUBORDONNÉE COMPLÉTIVE EN *QUE (QU')* AINSI QUE LA CONSTRUCTION DE LA SUBORDONNÉE INTERROGATIVE INDIRECTE

❶ **ENCADRE** le subordonnant placé au début de chaque subordonnée complétive (Sub. complét.), puis, au-dessus de la Sub. complét., **ÉCRIS**, selon le cas, ***Sub. complét. en* que** (subordonnée complétive en *que*) ou ***Sub. interr. indir.*** (subordonnée interrogative indirecte).

❷ Pour chaque **subordonnée complétive en *que***:

- **SOULIGNE** le verbe ou l'adjectif que complète la subordonnée complétive.
- S'il y a lieu, **SURLIGNE** les marques de négation comme *ne... pas* qui accompagnent le verbe souligné ou le verbe attributif introduisant l'adjectif souligné.
- Au-dessus du verbe ou de l'adjectif souligné, **INDIQUE** son sens en tenant compte, s'il y a lieu, des marques de négation surlignées: certitude, opinion, déclaration, perception, doute, négation, nécessité, sentiment, volonté, possibilité.
- **REPÈRE** le verbe de la subordonnée complétive et, au-dessus, **ÉCRIS** le mode auquel il est employé: ***indic.*** (indicatif) ou ***subj.*** (subjonctif).
- **OBSERVE** tes annotations et, s'il y a lieu, **CHANGE** le mode du verbe de la subordonnée complétive.

❸ Pour chaque **subordonnée interrogative indirecte**, **VÉRIFIE** si:

- la tournure ***est-ce que* est employée** au début de la phrase subordonnée ou après le subordonnant; si c'est le cas, **CORRIGE** la construction de la phrase subordonnée.
- **le groupe du nom sujet (GNs) et le verbe sont inversés** dans le cas où **le GNs est un pronom de conjugaison** *(je/j', tu, il/elle/on, nous, vous, ils/elles)* ou le **pronom *ce***; si c'est le cas, **CORRIGE** la construction de la phrase subordonnée.
- **le GNs est repris par un pronom après le verbe**; si c'est le cas, **CORRIGE** la construction de la phrase subordonnée.
- **un point d'interrogation marque la fin de la phrase subordonnée**; si c'est le cas, **CORRIGE** la ponctuation.

Activité de révision

APPLIQUE d'abord cette stratégie de révision au texte ci-après en suivant l'exemple.

Attention ! Erreurs.

Agatha Christie se réjouit [sentiment] qu' [Sub. complét. en que — subj.] elle ait pu exercer le métier d'écrivaine et que [Sub. complét. en que — indic.] l'écriture lui a permis de gagner sa vie. Dans son autobiographie, elle explique comment l'idée d'écrire un roman policier lui est-elle venue. Elle raconte que sa sœur, Madge, et elle sont très tôt connaisseuses en matière de romans policiers. Elle aime que sa grande sœur lui fait le récit des histoires de Sherlock Holmes et, un jour, elle déclare qu'elle souhaiterait écrire un roman policier. Madge doute qu'Agatha en est capable. Elle lui dit que c'est difficile d'imaginer une intrigue policière. Agatha Christie affirme alors qu'elle veut essayer même si sa sœur pense qu'elle n'y parvienne pas. Lorsqu'elle écrit ses premiers textes, Agatha Christie n'est pas certaine qu'elle a du talent. Quand elle vient de terminer un texte, elle considère parfois que c'est complètement raté. Puis, après un certain temps, elle se demande si son texte n'est-il pas valable, finalement ?

(Annotation manuscrite : « a » barré remplacé par « ait ».)

Activité d'écriture

VÉRIFIE maintenant si tu es capable d'employer des subordonnées complétives de façon appropriée dans tes propres phrases.

Mise en situation

Imagine qu'une ou un de tes amis te demande de lire un roman de sa création et de lui donner tes commentaires par écrit. Tu lui feras alors des remarques à propos des faits suivants :

1º Un trop grand nombre de personnages rend l'histoire difficile à suivre.

2º Le texte n'explique pas la raison pour laquelle le personnage principal en veut à son meilleur ami.

3º Le texte contient de trop longues descriptions de lieux.

4º Le moment où se produisent les actions n'est pas toujours clairement défini.

5º Il faudrait donner davantage de détails sur les caractéristiques psychologiques des personnages principaux.

Contraintes d'écriture

Ton texte doit :

- comprendre au moins dix phrases;

- être écrit à double interligne;
- aborder les cinq remarques énumérées dans la mise en situation ci-avant;
- comprendre au moins cinq subordonnées complétives parmi lesquelles on doit trouver au moins:
  - une subordonnée complétive en *que (qu')*,
  - une subordonnée interrogative indirecte exprimant une interrogation totale,
  - une subordonnée interrogative indirecte exprimant une interrogation partielle,
  - une subordonnée exclamative indirecte.

Si nécessaire, **REPORTE**-toi à la section 3 de *Ma grammaire* (pages 184-185) pour choisir les verbes ou les adjectifs que compléteront tes subordonnées complétives.

Étape de révision

VÉRIFIE d'abord si tu as bien respecté les contraintes d'écriture, puis **RÉVISE** ton texte à l'aide de la stratégie de révision JE VÉRIFIE LE MODE DU VERBE DANS LA SUBORDONNÉE COMPLÉTIVE EN *QUE (QU')* AINSI QUE LA CONSTRUCTION DE LA SUBORDONNÉE INTERROGATIVE INDIRECTE (page 194).

Atelier

LA SUBORDONNÉE CIRCONSTANCIELLE

Sa construction
Son fonctionnement
Son rôle
Le choix de son subordonnant
Le mode de son verbe

Alcide m'a donné deux francs
pour que je me taise.
J'étais tout ahuri, je ne savais
pas ce que je faisais;
Alcide s'est sauvé, et moi,
je m'en suis allé aussi.

Comtesse de Ségur

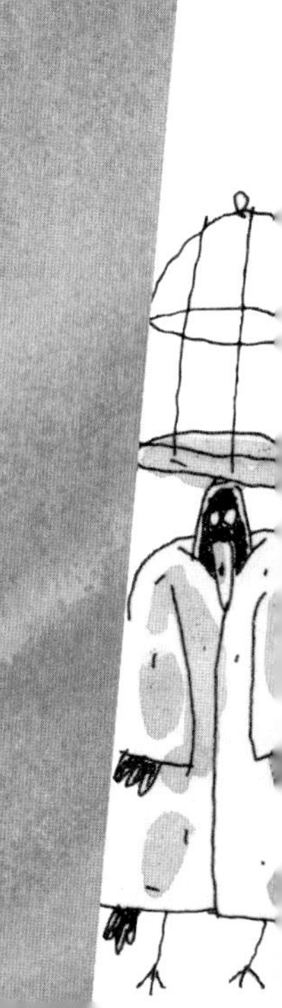

je me rappelle...

Dans les ateliers 5 et 6, tu as découvert les principales caractéristiques de la subordonnée relative et de la subordonnée complétive. En première secondaire, tu as également découvert les caractéristiques de la subordonnée circonstancielle de temps.

VÉRIFIE si tu peux distinguer ces différentes phrases subordonnées en leur associant les caractéristiques qui leur sont propres.

LA **CONSTRUCTION** ET LA **FONCTION** DES SUBORDONNÉES

Les quatre phrases ci-dessous contiennent chacune deux constructions comparables à celle de la PHRASE DE BASE : la phrase matrice et la phrase subordonnée.

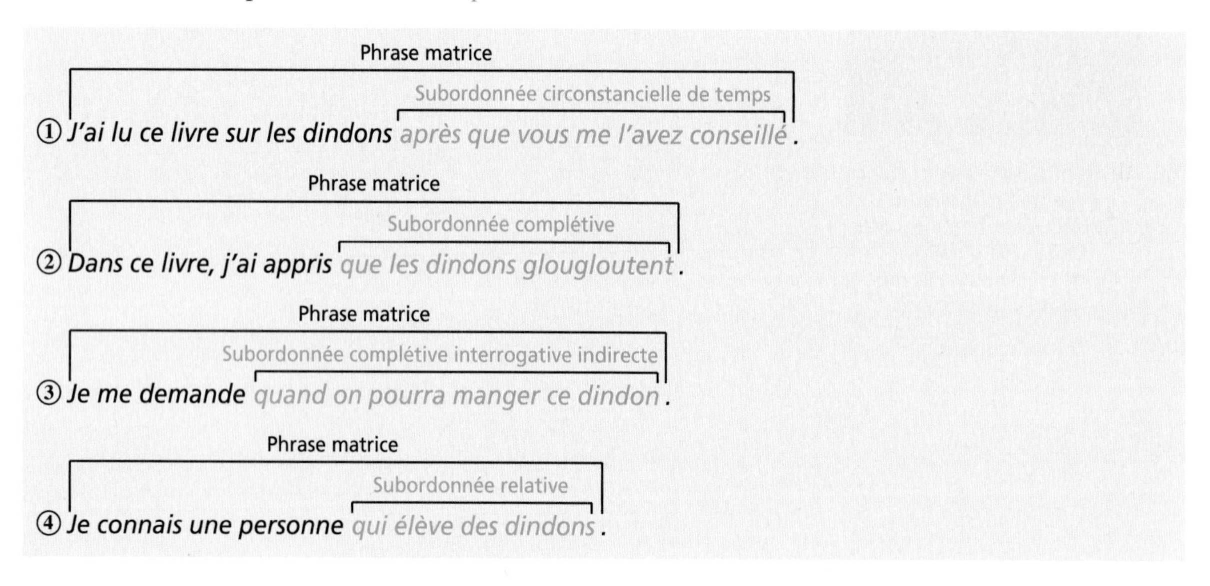

A **CONSTRUIS** un tableau semblable à celui ci-après, puis, après avoir observé la phrase subordonnée contenue dans chacune des phrases ① à ④ ci-dessus, **METS** un X vis-à-vis des caractéristiques correspondant :

- à la subordonnée circonstancielle;
- à la subordonnée complétive en *que*;
- à la subordonnée complétive interrogative indirecte (ou exclamative);
- à la subordonnée relative.

Attention ! Une même caractéristique peut être associée à plus d'une phrase subordonnée.

Principales caractéristiques de la subordonnée		Subordonnée circonstancielle	Subordonnée complétive en *que* ou interrogative indirecte	Subordonnée relative
CONSTRUCTION	Elle contient une construction comparable à celle de la phrase de base;			
	elle commence par un subordonnant;			
FONCTION	elle est <u>complément du verbe</u> <u>(ou de l'adjectif)</u>;			
	elle est <u>complément du nom</u> <u>(ou du pronom)</u>;			
	elle est <u>complément de phrase</u>.			

B Dans le texte d'observation *Le vol de dindons* de la partie *J'observe et je découvre* (page 200), les phrases subordonnées en couleur sont-elles des <u>subordonnées relatives</u>, des <u>subordonnées complétives</u> ou des <u>subordonnées circonstancielles</u> ?

Justifie ta réponse en énumérant les caractéristiques du tableau propres à ces subordonnées.

j'observe et je découvre

Lis le texte d'observation ci-dessous, qui raconte une des nombreuses mésaventures que vit Frédéric Bonard dans le roman *Le mauvais génie*.

Ce roman a été écrit au début du XIXe siècle par la comtesse de Ségur, qui fut l'une des premières romancières à écrire des aventures… ou des mésaventures mettant en scène des jeunes et destinées aux jeunes.

Texte d'observation

Le vol de dindons

① *Frédéric Bonard est réprimandé par son père parce qu'il a participé au vol de deux de ses plus gros dindons.*

Frédéric : Mon père, pardonnez-moi de vous avoir désobéi. ② J'ai vu Alcide après que vous me l'avez défendu. Mais ce n'est pas moi, c'est lui qui a volé les dindons.

Bonard : Tu mens. Je sais tout; avoue ta faute franchement. Raconte comment la chose est arrivée, et comment Alcide a pu vendre mes dindons à M. Georgey les deux soirs où tu as éloigné Julien.

Frédéric : ③ Alcide devait me rencontrer dans le petit bois le soir quand je serais seul. Ces soirs-là, il m'attendait. ④ J'ai envoyé Julien les deux fois me faire une commission pour qu'il ne me voie pas avec Alcide.

⑤ Quand Julien a été assez loin, j'ai couru dans le bois. Là, j'ai trouvé Alcide avec M. Georgey. Alcide a disparu un instant, puis il est revenu avec un dindon sous le bras.

⑥ Avant que j'aie pu l'en empêcher, il a fait le marché avec M. Georgey. Celui-ci est parti de suite, emportant le dindon. ⑦ Alcide m'a donné deux francs pour que je me taise. J'étais tout ahuri, je ne savais ce que je faisais; Alcide s'est sauvé, et moi, je m'en suis allé aussi.

D'après la Comtesse de Ségur, *Le mauvais génie*.

Dans les activités qui suivent, tu poursuivras ton étude de la subordonnée circonstancielle de temps commencée en première secondaire et tu feras de nouveaux apprentissages sur la subordonnée circonstancielle, plus particulièrement sur la subordonnée circonstancielle de but.

J'OBSERVE...

LA SUBORDONNÉE CIRCONSTANCIELLE	
SA CONSTRUCTION	●
SON RÔLE	
LE CHOIX DE SON SUBORDONNANT	

LA CONSTRUCTION DE LA SUBORDONNÉE CIRCONSTANCIELLE

1 [A] Dans chacune des phrases numérotées du texte d'observation *Le vol de dindons*, **RELÈVE** :

- le groupe du nom sujet (GNs) de la subordonnée circonstancielle;
- le GNs de la phrase matrice.

[B] Dans la majorité des phrases numérotées, le GNs de la subordonnée circonstancielle et le GNs de la phrase matrice font-ils référence :
ⓐ à la même chose ou à la même personne
ou :
ⓑ à une chose ou à une personne différente ?

[C] **RELÈVE** le numéro de la phrase ou des phrases dans lesquelles le GNs de la subordonnée circonstancielle et le GNs de la phrase matrice font référence à la même chose ou à la même personne.

2 [A] Dans la phrase ① du texte d'observation, on aurait pu remplacer la subordonnée circonstancielle par un groupe prépositionnel (GPrép) contenant une phrase **subordonnée infinitive** (il s'agit d'une phrase subordonnée dont le GV a pour noyau un verbe à l'infinitif; dans cette subordonnée, le GNs n'est généralement pas exprimé).

EX. : ① *Frédéric Bonard est réprimandé par son père parce qu'il a participé au vol de deux de ses plus gros dindons.* → *Frédéric Bonard est réprimandé par son père pour **avoir participé au vol de deux de ses plus gros dindons**.*

PRÉCISE si la phrase ci-dessus est grammaticale et si elle a le même sens que la phrase ① du texte d'observation.

[B] **INDIQUE** si, dans la phrase ① du texte d'observation, le GNs de la subordonnée circonstancielle et le GNs de la phrase matrice font référence :
ⓐ à la même chose ou à la même personne
ou :
ⓑ à une chose ou à une personne différente.

[C] Dans la phrase ci-dessous, on ne pourrait pas remplacer la subordonnée circonstancielle par un GPrép contenant une phrase subordonnée infinitive; il en est de même dans les phrases ② à ⑦ du texte d'observation.

[*Frédéric tient les dindons par les pattes* [*pour qu'ils ne s'envolent pas*].]

Indique si, dans les phrases ② à ⑦ et dans la phrase ci-avant, le GNs de la subordonnée circonstancielle et le GNs de la phrase matrice font référence :

ⓐ à la <u>même chose</u> ou à la <u>même personne</u>

ou :

ⓑ à une <u>chose</u> ou à une <u>personne différente</u>.

D En tenant compte des observations que tu as faites en A, B et C, **indique** si le <u>GPrép</u> souligné dans la phrase ci-dessous peut être associé à la subordonnée circonstancielle ⓐ ou ⓑ ci-après.

Frédéric tient les dindons par les pattes <u>pour ne pas s'envoler</u>.

ⓐ *pour qu'ils (les dindons) ne s'envolent pas.*

ⓑ *pour qu'il (Frédéric) ne s'envole pas.*

J'ai découvert...

La construction de la subordonnée circonstancielle

- Dans la plupart des phrases avec subordonnée circonstancielle, le groupe du nom sujet (GNs) de la subordonnée circonstancielle et le GNs de la phrase matrice font référence à une chose ou à une personne ✎. (**Ex. :** [*Frédéric attrape les dindons* [*avant qu'ils s'envolent*].])
- Dans certaines phrases avec subordonnée circonstancielle, le GNs de la subordonnée circonstancielle et le GNs de la phrase matrice font référence à la même chose ou à la même personne. (**Ex. :** [*La mère de Frédéric doit plumer les dindons* [*avant qu'* ✎ *les fasse cuire*].])

Dans certains cas, la subordonnée circonstancielle peut être remplacée par un ✎ <u>contenant une phrase **subordonnée infinitive**</u> à condition que son GNs et le GNs de la phrase matrice fassent référence à la même chose ou à la même personne.

(**Ex. :** [*La mère de Frédéric doit plumer les dindons* [*avant qu'* ✎ *les fasse cuire*].]

→ *La mère de Frédéric doit plumer les dindons <u>avant de **les faire cuire**</u>*)

J'observe...

La subordonnée circonstancielle	
Sa construction	✔
Son rôle	●
Le choix de son subordonnant	●

Le **rôle** de la subordonnée circonstancielle de temps ou de but et le choix de son **subordonnant**

1 A **Relève** le numéro de la phrase ou des phrases du texte d'observation (page 200) qui contiennent une subordonnée circonstancielle pouvant être la <u>réponse</u> à chacune de ces questions :

ⓐ ***Quand... ?*** ⓑ ***Dans quel but... ?*** ⓒ ***À cause de quoi... ?***

Sub. circ. Sub. circ. Sub

[B] **RELÈVE** le subordonnant placé au début des subordonnées circonstancielles qui répondent à chacune des questions données en [A].

[C] **CLASSE** les phrases numérotées du texte d'observation selon qu'elles contiennent :

ⓐ une subordonnée circonstancielle de temps ;

ⓑ une subordonnée circonstancielle de but ;

ⓒ une subordonnée circonstancielle de cause.

N'**INSCRIS** que le numéro qui précède chacune des phrases.

[D] Qu'est-ce qui t'a permis, en [C], de classer les phrases ?

2 Dans les trois phrases ci-dessous, la subordonnée circonstancielle est une subordonnée circonstancielle de temps. Toutefois, le rapport de temps précisé par chacune de ces subordonnées circonstancielles de temps n'est pas le même.

① [*M. Bonard réprimande son fils* [*pendant que celui-ci prend conscience de ce qu'il a fait*].]

② [*M. Bonard réprimande son fils* [*avant que celui-ci prenne conscience de ce qu'il a fait*].]

③ [*M. Bonard réprimande son fils* [*après que celui-ci a pris conscience de ce qu'il a fait*].]

[A] Pour chacune des phrases ci-dessus, **INDIQUE** si le fait exprimé dans les autres groupes constituants de la phrase matrice *(M. Bonard réprimande son fils)* a lieu avant le fait exprimé dans la subordonnée circonstancielle de temps, après ou en même temps.

[B] Qu'est-ce qui t'a permis de trouver la réponse en [A] ?

3 [A] **RELÈVE** le subordonnant qui est placé au début de la subordonnée circonstancielle dans la phrase suivante.

[*M. Bonard réprimande son fils* [*de manière que celui-ci prenne conscience de ce qu'il a fait*].]

[B] Cette subordonnée circonstancielle est-elle une subordonnée circonstancielle de temps, de but ou de cause ?

[C] Parmi les subordonnants de la liste ci-dessous, **INDIQUE** ceux qui pourraient remplacer le subordonnant relevé en [A], sans changer le sens de la phrase.

Parce que, afin que, quand, de sorte que, aussitôt que, de façon que, pour que, puisque.

J'AI DÉCOUVERT...

LE RÔLE DE LA SUBORDONNÉE CIRCONSTANCIELLE DE TEMPS OU DE BUT ET LE CHOIX DE SON SUBORDONNANT

n° 1

Dans une phrase, le **rôle** de la subordonnée circonstancielle peut être d'amener une précision de ___, de ___, de cause, de conséquence, de condition, etc.

Pour identifier le rôle d'une subordonnée circonstancielle, on peut:

- observer le sens du ___ dans la phrase;
- se servir d'une question: par exemple, la question ___, pour identifier le **rôle** de la subordonnée circonstancielle de temps, et la question ___, pour identifier le **rôle** de la subordonnée circonstancielle de but.

On choisit un **subordonnant** en fonction de ce que l'on veut exprimer dans une phrase avec subordonnée circonstancielle:

- pour préciser que ce qui est exprimé dans les autres groupes constituants de la phrase matrice a lieu <u>avant</u> ce qui est exprimé dans la subordonnée circonstancielle, on peut employer, par exemple, le subordonnant ___ ; pour préciser que cela a lieu <u>après</u>, le subordonnant ___ ; et, pour préciser que cela a lieu <u>en même temps</u>, le subordonnant ___ ;
- pour préciser le <u>but</u> de ce qui est exprimé dans les autres groupes constituants de la phrase matrice, on peut employer les subordonnants ___, ___, ___, etc.

JE REMARQUE...

OBSERVE le <u>mode du verbe</u> dans les subordonnées circonstancielles du texte d'observation (page 200), et dans celles données en exemples dans les questions précédentes, puis **COMPLÈTE** l'encadré suivant.

LE MODE DU VERBE DANS LA SUBORDONNÉE CIRCONSTANCIELLE DE TEMPS OU DE BUT

- Dans les subordonnées circonstancielles de temps introduites, entre autres, par les subordonnants *avant que*, *jusqu'à ce que*, *d'ici (à ce) que*, le verbe se met au mode ___.
- Dans les subordonnées circonstancielles de temps introduites par les autres subordonnants (*depuis que*, *après que*, *lorsque*, *quand*, etc.), le verbe se met au mode ___.
- Dans les subordonnées circonstancielles de but, le verbe se met au mode ___.

DÉJÀ VU

1 LA CONSTRUCTION DE LA SUBORDONNÉE CIRCONSTANCIELLE

Connaître la construction de la subordonnée circonstancielle permet de vérifier si la phrase avec subordonnée circonstancielle est construite correctement.

La subordonnée circonstancielle contient un groupe du nom sujet (GNs) et un groupe du verbe (GV), complétés ou non par un ou plusieurs groupes compléments de phrase (Gcompl. P). **La subordonnée circonstancielle est donc une phrase;** cette phrase est insérée dans une phrase de niveau supérieur (appelée *phrase matrice*) à l'aide d'un marqueur de relation ayant la fonction de *subordonnant*. Dans la subordonnée circonstancielle, le subordonnant ne remplace aucun groupe de mots.

Phrase matrice

Subordonnée circonstancielle

GNs + GV + (Gcompl. P)

Ex. : *Sophie Rostopchine vivait à Paris* *lorsqu'* *elle* *a épousé le comte de Ségur* *en 1819* .

subordonnant

Remarques :

1° Le marqueur de relation placé au début de la subordonnée circonstancielle appartient à la classe des conjonctions, mais on le désigne par sa fonction : **subordonnant**.

2° Le **subordonnant** placé au début de la subordonnée circonstancielle peut avoir une **forme simple** : *quand, lorsque (lorsqu'),* etc.; mais il peut aussi avoir une **forme complexe** [il contient alors le mot *que (qu')*]: *pendant que, avant que, après que, pour que, afin que, de sorte que,* etc.

Dans la plupart des phrases avec subordonnée circonstancielle, le **GNs** de la subordonnée circonstancielle et le **GNs de la phrase matrice** font référence à une **chose** ou à une **personne différente**.

Phrase matrice

Subordonnée circonstancielle

Ex. : ***Je*** *parlerai de la comtesse de Ségur* *afin que* ***vous*** *la connaissiez mieux* .

Dans certaines phrases avec subordonnée circonstancielle, le **GNs** de la subordonnée circonstancielle et le **GNs de la phrase matrice** font référence à la **même chose** ou à la **même personne**.

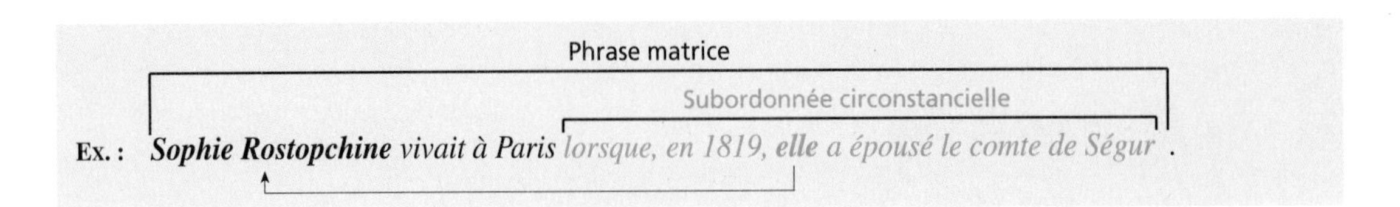

Remarques :

1° Quand la subordonnée circonstancielle commence par les subordonnants *pour que*, *afin que*, *de façon que*, *de manière que*, *en attendant que*, *de sorte que*, etc., son GNs et le **GNs** de la phrase matrice dans laquelle elle est insérée ne doivent pas faire référence à la même chose ou à la même personne.

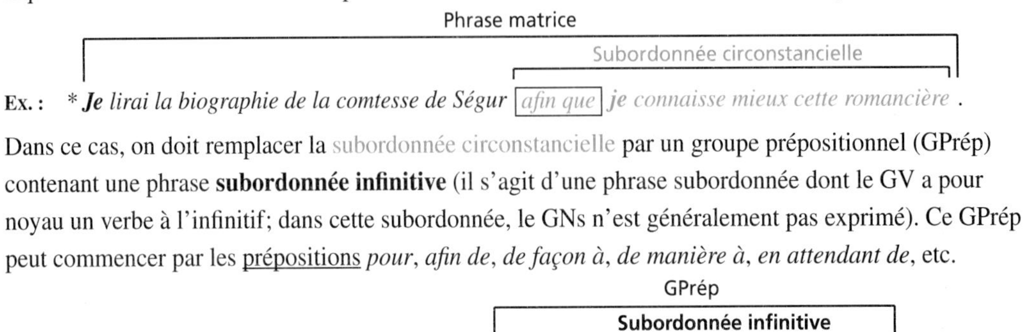

Dans ce cas, on doit remplacer la subordonnée circonstancielle par un groupe prépositionnel (GPrép) contenant une phrase **subordonnée infinitive** (il s'agit d'une phrase subordonnée dont le GV a pour noyau un verbe à l'infinitif; dans cette subordonnée, le GNs n'est généralement pas exprimé). Ce GPrép peut commencer par les prépositions *pour*, *afin de*, *de façon à*, *de manière à*, *en attendant de*, etc.

GPrép
Subordonnée infinitive
Ex. : *Je lirai la biographie de la comtesse de Ségur* *afin de* ***mieux connaître cette romancière.***

2° La subordonnée circonstancielle introduite par les subordonnants *avant que*, *après que* ou *en attendant que* peut aussi être remplacée par un GPrép contenant une phrase **subordonnée infinitive**, à condition que son GNs et le **GNs** de la phrase matrice dans laquelle elle est insérée fassent référence à la même chose ou à la même personne. Le GPrép qui remplace une telle subordonnée circonstancielle peut commencer par les prépositions *avant de*, *après* ou *en attendant de*.

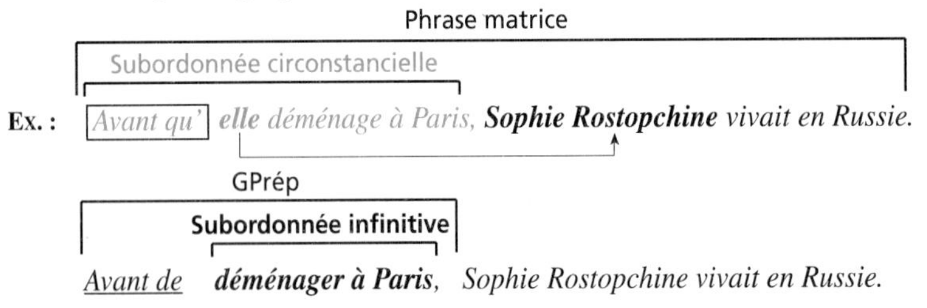

2 LE FONCTIONNEMENT DE LA SUBORDONNÉE CIRCONSTANCIELLE DE TEMPS OU DE BUT

DÉJÀ VU

La subordonnée circonstancielle fonctionne généralement comme un **groupe constituant facultatif** dans la phrase matrice où elle est insérée : elle est déplaçable en début de phrase, elle est supprimable et ne peut être remplacée par un pronom [*le (l')*, *la (l')*, *les*, *lui*, *leur*, *en*, *y*, etc.].

La subordonnée circonstancielle a donc généralement la **fonction** de **complément de phrase**.

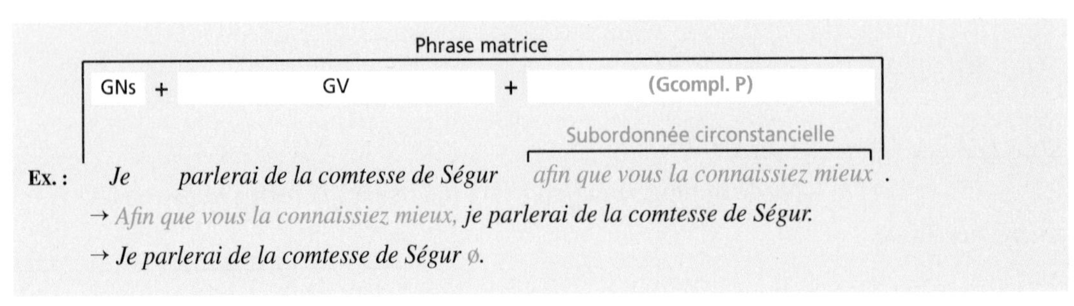

Remarque : La subordonnée circonstancielle dépend de la phrase matrice dans laquelle elle est insérée; elle ne peut pas fonctionner seule.

Ex. : *Sophie Rostopchine est devenue la comtesse de Ségur. * Lorsque, en 1819, elle a épousé le comte de Ségur.*

Toutefois, la subordonnée circonstancielle peut constituer la réponse à une question.

Ex. : *Quand Sophie Rostopchine est-elle devenue la comtesse de Ségur ?*
Lorsque, en 1819, elle a épousé le comte de Ségur.

P Le déplacement d'une subordonnée circonstancielle en début de phrase ou ailleurs dans la phrase est généralement marqué par la **virgule** :

- elle est suivie d'une **virgule** lorsqu'elle est déplacée en début de phrase;

  Ex. : *Lorsqu'elle a épousé le comte de Ségur, Sophie Rostopchine est devenue la comtesse de Ségur.*

- elle est encadrée de **virgules** lorsqu'elle est déplacée ailleurs dans la phrase.

  Ex. : *Sophie Rostopchine, lorsqu'elle a épousé le comte de Ségur, est devenue la comtesse de Ségur.*

Attention ! Lorsqu'on déplace une subordonnée circonstancielle dans une phrase, on doit parfois effectuer des **changements** dans cette phrase pour qu'elle reste cohérente.

Ex. : *Je parlerai de **la vie de la comtesse de Ségur** afin que vous connaissiez mieux **cette romancière**.*
→ *Afin que vous connaissiez mieux **la comtesse de Ségur**, je parlerai de **sa vie** (ou de **la vie de cette romancière**).*

3 LE RÔLE DE LA SUBORDONNÉE CIRCONSTANCIELLE DE TEMPS OU DE BUT

La subordonnée circonstancielle est l'un des moyens dont nous disposons pour exprimer le temps, le but, la cause, la condition, la comparaison, etc. Identifier son rôle permet de mieux comprendre les phrases que nous lisons et de préciser un rapport de sens entre les différents groupes constituants d'une phrase.

3.1 LE RÔLE DE LA SUBORDONNÉE CIRCONSTANCIELLE DE TEMPS

La subordonnée circonstancielle de temps, qui est un groupe constituant facultatif d'une phrase matrice, **indique à quel moment se déroule ce qui est exprimé dans les autres groupes constituants de la phrase matrice**. Le subordonnant précise si ce qui est exprimé dans les autres groupes de la phrase matrice a lieu **avant** ou **après** ce qui est exprimé dans la subordonnée, ou **en même temps**.

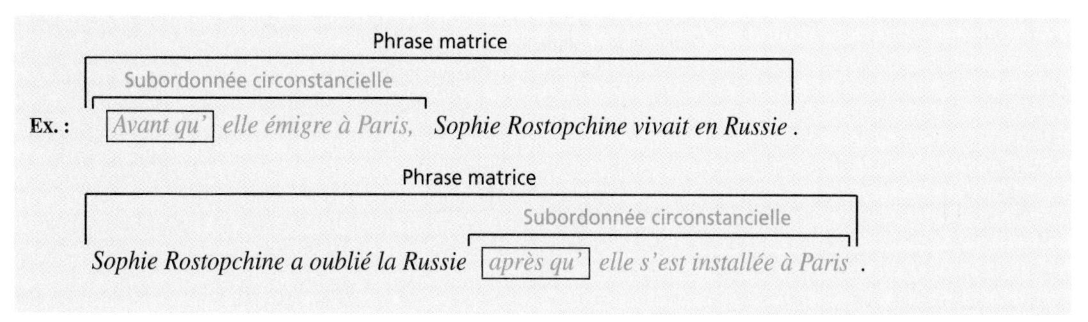

Phrase matrice

Subordonnée circonstancielle

Ex. : *Sophie Rostopchine avait dix-sept ans* *lorsqu'* *elle est arrivée à Paris* .

3.2 LE **RÔLE** DE LA SUBORDONNÉE CIRCONSTANCIELLE DE **BUT**

La subordonnée circonstancielle de but, qui est un groupe constituant facultatif d'une phrase matrice, **indique l'intention, le but de ce qui est exprimé dans les autres groupes constituants de la phrase matrice**. Le subordonnant précise qu'il s'agit d'une **intention**, d'un **but**.

Phrase matrice

Subordonnée circonstancielle

Ex. : *Je parlerai de la comtesse de Ségur* *afin que* *vous la connaissiez mieux* .

Phrase matrice

Subordonnée circonstancielle

Je parlerai de la comtesse de Ségur *pour que* *vous la connaissiez mieux* .

4 LE CHOIX DU **SUBORDONNANT**

Le subordonnant doit être choisi en fonction de ce que l'on veut exprimer dans une phrase avec subordonnée circonstancielle.

Ex. : *Je parlerai de la comtesse de Ségur* *jusqu'à ce que* *vous la connaissiez mieux*.
exprime le temps

Je parlerai de la comtesse de Ségur *afin que* *vous la connaissiez mieux*.
exprime le but

Remarque : Un même subordonnant peut exprimer, selon le contexte, plus d'un rapport de sens.

Ex. : *Comme* *elle arrivait à Paris, Sophie Rostopchine rencontra le comte de Ségur.*
exprime le temps

Sophie était affectueuse avec ses enfants *comme* *son père l'était avec elle.*
exprime la comparaison

4.1 LES SUBORDONNANTS DE TEMPS

- Pour préciser que ce qui est exprimé dans les autres groupes constituants de la phrase matrice a lieu **avant** ce qui est exprimé dans la subordonnée circonstancielle, on peut employer les subordonnants *avant que*, *jusqu'à ce que*, *d'ici (à ce) que*, *en attendant que*, etc.

Phrase matrice
Subordonnée circonstancielle
Ex. : *[Avant qu'] elle émigre à Paris, Sophie Rostopchine vivait en Russie*.

Phrase matrice
Subordonnée circonstancielle
[Jusqu'à ce qu'] elle émigre à Paris, Sophie Rostopchine vivait en Russie.

- Pour préciser que ce qui est exprimé dans les autres groupes constituants de la phrase matrice a lieu **après** ce qui est exprimé dans la subordonnée circonstancielle, on peut employer les subordonnants *après que*, *depuis que*, *aussitôt que*, etc.

Phrase matrice
Subordonnée circonstancielle
Ex. : *Sophie Rostopchine a oublié la Russie [après qu'] elle s'est installée à Paris*.

Phrase matrice
Subordonnée circonstancielle
Sophie Rostopchine a oublié la Russie [aussitôt qu'] elle s'est installée à Paris.

- Pour préciser que ce qui est exprimé dans les autres groupes constituants de la phrase matrice a lieu **en même temps** que ce qui est exprimé dans la subordonnée circonstancielle, on peut employer les subordonnants *quand*, *lorsque*, *pendant que*, *tandis que*, etc.

Phrase matrice
Subordonnée circonstancielle
Ex. : *Sophie Rostopchine avait dix-sept ans [lorsqu'] elle est arrivée à Paris*.

Phrase matrice
Subordonnée circonstancielle
Sophie Rostopchine avait dix-sept ans [quand] elle est arrivée à Paris.

Remarque : Les subordonnants *quand* et *lorsque (lorqu')* peuvent aussi servir à préciser que ce qui est exprimé dans les autres groupes constituants de la phrase matrice a lieu après ce qui est exprimé dans la subordonnée circonstancielle.

Ex. : *Lorsqu'elle fut installée à Paris, Sophie Rostopchine oublia la Russie.*

Attention ! Le subordonnant *quand* peut aussi être employé au début d'une subordonnée complétive interrogative indirecte. Contrairement à la subordonnée circonstancielle, la subordonnée complétive interrogative indirecte ne peut être déplacée en début de phrase, et elle a la fonction de complément du verbe.

Phrase matrice
Subordonnée complétive interrogative indirecte
Ex. : *Je me demande quand elle est arrivée à Paris.*
→ * *Quand elle est arrivée à Paris, je me demande.*

4.2 LES SUBORDONNANTS DE BUT

Pour préciser que ce qui est exprimé dans la subordonnée circonstancielle est le **but** de ce qui est exprimé dans les autres groupes constituants de la phrase matrice, on peut employer les subordonnants *pour que*, *afin que*, *de sorte que*, *de façon que*, *de manière que*, etc.

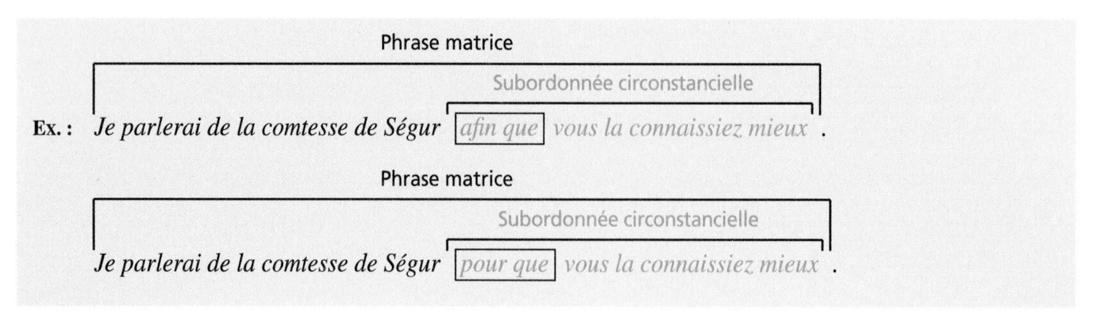

Remarque : Les subordonnants *de peur que* et *de crainte que* sont aussi des subordonnants de but ; ils sont employés lorsque le but exprimé dans la subordonnée circonstancielle est «non voulu».

Ex. : *Sophie se cache de crainte que sa mère la réprimande.*

5 LE MODE DU VERBE DANS LA SUBORDONNÉE CIRCONSTANCIELLE DE TEMPS OU DE BUT

5.1 LE MODE DU VERBE DANS LA SUBORDONNÉE CIRCONSTANCIELLE DE TEMPS

- Le verbe de la subordonnée circonstancielle de temps se met au mode **subjonctif** lorsque la subordonnée est introduite par les subordonnants *avant que*, *jusqu'à ce que*, *d'ici (à ce) que*, *en attendant que*.

Ex. : *Avant qu' elle vive à Paris, Sophie Rostopchine habitait en Russie.*

- Le verbe de la subordonnée circonstancielle de temps se met au mode **indicatif** lorsque la subordonnée est introduite par les autres subordonnants de temps.

Ex. : *Sophie Rostopchine a oublié la Russie après qu' elle s'est installée à Paris.*
Sophie Rostopchine avait dix-sept ans quand elle est arrivée à Paris.

5.2 LE MODE DU VERBE DANS LA SUBORDONNÉE CIRCONSTANCIELLE DE BUT

- Le verbe de la subordonnée circonstancielle de but se met au mode **subjonctif**.

Ex. : *Je parlerai de la comtesse de Ségur afin que vous la connaissiez mieux.*

Pour appliquer *mes* connaissances lorsque *je* lis

Appliquer tes connaissances sur la subordonnée circonstancielle de temps ou de but en lecture suppose que tu es capable :

- de reconnaître la subordonnée circonstancielle de temps ou de but et d'identifier sa fonction dans la phrase ;
- d'identifier le rôle de la subordonnée circonstancielle de temps ou de but ainsi que le sens de son subordonnant.

Les deux blocs d'activités qui suivent te permettront de vérifier si tu maîtrises ces habiletés.

Lis le texte suivant qui décrit quelques événements de la vie de la comtesse de Ségur et qui précise, entre autres, **quand** et **pourquoi** ces événements se sont déroulés. Bien sûr, les connaissances que tu as acquises sur les subordonnées circonstancielles de temps ou de but t'aideront à comprendre ce texte.

La comtesse de Ségur

Sophie Rostopchine, la fille du comte Rostopchine, est née en 1799. Elle devint la comtesse de Ségur ① quand elle épousa le comte Eugène de Ségur, arrière-petit-fils du maréchal de France. ② Avant de se rendre en France avec sa famille en 1817, Sophie vivait dans un palais en Russie avec une centaine de domestiques et plus d'un millier de serfs*. Malgré la grande richesse de sa famille, elle fut élevée de manière très austère. Sophie couchait sur une simple paillasse posée sur une planche et n'avait qu'une seule couverture. Elle avait le droit de boire seulement pendant les repas. Aussi, de peur que ses parents la réprimandent, lorsqu'elle avait soif entre les repas, elle s'abreuvait à l'écuelle du chien. Le père de Sophie était pourtant très généreux et attentif aux envies de sa fille. ③ À la suite de son mariage, il lui donna cent mille francs ④ afin qu'elle s'achète le château de ses rêves en Basse-Normandie. ⑤ Après que la comtesse eut acheté son château, elle y emménagea avec son mari et son jeune fils Gaston.

* Personne qui est attachée à une terre et qui dépend d'un seigneur.

Un jour, dans son château, elle se mit à écrire une histoire qu'elle inventa au fur et à mesure. Cette histoire constitua son premier roman; elle l'intitula *Les petites filles modèles*. C'est huit ans plus tard, en 1866, qu'elle écrivit *Le mauvais génie*. Une quinzaine de ses romans avaient déjà été publiés ⑥ avant qu'elle écrive cette histoire.

JE RECONNAIS LA SUBORDONNÉE CIRCONSTANCIELLE DE TEMPS OU DE BUT ET J'IDENTIFIE SA FONCTION

1 A **TRANSCRIS** à double interligne la phrase du texte *La comtesse de Ségur* contenant la construction précédée du numéro ⑥, puis **APPLIQUE** les consignes suivantes.

- **SOULIGNE** le ou les verbes conjugués.
- **ENCERCLE** le ou les groupes du nom sujets (GNs).
- S'il y a lieu, **METS** entre parenthèses le ou les groupes compléments de phrase (Gcompl. P).
- **SURLIGNE** le ou les groupes du verbe (GV).
- S'il y a lieu, **ENCADRE** le subordonnant.

B Quelle est la fonction de la construction précédée du numéro ⑥ dans la phrase transcrite en A ?

C **TRANSCRIS** à double interligne la phrase contenant la construction précédée du numéro ②, puis **APPLIQUE** les consignes ci-dessus.

D Quelle est la fonction de la construction précédée du numéro ② dans la phrase transcrite en C ?

E Laquelle des constructions précédées des numéros ② et ⑥ est une subordonnée circonstancielle, et laquelle est un groupe prépositionnel (GPrép) contenant une phrase subordonnée infinitive (il s'agit d'une phrase subordonnée dont le GV a pour noyau un verbe à l'infinitif; dans cette subordonnée, le GNs n'est généralement pas exprimé)?

2 A Quelle est la fonction des constructions précédées des numéros ①, ③, ④ et ⑤ dans le texte *La comtesse de Ségur*?

B Parmi les constructions précédées des numéros ①, ③, ④ et ⑤, lesquelles sont des subordonnées circonstancielles ?

Ne **RELÈVE** que le numéro qui précède chacune des subordonnées circonstancielles.

C Une des phrases du texte contient deux subordonnées circonstancielles qui ne sont pas en couleur.

Transcris cette phrase, puis **délimite** la phrase matrice et les subordonnées circonstancielles à l'aide de crochets.

Ex. : [[*Avant qu'elle émigre à Paris*], *Sophie Rostopchine vivait en Russie.*]

Inscris le numéro ⑦ devant la première subordonnée circonstancielle que tu as délimitée, et le numéro ⑧ devant la deuxième. Tu te serviras de ces numéros pour classer les subordonnées dans certaines des activités qui suivent.

3 A **Classe** les quatre subordonnées circonstancielles en couleur dans le texte (pages 211-212) ainsi que celles que tu as numérotées en 2 C selon que leur GNs et le GNs de la phrase matrice dans laquelle elles sont insérées font référence :

ⓐ à la **même chose** ou à la **même personne**

ou :

ⓑ à une **chose** ou à une **personne différente**.

N'**inscris** que le numéro qui précède chacune des subordonnées circonstancielles.

B Parmi les subordonnées que tu as classées sous la lettre ⓐ ci-dessus, **relève** le numéro de celle dont le subordonnant exprime le même rapport de temps que l'une de ces prépositions : *après*, *avant de* ou *en attendant de*.

C **Récris** la phrase contenant la subordonnée circonstancielle relevée en B en remplaçant cette subordonnée par un GPrép contenant une phrase **subordonnée infinitive**.

Le GNs de la subordonnée circonstancielle ne doit pas être exprimé dans la subordonnée infinitive.

D Dans les phrases ci-dessous, qui sont extraites du texte, pourrait-on remplacer les subordonnées circonstancielles par des GPrép contenant une phrase **subordonnée infinitive** ? Pourquoi ?

afin de s'acheter le château de
À la suite de son mariage, il lui donna cent mille francs ④ afin qu'elle s'achète le château de
ses rêves en Basse-Normandie
ses rêves en Basse-Normandie.

avant d'écrire cette histoire
Une quinzaine de ses romans avaient déjà été publiés ⑥ avant qu'elle écrive cette histoire.

E **Récris** la phrase du texte qui contient la construction en couleur précédée du numéro ②, puis **remplace** cette construction par une subordonnée circonstancielle.

F Dans la phrase que tu as construite en E, le GNs de la subordonnée circonstancielle et le GNs de la phrase matrice font-ils référence :

ⓐ à la **même chose** ou à la **même personne**

ou :

ⓑ à une **chose** ou à une **personne différente** ?

J'IDENTIFIE LE RÔLE DE LA SUBORDONNÉE CIRCONSTANCIELLE DE TEMPS OU DE BUT ET LE SENS DE SON SUBORDONNANT

4 **CLASSE** les subordonnées circonstancielles ①, ④, ⑤ et ⑥ du texte *La comtesse de Ségur* (pages 211-212) ainsi que les subordonnées ⑦ et ⑧ que tu as numérotées en **2** **C** selon qu'elles sont :

ⓐ des subordonnées circonstancielles de temps

ou :

ⓑ des subordonnées circonstancielles de but.

N'**INSCRIS** que le numéro qui précède chacune des subordonnées circonstancielles.

5 Les faits suivants ont été notés dans l'ordre où ils apparaissent dans le texte *La comtesse de Ségur*. **CLASSE**-les en ordre chronologique.

N'**INSCRIS** que le numéro qui précède chacun des faits. Si deux faits ont eu lieu en même temps, **ENCERCLE** les numéros dans un plus grand cercle. **Ex.** : (⑪ ⑫).

① *Sophie devint la comtesse de Ségur.*

② *Sophie épousa le comte Eugène de Ségur.*

③ *En 1817, Sophie s'est rendue avec sa famille en France.*

④ *Sophie vivait dans un palais en Russie.*

⑤ *Le père de Sophie lui donna cent mille francs.*

⑥ *Sophie s'acheta un château en Basse-Normandie.*

⑦ *Sophie emménagea en Basse-Normandie avec son fils Gaston et son mari.*

⑧ *La comtesse de Ségur écrivit son premier roman :* Les petites filles modèles.

⑨ *En 1866, elle écrivit* Le mauvais génie.

⑩ *Une quinzaine des romans de la comtesse de Ségur ont été publiés.*

6 **A** Dans la paire de phrases suivante, **INDIQUE**, en tenant compte du texte, quelle phrase exprime le but de ce qui est dit dans l'autre phrase et **PRÉCISE** si ce but est voulu ou non voulu.

① *Le père de Sophie lui donne cent mille francs.*

② *Sophie s'achète le château de ses rêves.*

B **RELÈVE** le subordonnant introduisant la subordonnée circonstancielle de but dans la phrase ci-dessous, puis **INDIQUE** si le but exprimé dans cette subordonnée circonstancielle est voulu ou non voulu.

Aussi, de peur que ses parents la réprimandent, lorsqu'elle avait soif entre les repas, elle s'abreuvait à l'écuelle du chien.

7 Les phrases qui figurent en noir dans l'encadré ci-dessous rendent compte de certains faits concernant la comtesse de Ségur. Au-dessus de chacune de ces phrases, on trouve une ou deux questions qu'une personne a notées afin d'obtenir des précisions sur les faits exprimés dans ces phrases. **LIS** ces phrases et les questions qui figurent au-dessus.

① Quel est son prénom?

S. Rostopchine est née en 1799.

② Quand?

Elle est devenue la comtesse de Ségur.

③ Où? ④ À quel moment?

Elle vivait dans un palais.

⑤ À quel moment? ⑥ Dans quel but?

La comtesse de Ségur s'est déjà abreuvée à l'écuelle d'un chien.

⑦ Dans quel but?

Après le mariage de la comtesse, son père lui a offert cent mille francs.

⑧ Où?

La comtesse a acheté un château.

⑨ À quel moment?

Elle a déménagé en Normandie avec son mari et leur fils Gaston.

⑩ Avant ou après Le mauvais génie?

Elle a écrit Le mauvais génie *et quinze autres romans.*

A **VÉRIFIE** maintenant ta compréhension générale du texte *La comtesse de Ségur* (pages 211-212) en répondant aux dix questions notées dans l'encadré ci-dessus. Lorsque cela est possible, **RÉPONDS** à l'aide d'une phrase contenant une subordonnée circonstancielle.

B Pour chacune des subordonnées circonstancielles que tu as employées en **A**, **INDIQUE** s'il s'agit d'une subordonnée circonstancielle de temps ou de but.

Pour appliquer *mes* connaissances lorsque *j'écris*

Appliquer tes connaissances sur la subordonnée circonstancielle de temps ou de but en écriture suppose que tu es capable :

- d'employer la subordonnée circonstancielle de temps ou de but, c'est-à-dire :
  – de construire une phrase avec subordonnée circonstancielle de temps ou de but,
  – de choisir le mode du verbe dans la subordonnée circonstancielle de temps ou de but en fonction du sens du subordonnant,

  et d'en évaluer l'emploi dans un texte;
- d'évaluer l'emploi de la subordonnée circonstancielle de temps ou de but dans tes propres textes.

Les deux blocs d'activités qui suivent te permettront de vérifier si tu maîtrises ces habiletés.

J'EMPLOIE LA SUBORDONNÉE CIRCONSTANCIELLE DE TEMPS OU DE BUT ET J'ÉVALUE SON EMPLOI DANS LE TEXTE

1 Il existe plus d'une façon de construire une phrase avec subordonnée. Parmi les phrases ci-dessous, **RELÈVE** le numéro de celles qui sont bien construites.

① *Pour que ses enfants et ses petits-enfants s'amusent Sophie leur racontait des histoires.*

② *Pour que ses enfants et ses petits-enfants s'amusent, Sophie leur racontait des histoires.*

③ *Sophie racontait des histoires à ses enfants et à ses petits-enfants. Pour qu'ils s'amusent.*

④ *Sophie racontait des histoires à ses enfants et à ses petits-enfants pour qu'ils s'amusent.*

2 A **RELÈVE** le subordonnant qui introduit la subordonnée circonstancielle dans chacune des phrases suivantes et **PRÉCISE** s'il s'agit d'un subordonnant de temps ou de but.

① *Quand Sophie (naît, naisse), la Russie est le seul pays d'Europe dirigé par un chef ayant le pouvoir absolu.* ② *Les parents de Sophie avaient déjà deux enfants, Serge et Nathalie, avant que Sophie (naît, naisse).* ③ *Après que Sophie (est, soit) née, ses parents ont une troisième fille, Lise.* ④ *De peur que Lise (meurt, meure) de la petite vérole, sa mère demande au médecin de lui faire un vaccin dès sa naissance.* ⑤ *Sophie, qui a alors sept ans, joue du piano pour que sa sœur, très malade, (peut, puisse) s'endormir.*

B **CHOISIS** le verbe entre parenthèses au mode (indicatif ou subjonctif) qui convient pour chacune des subordonnées circonstancielles données en A.

3 A Dans les cinq phrases ci-dessous, quatre des constructions en couleur peuvent être remplacées par une subordonnée circonstancielle.

IDENTIFIE les quatre phrases dans lesquelles ce remplacement est possible, puis **RÉCRIS**-les en remplaçant les constructions en couleur par une subordonnée circonstancielle de temps ou de but. Le sens des phrases doit rester le même.

ÉCRIS tes phrases à double interligne.

① Toute petite, Sophie disait des choses drôles; son but était que son père rie aux éclats. ② À l'annonce d'une bonne nouvelle, le père de Sophie avait l'habitude de rire, de sauter et d'embrasser sa femme. ③ Après la guerre entre la France et la Russie, le comte Rostopchine met le feu à son château. ④ Le comte Rostopchine libère ses serfs, ses chevaux et ses oiseaux: il a peur qu'ils périssent dans l'incendie. ⑤ Afin de gagner la bataille contre la France, le comte Rostopchine a dû sacrifier sa ville.

B **APPLIQUE** les consignes de la stratégie de révision de texte ci-dessous aux phrases que tu as construites en A.

J'ÉCRIS UN TEXTE ET J'ÉVALUE L'EMPLOI DE LA SUBORDONNÉE CIRCONSTANCIELLE DE TEMPS OU DE BUT DANS MON TEXTE

Voici une stratégie de révision de texte qui t'amènera à t'interroger sur l'emploi de la subordonnée circonstancielle de temps ou de but dans tes textes.

J'ÉVALUE L'EMPLOI DE LA SUBORDONNÉE CIRCONSTANCIELLE DE TEMPS OU DE BUT

❶ **REPÈRE** un subordonnant de temps ou de but, puis **ENCADRE**-le

❷ Dans la phrase qui contient le subordonnant de temps ou de but:

- **SOULIGNE** les verbes conjugués;
- **ENCERCLE** les groupes du nom sujets (GNs);
- **METS** entre parenthèses le ou les groupes compléments de phrase (Gcompl. P);
- **SURLIGNE** les groupes du verbe (GV).

❸ **DÉLIMITE** la subordonnée circonstancielle et la phrase matrice dans laquelle elle est insérée à l'aide de crochets.

Ex.: [[(*Avant qu' elle émigre à Paris*], *Sophie Rostopchine vivait en Russie.*]

❹ Si la subordonnée circonstancielle n'est pas insérée dans une phrase matrice, **TROUVE** la phrase dans laquelle elle pourrait être un groupe complément de phrase (Gcompl. P) et **INSÈRE**-la dans cette phrase.

Ex.: *Sophie Rostopchine vivait en Russie. a Avant qu' elle émigre à Paris.*

❺ **ÉVALUE** le sens du subordonnant dans la phrase et **VÉRIFIE** le mode du verbe dans la subordonnée circonstancielle de temps ou de but. S'il y a lieu, **FAIS** les corrections nécessaires.

❻ **VÉRIFIE** si la subordonnée circonstancielle est déplacée en début de phrase ou ailleurs dans la phrase et, si c'est le cas, **MARQUE** ce déplacement à l'aide de la virgule.

Activité de révision

LIS le texte ci-dessous et **OBSERVE** les annotations qui ont été faites en exemple sur la première phrase. **APPLIQUE** ensuite la stratégie de révision de texte ci-avant pour corriger la suite du texte.

Attention ! Erreurs.

Sophie Rostopchine était la fille du comte Rostopchine, ancien gouverneur de Moscou. [(En 1812), [quand (la guerre) a éclaté entre la France et la Russie], (son père) a été le protecteur des Moscovites.] (À cette époque, la France était gouvernée par Napoléon, et la Russie, par Alexandre Ier.) Avant même que Napoléon entre en Russie avec son armée. Rostopchine a fait évacuer les villages de leurs habitants. Il a aussi détruit toutes les provisions dans ces villages afin que les troupes de Napoléon ne peuvent se ravitailler. Quand l'armée est finalement arrivée à Moscou elle a vu la ville s'enflammer et le ciel se colorer de rouge. Rostopchine avait incendié sa ville. Pour que Napoléon et ses troupes ne s'enrichissent pas des biens des Moscovites.

Activité d'écriture

Mise en situation

IMAGINE que tu es célèbre et qu'un éditeur te propose de publier ton autobiographie, c'est-à-dire un ouvrage retraçant les événements marquants de ta vie.

Contraintes d'écriture

- **COMPOSE** le résumé qui apparaîtrait sur la quatrième de couverture de ton autobiographie.
- **ÉCRIS** ton texte à double interligne.
- **EMPLOIE** au moins trois subordonnées circonstancielles de temps et deux subordonnées circonstancielles de but.

Étape de révision

VÉRIFIE d'abord si tu as bien respecté les contraintes d'écriture, puis **RÉVISE** ton texte à l'aide de la stratégie de révision de texte J'ÉVALUE L'EMPLOI DE LA SUBORDONNÉE CIRCONSTANCIELLE DE TEMPS OU DE BUT (pages 217-218).

Atelier

LA JUXTAPOSITION ET LA COORDINATION

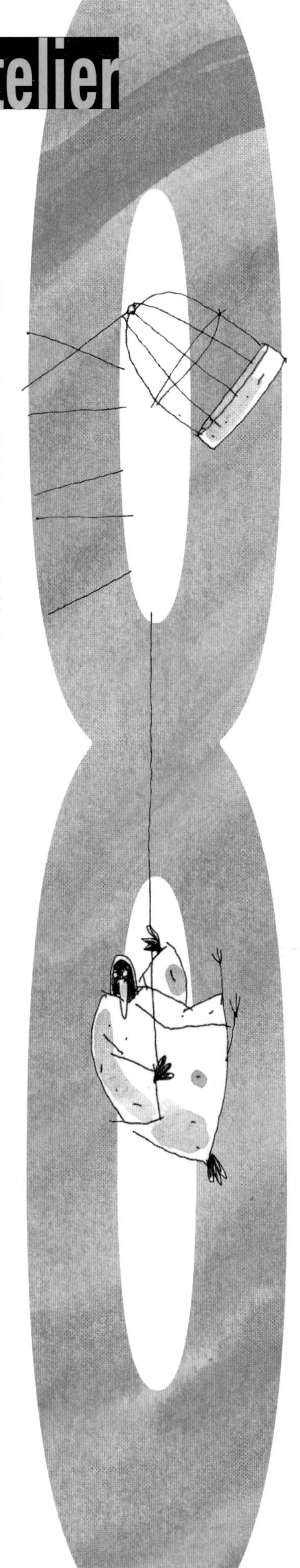

La jonction d'éléments par coordination et par juxtaposition

La construction des éléments coordonnés et des éléments juxtaposés

J'ai pensé à un requin, mais ce n'était pas ça, heureusement. Quoique…

Chrystine Brouillet

j'observe et je découvre

Lis cet extrait d'un roman de Chrystine Brouillet, une romancière québécoise très populaire auprès des jeunes.

Texte d'observation

Une plage trop chaude

Natasha et son cousin Pierre passent les vacances de Noël chez leurs grands-parents en Floride. Natasha raconte un événement dont elle et son cousin ont été témoins alors qu'ils se trouvaient sur la plage.

① Je courais derrière mon cousin [...] quand on a entendu un grand cri.

Le cri affolé d'une femme, puis d'un homme, puis d'un tas de gens.

J'ai pensé à un requin, mais ce n'était pas ça, heureusement. Quoique... C'était un garçon d'une douzaine d'années qui était en train de se noyer ! Tout le monde hurlait, mais personne n'allait lui porter secours. [...]

Pierre s'est approché en courant, mais un grand type l'avait devancé et nageait maintenant avec force vers l'adolescent qui, lui, ne criait plus du tout au secours. Pendant ce temps, la foule sur la plage grossissait, s'agglutinait comme si c'était un joli spectacle !

Le type a réussi à lui attraper un bras, puis l'a soulevé par les épaules et lui a enfin maintenu la tête hors de l'eau. Évidemment, c'est à ce moment qu'une vague a décidé de les repousser vers le large, et tout le monde a hurlé de nouveau ! ② Les gardiens de la plage, qui s'étaient jetés à l'eau à la suite du grand type, ont été entraînés à leur tour au loin. Et pendant un instant, on a perdu de vue la tête noire du sauveteur et celle de la victime.

Puis, soudain, une autre vague, et voilà qu'ils revenaient vers nous ! Le Noir avait un style ! Il devait être champion de natation, avançant comme s'il était à peine embarrassé de tirer un corps inanimé ! Quand il s'est redressé en portant l'adolescent, il a dit: «Vite, il respire encore ! »

Pierre s'est précipité pour faire le bouche-à-bouche. ③ Je ne savais pas que mon cousin avait des notions de secourisme [...]! ④ Le Noir l'a relayé un moment, puis l'adolescent a remué faiblement. Les gens ont crié bravo, bravo, et j'avais la gorge serrée.

Pierre revenait vers nous avec un grand sourire; ce serait son meilleur souvenir de la journée [...]. [Il m'a] présenté le sauveteur, Dan, qui souriait, lui aussi. Et qui avait l'air triste en même temps. ⑤ Je me suis demandé pourquoi, mais je ne pouvais pas lui en parler, je ne le connaissais pas. Pourtant, j'aurais été super contente et super fière à sa place !

Chrystine Brouillet, *Une plage trop chaude*, © La courte échelle, 1991.

En première secondaire, et dans les ateliers 5, 6 et 7, tu as appris comment insérer une phrase dans une autre, c'est-à-dire comment joindre une phrase à une autre par subordination. Dans cet atelier, tu étudieras deux autres façons de joindre des phrases: la coordination et la juxtaposition. Tu observeras aussi que la coordination et la juxtaposition peuvent servir à joindre d'autres éléments que des phrases et tu découvriras les principales règles liées à la coordination et à la juxtaposition d'éléments.

J'OBSERVE...

LA COORDINATION ET LA JUXTAPOSITION	
LA JONCTION D'ÉLÉMENTS PAR COORDINATION ET PAR JUXTAPOSITION	•
LE RAPPORT DE SENS ENTRE LES ÉLÉMENTS COORDONNÉS ET ENTRE LES ÉLÉMENTS JUXTAPOSÉS	
LA CONSTRUCTION DES ÉLÉMENTS COORDONNÉS ET DES ÉLÉMENTS JUXTAPOSÉS	

LA JONCTION D'ÉLÉMENTS PAR COORDINATION ET PAR JUXTAPOSITION

1 **A** Les cinq phrases numérotées dans le texte d'observation *Une plage trop chaude* contiennent plus d'une construction comparable à celle de la PHRASE DE BASE.

TRANSCRIS les phrases ① à ⑤ à double interligne, puis **IDENTIFIE** les groupes constituants qu'elles contiennent:

- **SOULIGNE** les verbes conjugués;

- **ENCERCLE** les groupes du nom sujets (GNs);
- **METS** entre parenthèses le ou les groupes compléments de phrase (Gcompl. P) s'il y a lieu;
- **SURLIGNE** les groupes du verbe (GV).

Si un GV est contenu dans un autre GV, **SURLIGNE**-le d'une couleur différente.

B **OBSERVE** le fonctionnement des constructions en couleur dans les phrases ① à ⑤, puis **INDIQUE** si la construction en couleur a les caractéristiques énoncées dans la colonne **A** ou dans la colonne **B** du tableau ci-dessous.

INSCRIS la lettre **A** ou **B** au-dessus de chacune des constructions en couleur.

A	B
La construction en couleur: • **dépend d'un élément** (un mot ou un regroupement GNs + GV) dans le reste de la phrase; • **a une fonction** (complément du nom, complément du verbe, complément de phrase, etc.).	La construction en couleur: • **ne dépend pas d'un élément** dans le reste de la phrase; • **n'a pas de fonction.**

C Les observations que tu as faites jusqu'à maintenant devraient te permettre de reconnaître les **phrases subordonnées** (circonstancielle, relative ou complétive) contenues dans certaines des phrases numérotées du texte d'observation.

RELÈVE le numéro des phrases contenant une phrase subordonnée.

D Dans les phrases transcrites en **A**:

- **METS** entre crochets chacune des constructions que l'on peut comparer à celle de la PHRASE DE BASE;
- **ENCADRE** le marqueur de relation qui sert à joindre la construction en couleur dans le texte à l'autre construction comparable à celle de la PHRASE DE BASE.

Ex.: [*Natasha raconte un événement* [*dont* *elle a été témoin*].]
[*Natasha a été témoin d'un événement*] *et* [*elle en fait le récit*].

E Dans les phrases ① à ⑤, les constructions en couleur qui ne sont pas des phrases subordonnées sont des **phrases juxtaposées** ou **coordonnées**.

Si la phrase est jointe à une autre à l'aide d'un **signe de ponctuation** seul, il s'agit d'une **phrase juxtaposée**; si la phrase est jointe à une autre à l'aide d'un **marqueur de relation**, il s'agit d'une **phrase coordonnée**. On appelle ***coordonnant*** le marqueur de relation qui sert à coordonner deux phrases.

Dans les phrases ④ et ⑤, **OBSERVE** la place du coordonnant. Fait-il partie de l'une ou l'autre des phrases qu'il coordonne?

car : mais : et

2 **A** Jusqu'à maintenant, tu as observé que la coordination et la juxtaposition permettaient de joindre des phrases. **OBSERVE** les éléments coordonnés ou juxtaposés dans les phrases ci-dessous, puis **PRÉCISE** s'il s'agit de <u>phrases</u>, de <u>groupes de mots</u> ou de <u>mots</u>.

① *Natasha* [et] *son cousin* ***s'amusent sur la plage.***

② ***Ils entendent le cri affolé*** *d'une femme,* [puis] *d'un homme,* [puis] *d'un tas de gens.*

③ *Il ne s'agissait pas d'un requin* [:] *c'était un adolescent qui était en train de se noyer.*

④ *Une* [ou] *deux* ***minutes plus tard, l'adolescent inanimé est déposé sur la plage.***

B S'il y a lieu, **DÉTERMINE** la <u>fonction</u> des éléments coordonnés ou juxtaposés dans les phrases ① à ④ et **PRÉCISE** si ces éléments ont la <u>même fonction</u> dans la phrase.

J'AI DÉCOUVERT...

LA JONCTION D'ÉLÉMENTS PAR COORDINATION ET PAR JUXTAPOSITION

On peut joindre une phrase à une autre :

- par **subordination**;
  Par exemple, pour former la phrase ci-dessous, on a inséré la phrase *Il se débattait* dans la phrase *L'adolescent criait au secours* à l'aide du subordonnant ✎.

  L'adolescent qui se débattait criait au secours.

- par **coordination**;
  Par exemple, pour former la phrase ci-dessous, on a joint la phrase ✎ à la phrase ✎ à l'aide du coordonnant ✎.

  L'adolescent criait au secours et il se débattait.

- par **juxtaposition**.
  Par exemple, pour former la phrase ci-dessous, on a joint la phrase ✎ à la phrase ✎ à l'aide d'un ✎.

  L'adolescent criait au secours, il se débattait.

Contrairement à la **phrase subordonnée**, la **phrase coordonnée** ou **juxtaposée** ne ✎ pas d'un élément de la phrase à laquelle elle est jointe et n'a pas de ✎.

La coordination et la juxtaposition permettent de joindre des phrases, mais aussi des ✎ et des ✎.
Les éléments coordonnés ou juxtaposés :

- ont la même ✎ dans la phrase,
- ou n'ont pas de ✎ dans la phrase, mais sont de la même «catégorie», comme des phrases, ou de la même classe grammaticale, comme des déterminants.

mais

car ou et

3 **OBSERVE** la présence ou l'absence de la virgule devant les coordonnants encadrés dans le texte d'observation (pages 220-221) et dans les phrases ci-dessous, puis **COMPLÈTE** l'encadré *Je remarque...* ci-après.

On voyait la tête du sauveteur [et] *celle de l'adolescent.*

On a aperçu la tête du sauveteur, [puis] *celle de l'adolescent.*

On ne voyait pas la tête du sauveteur [ni] *celle de l'adolescent.*

Était-ce la tête du sauveteur [ou] *celle de l'adolescent ?*

Tout le monde hurlait, [mais] *personne n'allait porter secours à l'adolescent.*

Tout le monde hurlait, [car] *personne n'allait porter secours à l'adolescent.*

Personne n'allait porter secours à l'adolescent, [donc] *tout le monde hurlait.*

JE REMARQUE...

LA VIRGULE ACCOMPAGNANT LE COORDONNANT

Généralement, les coordonnants autres que ✎, ✎, ✎ sont précédés d'une **virgule**.

J'OBSERVE...

LA COORDINATION ET LA JUXTAPOSITION	
LA JONCTION D'ÉLÉMENTS PAR COORDINATION ET PAR JUXTAPOSITION	✔
LE RAPPORT DE SENS ENTRE LES ÉLÉMENTS COORDONNÉS ET ENTRE LES ÉLÉMENTS JUXTAPOSÉS	●
LA CONSTRUCTION DES ÉLÉMENTS COORDONNÉS ET DES ÉLÉMENTS JUXTAPOSÉS	

LE RAPPORT DE SENS ENTRE LES ÉLÉMENTS COORDONNÉS ET ENTRE LES ÉLÉMENTS JUXTAPOSÉS

1 **A** Voici un extrait du texte d'observation *Une plage trop chaude* (pages 220-221).

Je courais derrière mon cousin [...] quand on a entendu un grand cri.

[...] J'ai pensé à un requin, mais ce n'était pas ça, heureusement. Quoique... C'était un garçon d'une douzaine d'années qui était en train de se noyer ! Tout le monde hurlait, mais personne n'allait lui porter secours.

Le rapport de sens entre les phrases en couleur aurait-il été aussi précis si l'auteure avait séparé ces phrases par un point au lieu de les joindre à l'aide du coordonnant *mais* ?

B Les phrases ⓐ et ⓑ ci-dessous ont-elles le même sens ?

ⓐ *Tout le monde hurlait, mais personne n'allait porter secours à l'adolescent.*

ⓑ *Tout le monde hurlait, car personne n'allait porter secours à l'adolescent.*

C Dans les deux phrases données en **B**, qu'est-ce qui permet d'exprimer le rapport de sens entre les éléments coordonnés ?

2 **A** Les phrases ⓐ et ⓑ ci-dessous ont-elles le <u>même sens</u> ?

ⓐ *Tout le monde hurlait,* *et* *personne n'allait porter secours à l'adolescent.*

ⓑ *Tout le monde hurlait,* *mais* *personne n'allait porter secours à l'adolescent.*

B Dans les deux phrases données en **A**, **RELÈVE** le <u>coordonnant</u> qui indique le mieux que ce qui est exprimé dans le deuxième élément coordonné <u>s'oppose</u> à ce qui est exprimé dans le premier.

C Dans la phrase ① ci-dessous, les éléments coordonnées s'opposent-ils sur le plan du sens ? Et dans la phrase ② ?

① *Natasha prépare un pique-nique,* *et* *son cousin l'aide.*

② *Natasha prépare un pique-nique,* *mais* *son cousin ne l'aide pas.*

3 **A** Les phrases ① et ② ci-dessous ont-elles le <u>même sens</u> ? **EXPLIQUE**.

① *Ils iront pique-niquer,* *puis* *ils rendront visite à leur tante.*

② *Ils rendront visite à leur tante,* *puis* *ils iront pique-niquer.*

B Dans les phrases ci-dessous, **RELÈVE** le <u>coordonnant</u> qui permet de préciser que ce qui est exprimé dans le deuxième élément coordonné <u>a lieu après</u> ce qui est exprimé dans le premier.

Ils iront pique-niquer *et* *ils rendront visite à leur tante.*

Ils iront pique-niquer, *puis* *ils rendront visite à leur tante.*

4 Les phrases ① et ② ci-dessous ont-elles le <u>même sens</u> ? **EXPLIQUE**.

① *Ils iront pique-niquer* *et* *ils rendront visite à leur tante.*

② *Ils iront pique-niquer* *ou* *ils rendront visite à leur tante.*

5 Parmi les phrases ci-après, **RELÈVE** le numéro de celle qui a le <u>même sens</u> que la phrase suivante :
Ils n'iront pas pique-niquer *ni* *ne rendront visite à leur tante.*

① *Ils iront pique-niquer* *et* *ne rendront pas visite à leur tante.*

② *Ils n'iront pas pique-niquer* *et* *rendront visite à leur tante.*

③ *Ils n'iront pas pique-niquer* *et* *ne rendront pas visite à leur tante.*

6 Dans les phrases ci-dessous, **RELÈVE** le ou les <u>coordonnants</u> qui permettent de préciser que ce qui est exprimé dans le deuxième élément coordonné :

ⓐ est la <u>cause</u> de ce qui est exprimé dans le premier élément coordonné ;

ⓑ est la <u>conséquence</u> de ce qui est exprimé dans le premier élément coordonné.

Il pleut, donc ils n'iront pas pique-niquer.
Ils n'iront pas pique-niquer, car il pleut.
Leur tante est absente aujourd'hui, alors ils iront lui rendre visite demain.
Ils iront rendre visite à leur tante demain, car elle est absente aujourd'hui.

7 **A** Dans le texte d'observation (pages 220-221), la phrase ⑤ contient une juxtaposition :

Je me suis demandé pourquoi, mais je ne pouvais pas lui en parler , je ne le connaissais pas.

Le rapport de sens qui existe entre les éléments juxtaposés n'est pas précisé par un coordonnant. Parmi les coordonnants suivants, lequel pourrait préciser le rapport de sens qui existe entre ces éléments juxtaposés ?

et — puis — ou — ni — mais — car — donc

B Comment peut-on interpréter l'élément juxtaposé qui suit la virgule dans la phrase ⑤ du texte d'observation : comme une <u>addition</u>, une <u>succession</u>, un <u>choix</u>, une <u>opposition</u>, une <u>cause</u>, une <u>conséquence</u> ?

C Qu'est-ce qui t'a permis de répondre en **B** : <u>le sens des éléments juxtaposés</u> ou le <u>signe de ponctuation</u> qui sert à les joindre ?

J'AI DÉCOUVERT...

LE RAPPORT DE SENS ENTRE LES ÉLÉMENTS COORDONNÉS ET ENTRE LES ÉLÉMENTS JUXTAPOSÉS

La coordination et la juxtaposition sont utiles, entre autres, pour établir un **rapport de sens** entre divers éléments.

nos 1 à 6

Dans la **coordination**, le ✎ exprime ou précise le rapport de sens qui existe entre les éléments coordonnés. Selon le sens du ✎, on peut interpréter l'élément qui le suit comme une addition (EX. : *Elle écrira à son père et à sa mère*), une succession (EX. : *Elle écrira à son père, puis à sa mère*), un choix ou une alternative (EX. : *Elle écrira à son père ou à sa mère*), une exclusion (EX. : *Elle n'écrira pas à son père ni à sa mère*), une opposition (EX. : *Elle n'écrira pas à ses parents, mais elle leur téléphonera*), une cause (EX. : *Elle les rappellera, car ils sont absents*), etc.

Dans la **juxtaposition**, c'est souvent le ✎ des éléments juxtaposés qui permet de comprendre le **rapport de sens** qui existe entre eux.

J'OBSERVE...

LA COORDINATION ET LA JUXTAPOSITION	
LA JONCTION D'ÉLÉMENTS PAR COORDINATION ET PAR JUXTAPOSITION	✔
LE RAPPORT DE SENS ENTRE LES ÉLÉMENTS COORDONNÉS ET ENTRE LES ÉLÉMENTS JUXTAPOSÉS	✔
LA CONSTRUCTION DES ÉLÉMENTS COORDONNÉS ET DES ÉLÉMENTS JUXTAPOSÉS	●

LA CONSTRUCTION DES ÉLÉMENTS COORDONNÉS ET DES ÉLÉMENTS JUXTAPOSÉS

1 A **Lis** les trois phrases ci-dessous.

ⓐ *Le type a réussi à lui attraper un bras.* ⓑ *Le type l'a soulevé par les épaules.* ⓒ *Le type lui a enfin maintenu la tête hors de l'eau.*

Dans le texte d'observation (pages 220-221), les phrases correspondant aux phrases ⓐ, ⓑ et ⓒ ci-dessus sont jointes à l'aide de coordonnants, ce qui permet d'établir, de façon claire, un rapport de sens entre ces phrases.

Le type a réussi à lui attraper un bras, **puis** *l'a soulevé par les épaules* **et** *lui a enfin maintenu la tête hors de l'eau.*

Compare la construction des phrases ⓐ, ⓑ et ⓒ à la construction de ces mêmes phrases lorsqu'elles sont coordonnées. Qu'est-ce que la coordination de ces phrases permet d'éviter ?

B **Relève** les groupes de mots qui se répètent dans les phrases ⓐ et ⓑ ci-dessous.

ⓐ *Pendant ce temps, la foule sur la plage grossissait comme si c'était un joli spectacle !*

ⓑ *Pendant ce temps, la foule sur la plage s'agglutinait comme si c'était un joli spectacle !*

C **Compare** les phrases ⓐ et ⓑ données en B à la phrase ci-dessous, tirée du texte d'observation.

*Pendant ce temps, la foule sur la plage grossissait***,** *s'agglutinait comme si c'était un joli spectacle* **!**

Les groupes de mots relevés en B se répètent-ils lorsque les phrases sont juxtaposées à l'aide d'une virgule ?

2 A **OBSERVE** les répétitions dans les séries de phrases ①, ② et ③ ci-dessous (le ou les **mots** ou **groupes de mots qui se répètent** dans ces phrases sont en gras).

① ***Natasha*** *ira à la plage* **et** ***Natasha*** *s'arrêtera au marché en revenant.*
Natasha ira à la plage **et** *s'arrêtera au marché en revenant.*
Natasha ira à la plage **et** *elle s'arrêtera au marché en revenant.*

② *Natasha* ***ira*** *à la plage* **et** *son cousin* ***ira*** *au marché.*
Natasha ira à la plage **et** *son cousin au marché.*

③ ***Natasha*** *rejoindra* ***son cousin*** *à la plage,* **puis** ***Natasha*** *accompagnera* ***son cousin*** *au marché.*
Natasha rejoindra ***son cousin*** *à la plage,* **puis** *accompagnera* ***son cousin*** *au marché.*
Natasha rejoindra son cousin à la plage, **puis** *elle l'accompagnera au marché.*

Que deviennent le ou les **mots** ou **groupes de mots qui se répètent** dans la ou les dernières phrases de chaque série ?

B Chacune des phrases données en A est formée de deux phrases coordonnées. Dans quelle phrase coordonnée le **mot** ou **groupe de mots qui se répète** est-il supprimé ou remplacé par un pronom : dans la première phrase coordonnée ou dans la seconde ?

C Chacune des phrases ci-dessous est formée de deux phrases coordonnées par un coordonnant autre que *et* ou *puis*, ou de deux phrases juxtaposées. **OBSERVE** les répétitions dans les séries de phrases ① à ④ (le ou les **mots** ou **groupes de mots qui se répètent** dans ces phrases sont en gras).

① ***Natasha*** *ira à la plage,* **donc** ***Natasha*** *apporte son maillot de bain.*
* *Natasha ira à la plage,* **donc** *apporte son maillot de bain.*
Natasha ira à la plage, **donc** *elle apporte son maillot de bain.*

② ***Natasha*** *rejoindra* ***son cousin*** *à la plage,* **mais** ***Natasha*** *n'accompagnera pas* ***son cousin*** *au marché.*
Natasha rejoindra ***son cousin*** *à la plage,* **mais** *n'accompagnera pas* ***son cousin*** *au marché.*
Natasha rejoindra son cousin à la plage, **mais** *elle ne l'accompagnera pas au marché.*

③ ***Natasha*** *est déjà revenue* **:** ***Natasha*** *a oublié son maillot de bain.*
* *Natasha est déjà revenue* **:** *a oublié son maillot de bain.*
Natasha est déjà revenue **:** *elle a oublié son maillot de bain.*

④ *Natasha* ***ira*** *à la plage* **,** *son cousin* ***ira*** *au marché.*
Natasha ira à la plage **,** *son cousin au marché.*

Peut-on toujours supprimer les **mots** ou **groupes de mots qui se répètent** dans des phrases coordonnées par un coordonnant autre que *et* ou *puis* et dans des phrases juxtaposées ? Peut-on remplacer ces **mots** ou **groupes de mots** par un pronom quand il ne s'agit pas d'un verbe ?

3 Lorsque des phrases coordonnées par *et* ou *puis* ont un groupe du nom sujet (GNs) en commun et qu'un **groupe de mots** se répète dans le groupe du verbe (GV), on peut, à certaines **conditions**, supprimer ce **groupe de mots** dans le GV de la première phrase coordonnée.

A **COMPARE** les phrases grammaticales ci-dessous à la phrase agrammaticale. À quelle condition peut-on supprimer un **groupe de mots** dans le GV de la première phrase coordonnée ?

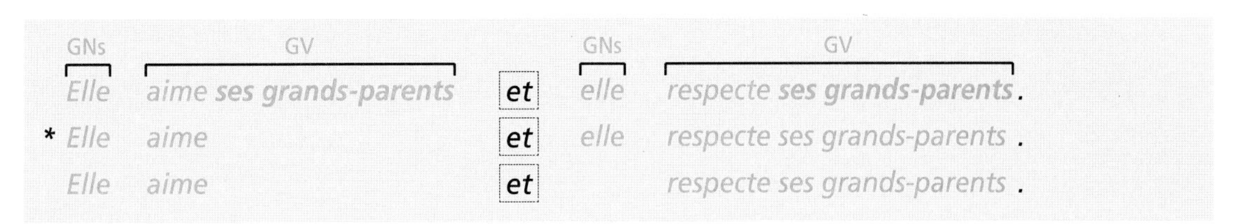

B Les **groupes de mots** en gras dans le GV de la phrase ① ci-dessous ont-ils la même fonction ? Et ceux de la phrase ② ?

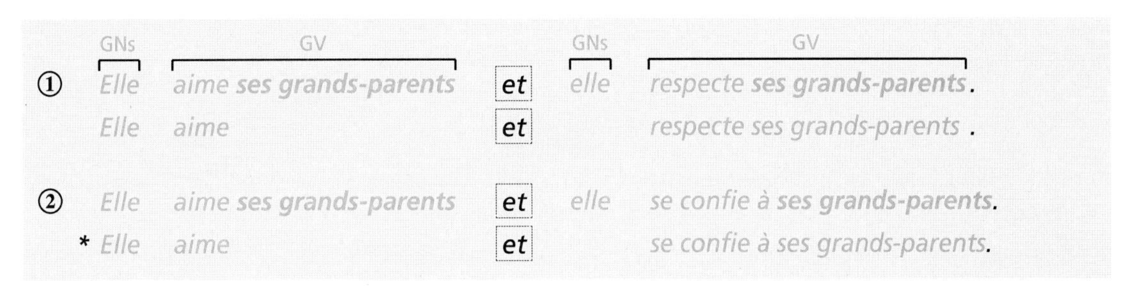

C **COMPARE** la phrase ② donnée en **B** à la phrase agrammaticale qui la suit. Quelle autre condition doit-on respecter pour supprimer un **groupe de mots** dans le GV de la première phrase coordonnée ?

TIENS compte de tes observations en **B** pour répondre à la question.

D Les groupes de mots en gras dans les phrases ci-dessous sont des **groupes prépositionnels** (GPrép) ayant la même fonction (celle de complément indirect du verbe). Quelle différence observes-tu dans la construction de ces **GPrép** ?

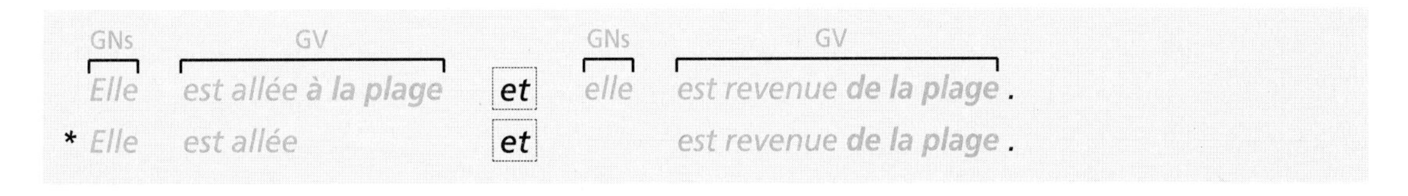

E **COMPARE** la phrase grammaticale donnée en **D** à la phrase agrammaticale qui la suit. Quelle condition doit-on respecter pour supprimer un **GPrép** dans le GV de la première phrase coordonnée ?

TIENS compte de tes observations en **D** pour répondre à la question.

J'AI DÉCOUVERT...

LA CONSTRUCTION DES ÉLÉMENTS COORDONNÉS ET DES ÉLÉMENTS JUXTAPOSÉS

La coordination et la juxtaposition de phrases, en plus de permettre d'établir un rapport de sens entre les phrases, permet parfois d'éviter la ___ d'un ou de plusieurs mots ou groupes de mots.

Certains mots ou groupes de mots qui se répètent dans deux phrases coordonnées par ___ ou par ___ peuvent, dans la seconde phrase coordonnée :

- être ___

ou :

- être ___ par un ___.

Lorsque les phrases coordonnées ont un groupe du nom sujet (GNs) en commun, il est possible de supprimer dans la première phrase un groupe de mots qui se répète dans le groupe du verbe (GV), à condition :

- que le ___ de la seconde phrase soit supprimé ;
- que le groupe de mots supprimé dans le GV de la première phrase coordonnée ait la même ___ que le groupe de mots non supprimé dans le GV de la seconde phrase coordonnée. De plus, s'il s'agit de groupes prépositionnels (GPrép), ils doivent commencer par la même ___.

4 **COMPARE** les phrases grammaticales qui suivent aux phrases agrammaticales en observant la présence ou l'absence de la préposition (ou du déterminant contracté, qui inclut une préposition) au début des éléments coordonnés ou juxtaposés, puis **COMPLÈTE** l'encadré *Je remarque...* ci-après.

① *Demain, Natasha écrira au petit garçon qu'elle garde, puis à ses parents.*
* *Demain, Natacha écrira au petit garçon qu'elle garde, puis ses parents.*

② *Elle commencera par leur décrire son voyage en avion et en autobus.*
* *Elle commencera par leur décrire son voyage en avion et autobus.*

③ *Ensuite, elle leur parlera de sa visite au zoo , de l'incident survenu hier à la plage et de la végétation luxuriante de la Floride.*
* *Ensuite, elle leur parlera de sa visite au zoo , l'incident survenu hier à la plage et la végétation luxuriante de la Floride.*

④ *Elle n'oubliera pas de leur dire qu'elle s'entend bien avec son cousin Pierre* et *avec ses grands-parents.*
Elle n'oubliera pas de leur dire qu'elle s'entend bien avec son cousin Pierre et *ses grands-parents.*

⑤ *Pour conclure, elle leur écrira que, malgré le temps gris* et *malgré la menace d'un ouragan, elle passe des vacances merveilleuses.*
Pour conclure, elle leur écrira que, malgré le temps gris et *la menace d'un ouragan, elle passe des vacances merveilleuses.*

Je remarque...

LA CONSTRUCTION DES **GROUPES PRÉPOSITIONNELS COORDONNÉS OU JUXTAPOSÉS**

Lorsque des groupes prépositionnels (GPrép) coordonnés ou juxtaposés commencent par la même préposition :

- les prépositions ✎, ✎ et ✎ doivent être répétées au début de chaque GPrép;
- les prépositions autres que ✎, ✎ et ✎ peuvent apparaître dans le premier GPrép seulement et être supprimées dans le ou les GPrép qui suivent.

Reconnaître dans une phrase les éléments joints par coordination ou par juxtaposition et comprendre le rapport de sens qui existe entre ces éléments permet d'avoir une meilleure compréhension de la phrase. Être capable d'établir, à l'aide de la coordination ou de la juxtaposition, différents rapports de sens entre des éléments en tenant compte des règles qui régissent la coordination et la juxtaposition permet de s'exprimer avec clarté et concision.

1 LA JONCTION D'ÉLÉMENTS PAR COORDINATION ET PAR JUXTAPOSITION

La coordination et la juxtaposition consistent à mettre côte à côte des éléments et:

- dans le cas de la coordination, à joindre ces éléments à l'aide d'un **marqueur de relation** ayant la fonction de **coordonnant** (comme *mais*, *ou*, *et*, *car*, *pourtant*, etc.);

Ex. : *Treize romans jeunesse de Chrystine Brouillet ont été portés à l'écran* ***et*** *certains d'entre eux ont été traduits en plusieurs langues.*

- dans le cas de la juxtaposition, à joindre ces éléments à l'aide d'un **signe de ponctuation** (la virgule, le deux-points ou le point-virgule).

Ex. : ***Chrystine Brouillet reste parfois*** *une heure* **,** *une heure et demie* **,** *deux heures* ***devant son ordinateur sans écrire une ligne.***

1.1 LES ÉLÉMENTS JOINTS PAR COORDINATION ET PAR JUXTAPOSITION

Divers éléments peuvent être joints par coordination et par juxtaposition. Il peut s'agir:

- de phrases;

Ex. : *Pendant six ans, Chrystine Brouillet a été serveuse au café T... à Québec* ***et*** *elle fréquente encore ce café aujourd'hui.*
Rendez-vous au café T... **,** *vous y croiserez peut-être Chrystine Brouillet!*

Remarque: La **phrase jointe par coordination** *(phrase coordonnée)* ou **par juxtaposition** *(phrase juxtaposée)* se distingue de la **phrase jointe par subordination** *(phrase subordonnée)*. Contrairement à la phrase subordonnée, la phrase coordonnée ou juxtaposée ne dépend pas d'un élément de la phrase à laquelle elle est jointe; elle n'a donc pas de fonction.

- de groupes de mots;

Ex. : Colette **et** Marcel Aymé *font partie des auteurs préférés de Chrystine Brouillet.*
Chrystine Brouillet n'apprécie pas la poésie trop abstraite **,** trop hermétique.

- et de mots.

Ex. : *Chrystine Brouillet se documente* avant **et** pendant *l'écriture d'un roman.*
Elle peut préparer un roman deux **,** trois **,** quatre *ans d'avance !*

Les éléments joints par coordination et par juxtaposition :

- ont la **même fonction** : sujet (s), complément direct du verbe (compl. dir. du V), complément indirect du verbe (compl. indir. du V), complément du nom (compl. du N), attribut du sujet, (attr. du s), etc.;

Ex. : [Le suspense]s **et** [les fins heureuses]s *caractérisent les romans jeunesse de Chrystine Brouillet.*
Elle essaie [de bien cibler les intérêts des jeunes]compl. indir. du V **et** [d'imaginer des intrigues qui les captiveront]compl. indir. du V.
Elle aime écrire des histoires [qui finissent bien]compl. du N **,** [avec des suites de rebondissements imprévus]compl. du N.

- n'ont **pas de fonction**, mais sont de la même « catégorie », comme des phrases, ou de la même classe grammaticale, comme des déterminants (Dét).

Ex. : [Elle fait un plan,]Phrase **puis** [elle s'attaque à l'écriture de son roman]Phrase.
Qu'elle s'apprête à écrire [une]Dét. **ou** [quatre cents]Dét. *pages, elle fait toujours un plan.*

1.2 LE COORDONNANT

Dans la coordination, les éléments mis côte à côte sont joints par un marqueur de relation. Ce marqueur de relation appartient à la classe des conjonctions ou à la classe des adverbes, mais on le désigne par sa fonction : ***coordonnant***. Voici un tableau des principaux coordonnants, regroupés selon la classe de mots à laquelle ils appartiennent.

Coordonnants…	
appartenant à la classe des conjonctions	appartenant à la classe des adverbes
mais, ou, et, car, ni, or	*donc, puis, ensuite, d'ailleurs, ainsi, aussi, pourtant, cependant, toutefois, néanmoins, c'est pourquoi, alors, par conséquent, en conséquence, c'est-à-dire,* etc.

La conjonction, page 295.
L'adverbe, page 293.

Remarque : Le coordonnant se place entre les éléments mis côte à côte. Cependant :

- l'adverbe ayant la fonction de coordonnant :
  - se trouve parfois à l'intérieur du second élément coordonné ;

    Ex. : *Chrystine Brouillet vit de sa plume,* donc *ses livres doivent se vendre en grand nombre.*
    ou *Chrystine Brouillet vit de sa plume, ses livres doivent* donc *se vendre en grand nombre.*
  - est parfois précédé d'une **conjonction** ayant aussi la fonction de coordonnant.

    Ex. : *Chrystine Brouillet est une auteure prolifique,* et pourtant *il lui arrive de rester plus d'une heure devant son ordinateur sans écrire une ligne.*
- le coordonnant *et* et le coordonnant *ou* sont parfois répétés devant chaque élément coordonné ; cette répétition crée un effet d'insistance.

  Ex. : *Chrystine Brouillet écrit des romans pour adultes* et *des romans pour la jeunesse.*
  ou *Chrystine Brouillet écrit* et *des romans pour adultes* et *des romans pour la jeunesse.*
- le coordonnant *ni*, qui s'emploie dans la phrase de forme négative, est souvent répété devant chaque élément coordonné ; dans ce cas, le mot de négation *pas* est supprimé (s'il y a lieu).

  Ex. : *Chrystine Brouillet* ***n'aime pas*** *décrire ses états d'âme* ni *ses angoisses intimes.*
  ou *Chrystine Brouillet* ***n'aime*** *décrire* ni *ses états d'âme* ni *ses angoisses intimes.*

P Généralement, contrairement aux autres coordonnants, les **coordonnants *et*, *ou* et *ni*** ne sont pas précédés d'une **virgule**.

Ex. : *Elle fait un plan* et *elle s'attaque à l'écriture de son roman.*
Elle fait un plan, puis *elle s'attaque à l'écriture de son roman.*

Attention ! *Ou* et *où* se prononcent de la même façon ; seul **le coordonnant *ou* s'écrit sans accent** (il peut alors être remplacé par le coordonnant de forme complexe *ou bien*).

Ex. : *Contrairement à certains écrivains, Chrystine Brouillet n'écrit jamais dans les cafés* ou (ou bien) *dans les parcs.* (Le mot ***ou*** a la fonction de **coordonnant**.)
Le café où *Chrystine Brouillet a été serveuse s'appelle le T…* (Le mots *où* a la fonction de **subordonnant**.)

1.3 LE RAPPORT DE SENS ENTRE LES ÉLÉMENTS COORDONNÉS ET ENTRE LES ÉLÉMENTS JUXTAPOSÉS

La coordination et la juxtaposition sont utiles, entre autres, pour établir divers **rapports de sens** entre des éléments.

1.3.1 LE RAPPORT DE SENS ENTRE LES ÉLÉMENTS COORDONNÉS

Le **rapport de sens** qui existe entre les éléments coordonnés est exprimé ou précisé par le coordonnant. Voici un tableau des principaux coordonnants, classés selon leur sens habituel.

L'élément qui suit le coordonnant...	peut être interprété comme...
et, *puis*, *enfin*, etc. Ex. : *Je lirai* Le complot et Les chevaux enchantés. *Je lirai* Le complot, puis Les chevaux enchantés.	une **addition**, une **succession**

(suite)

L'élément qui suit le coordonnant...	peut être interprété comme...
ou, *ou bien*, etc. **Ex.:** *Je lirai* Le complot *ou* Les chevaux enchantés.	un **choix**, une **alternative**
ni **Ex. :** *Je ne lirai pas* Le complot *ni* Les chevaux enchantés.	une **exclusion**
mais, *or*, *cependant*, *pourtant*, *toutefois*, *en revanche*, *néanmoins*, etc. **Ex. :** *J'ai adoré* Les chevaux enchantés, *mais j'ai plus ou moins aimé* Le complot.	une **opposition**
car, *en effet*, etc. **Ex. :** *J'ai aimé* Les chevaux enchantés, *car ce livre contient beaucoup d'informations sur les courses de chevaux.*	une **cause**
donc, *aussi*, *alors*, *ainsi*, *par conséquent*, *en conséquence*, *c'est pourquoi*, etc. **Ex. :** *Tu t'intéresses aux chevaux, alors tu aimeras* Les chevaux enchantés.	une **conséquence**
c'est-à-dire, *à savoir*, etc. **Ex. :** Le complot *et* Les chevaux enchantés *sont des romans jeunesse, c'est-à-dire des romans qui s'adressent aux adolescents et aux adolescentes.*	une **explication**, une **précision**

Remarques :

1° Un même coordonnant peut exprimer, selon le contexte, plus d'une relation de sens.

Ex. : *Elle fait un plan et elle s'attaque à l'écriture de son roman.* (succession)

Elle reste parfois plus d'une heure devant son ordinateur sans rien écrire et elle ne bouge pas avant d'avoir écrit une ligne. (opposition)

2° Le coordonnant ***et***, lorsqu'il joint deux phrases, peut parfois être remplacé par un coordonnant plus précis.

Ex. : *Elle fait un plan ~~et~~ (puis) elle s'attaque à l'écriture de son roman.*

Elle reste parfois plus d'une heure devant son ordinateur sans rien écrire ~~et~~ (mais) elle ne bouge pas avant d'avoir écrit une ligne.

1.3.2 LE RAPPORT DE SENS ENTRE LES ÉLÉMENTS JUXTAPOSÉS

Le **rapport de sens** qui existe entre les éléments juxtaposés peut être en partie exprimé par le signe de ponctuation, mais c'est souvent le sens même des éléments juxtaposés qui permet de comprendre le rapport qui existe entre eux.

Voici un tableau des principaux rapports de sens qui peuvent exister entre des éléments juxtaposés.

L'élément qui suit le signe de ponctuation	peut être interprété comme...
Ex. : *Elle aborde des thèmes policiers comme le vol* , *le meurtre* , *la fraude* , *le trafic de drogues.*	une **addition**, une **succession**
Ex. : *Elle profite du beau temps aujourd'hui* , *demain elle travaillera.*	une **opposition**
Ex. : *Elle ne relit jamais ses romans une fois imprimés* : *elle déteste cela.* *Elle ne peut pas travailler aujourd'hui* , *elle est malade.*	une **cause**
Ex. : *Allez au café T...* : *vous y croiserez peut-être Chrystine Brouillet.*	une **conséquence**
Ex. : *Il s'agit d'une auteure prolifique* : *elle publie plus d'un roman par année.*	une **explication**, une **précision**

2 LA CONSTRUCTION DES ÉLÉMENTS COORDONNÉS ET DES ÉLÉMENTS JUXTAPOSÉS

- Lorsqu'un **mot** ou un **groupe de mots** se répète dans deux phrases coordonnées par *et* ou *puis*, on peut généralement **supprimer** ce **mot** ou ce **groupes de mots** dans la seconde phrase coordonnée, ou le **remplacer par un pronom** (sauf s'il s'agit d'un verbe). Cela permet d'éviter une répétition.

Ex. : ***Chrystine Brouillet** fait **un premier manuscrit**,* puis *Chrystine Brouillet fait lire ce manuscrit par un ami.*
→ ***Chrystine Brouillet** fait **un premier manuscrit**,* puis *ø le fait lire par un ami.*
ou ***Chrystine Brouillet** fait **un premier manuscrit**,* puis *elle le fait lire par un ami.*

*Sa principale qualité **est** la fidélité* et *son plus grand défaut est l'impatience.*
→ *Sa principale qualité **est** la fidélité* et *son plus grand défaut ø l'impatience.*

Lorsque les phrases coordonnées ont un **groupe du nom sujet** (GNs) en commun et qu'un **groupe de mots** se répète dans le groupe du verbe (GV), on peut supprimer ce **groupe de mots** dans le GV de la première phrase coordonnée, à condition que le **GNs** de la seconde phrase soit aussi supprimé.

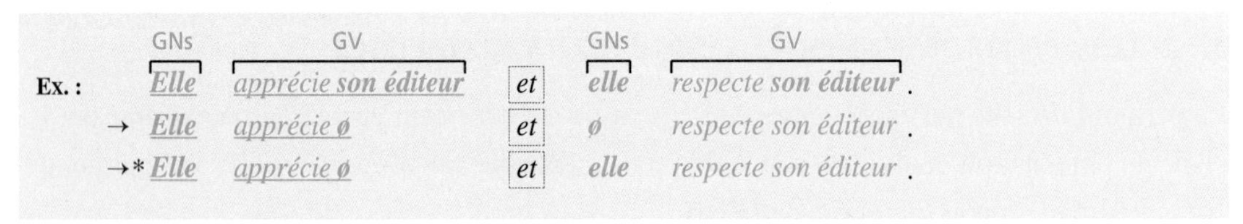

Attention ! Le groupe de mots supprimé et le groupe de mots non supprimé doivent avoir la même fonction. De plus, s'il s'agit de groupes prépositionnels (GPrép), ils doivent commencer par la même préposition.

S'il est impossible d'éviter une répétition en supprimant un groupe de mots, on peut toujours **employer un pronom** ; il faut alors tenir compte des caractéristiques du groupe de mots à remplacer (sa fonction, sa construction, etc.).

Ex. : *Elle pensait sans arrêt* [*à son professeur*]GPrép compl. indir. du V [*et*] *elle* *parlait toujours* [*de son professeur*]GPrép compl. indir. du V.
→* *Elle pensait sans arrêt* ø [*et*] ø *parlait toujours de son professeur* .
→ *Elle pensait sans arrêt à son professeur* [*et*] ø *parlait toujours de* ***lui***.

Remarque : Lorsqu'un **mot** ou un **groupe de mots** se répète dans des phrases juxtaposées ou dans des phrases coordonnées par un coordonnant autre que *et* ou *puis*, il n'est **pas toujours possible de supprimer** ce **mot** ou ce **groupe de mots**. Dans ce cas, pour éviter la répétition, on peut **employer un pronom**.

Ex. : ***Chrystine Brouillet*** *respecte* ***son éditeur***, [*car*] ***Chrystine Brouillet*** *apprécie* ***son éditeur***.
→ * *Chrystine Brouillet respecte* ***son éditeur***, [*car*] ø *apprécie* ***son éditeur***.
→ * *Chrystine Brouillet respecte ø*, [*car*] ø *apprécie son éditeur*.
→ ***Chrystine Brouillet*** *respecte* ***son éditeur***, [*car*] ***elle l'****apprécie*.
Chrystine Brouillet *est prolifique* [:] ***Chrystine Brouillet*** *publie au moins un roman par année*.
→ * *Chrystine Brouillet est prolifique* [:] ø *publie au moins un roman par année*.
→ ***Chrystine Brouillet*** *est prolifique* [:] ***elle*** *publie au moins un roman par année*.

- Lorsque des groupes prépositionnels (GPrép) coordonnés ou juxtaposés commencent par la même préposition, les prépositions *à* (et les déterminants contractés *au / aux*), *de* (et les déterminants contractés *du / des*) et *en* doivent être répétées au début de chaque GPrép.

Ex. : *Elle aimerait bien avoir le talent* [*de Marcel Aymée*]GPrép [,] [*de Colette*]GPrép [*ou*] [*de Patricia Cornwell*]GPrép.
**Elle aimerait bien avoir le talent de Marcel Aymée* [,] ø *Colette* [*ou*] ø *Patricia Cornwell* .

Les prépositions autres que *à* (*au / aux*), *de* (*du / des*) ou *en* peuvent apparaître dans le premier GPrép seulement et être supprimées dans le ou les GPrép qui suivent.

Ex. : *Elle travaille* [*avec toutes sortes de dictionnaires*]GPrép [*et*] [*avec différentes grammaires*]GPrép.
ou *Elle travaille avec toutes sortes de dictionnaires* [*et*] ø *différentes grammaires* .

Remarque : Lorsque des GPrép coordonnés ou juxtaposés commencent par la même préposition et que cette préposition a une forme complexe se terminant par *à* (*au / aux*) ou *de* (*du / des*) : *à cause* ***de***, *afin* ***de***, *à l'exception* ***de***, *avant* ***de***, *grâce* ***à***, *par rapport* ***à***, *quant* ***à***, *vis-à-vis* ***de***, etc., on peut ne répéter que *à* ou *de* au début du second GPrép et du ou des Gprép qui suivent.

Ex. : *Chrystine Brouillet se documente avant d'entreprendre l'écriture d'un roman* [*afin* ***de*** *bien connaître son sujet*]GPrép [*et*] [*ø* ***de*** *créer des personnages vraisemblables*]GPrép.

Pour appliquer *mes* connaissances lorsque *je* lis

Appliquer tes connaissances sur la juxtaposition et la coordination en lecture suppose que tu es capable :

- d'identifier les éléments coordonnés ou juxtaposés ;
- d'évaluer dans les textes que tu lis le rapport de sens qui existe entre les éléments coordonnés ou juxtaposés.

Les deux blocs d'activités qui suivent te permettront de vérifier si tu maîtrises ces habiletés.

Chrystine Brouillet a rédigé un guide touristique, qui est pour elle comme un hommage à quelqu'un qu'elle aime : Paris, sa ville d'adoption. **Lis** le texte ci-dessous, extrait de la préface de ce guide.

Le Paris de Chrystine Brouillet

J'aime Paris. D'amour. Paris est un être cher avec qui je flâne, je musarde, je m'amuse, je me fâche, je me réconcilie. ① Je critique Paris, Paris en fait autant avec moi. ② Paris me force à la réflexion, à la remise en question, à l'humilité [...]. Je n'aurai pas assez d'une vie pour connaître la Ville lumière.

Elle m'apparaît parfois comme une femme, comme une rivale. Je ne saurais sortir de chez moi sans être parfumée, coiffée et maquillée, car je rencontrerai Paris au coin d'une rue, elle sera très belle, parée de sa tour et de ses ponts, et je devrai pouvoir la regarder sans ciller. Le lendemain, au contraire, Paris sera viril. ③ Je clignerai de l'œil, [...] j'essaierai de séduire ce Paris mystérieux et insaisissable, je tenterai de percer ses secrets et, bien sûr, il se dérobera pour mon plus grand plaisir.

④ Quand je vis au Québec, mes yeux se reposent, s'abreuvent de lumière, d'air, de calme, de ciel. De ce ciel qu'on ne voit jamais à Paris. ⑤ J'ai de l'affection et une grande amitié pour mon pays, mais

j'éprouve de la passion pour Paris. Je cherche son image, j'ai la gorge sèche quand je cours vers lui, quand je plonge dans son cœur. Paris m'épuise délicieusement. ⑥ Je sais que je ne pourrais vivre avec lui toute l'année, j'ai besoin de la fidélité du Québec, de sa force tranquille. Je veux l'ami. Et l'amant.

[…]

Paris, c'est aussi le Parisien qui vous répond toujours sur le ton de l'évidence quand vous demandez un renseignement, mais qui vous donnera ensuite plus de détails qu'il n'en faut. Car le Parisien est un être éminemment paradoxal, et sa ville […] est un modèle de contradictions… On court toujours dans Paris, mais on s'arrête trois heures pour déjeuner. ⑦ On crie au scandale quand on érige les pyramides de cristal […], mais on supporte une grève des transports durant des mois. On râle parce qu'on fait la queue à la banque, mais on n'hésite pas à quitter Paris, à subir des bouchons de sept heures pour aller aux sports d'hiver. On peste contre Paris […], mais une formidable cohésion naît dès que la capitale est menacée.

Chrystine Brouillet, *Le Paris de Chrystine Brouillet*, © Boréal, 1996.

JE LIS

J'IDENTIFIE DES ÉLÉMENTS COORDONNÉS ET DES ÉLÉMENTS JUXTAPOSÉS

1 A **TRANSCRIS** à double interligne les phrases ①, ⑤ et ⑦ dans le texte *Le Paris de Chrystine Brouillet*, puis **IDENTIFIE** les groupes constituants de ces phrases:

- **SOULIGNE** les verbes conjugués;
- **ENCERCLE** les groupes du nom sujets (GNs);
- **METS** entre parenthèses le ou les groupes compléments de phrase (Gcompl. P) s'il y a lieu;
- **SURLIGNE** les groupes du verbe (GV).

B Dans les phrases transcrites en A, **METS** entre crochets les phrases coordonnées ou juxtaposées, puis **ENCADRE** le coordonnant ou le signe de ponctuation qui sert à joindre ces phrases.

Ex. : [*On peste contre Paris*], *mais* [*une formidable cohésion naît* (*dès que la capitale est menacée*).]

2 Combien de phrases ont été jointes par coordination ou par juxtaposition pour former la phrase ③ du texte ?

3 [A] À partir de la phrase ci-dessous, **CONSTRUIS** deux phrases pouvant fonctionner seules.

Mes yeux se reposent, s'abreuvent de lumière, d'air, de calme, de ciel.

[B] Un groupe constituant obligatoire a été supprimé dans l'une des deux phrases juxtaposées ci-dessus. De quel groupe s'agit-il ?

[C] **OBSERVE** la construction des phrases juxtaposées qui forment la phrase ④ du texte. Un groupe constituant facultatif a été supprimé dans l'une des deux phrases juxtaposées. De quel groupe s'agit-il ?

4 Dans les phrases ②, ③ et ④, des éléments autres que des phrases sont coordonnés ou juxtaposés. **IDENTIFIE** la fonction de ces éléments.

JE RECONNAIS LE RAPPORT DE SENS ENTRE DES ÉLÉMENTS COORDONNÉS ET ENTRE DES ÉLÉMENTS JUXTAPOSÉS

5 [A] Dans le premier paragraphe du texte *Le Paris de Chrystine Brouillet* (pages 238-239), l'auteure parle de Paris comme d'un ami. **RELÈVE** la phrase contenant l'énumération de ce qu'elle fait avec «son ami», puis **ENCADRE** les signes de ponctuation qui servent à joindre les différents éléments de cette énumération.

[B] Sur le plan du sens, les deux derniers éléments juxtaposés dans la phrase relevée en [A] auraient-ils pu être inversés ? Pourquoi ?

6 Dans le texte, Chrystine Brouillet prête à Paris des traits féminins, puis des traits masculins. Elle compare donc Paris tantôt à une femme, tantôt à un homme. Dans le deuxième paragraphe, **RELÈVE** les trois éléments juxtaposés ou coordonnés :

ⓐ qui indiquent de quelle manière Chrystine Brouillet se présentera devant «Paris femme»;

ⓑ qui décrivent ce qu'elle fera devant «Paris homme».

7 [A] Dans le texte, Chrystine Brouillet exprime les sentiments opposés qu'elle éprouve à l'égard de son pays et à l'égard de sa ville d'adoption. Dans le troisième paragraphe, **RELÈVE** la phrase qui rend compte de cette opposition, puis **ENCADRE** le coordonnant qui précise ce rapport d'opposition.

[B] Toujours dans le troisième paragraphe, Chrystine Brouillet met en relation deux phrases à l'aide de la juxtaposition.

Je sais que je ne pourrais vivre avec lui toute l'année, j'ai besoin de la fidélité du Québec, de sa force tranquille.

PRÉCISE le rapport de sens qui existe entre ces deux phrases juxtaposées en remplaçant la virgule qui sert à joindre ces phrases par un coordonnant.

8 A Dans une entrevue, Chrystine Brouillet faisait remarquer qu'à Paris, «c'est la course folle» et que, paradoxalement, «les gens vont s'arrêter très longtemps pour manger». Dans le dernier paragraphe du texte, **RELÈVE** le passage où elle fait la même observation, puis **ENCADRE** le coordonnant qui permet d'exprimer le rapport d'opposition entre les phrases décrivant le comportement des Parisiens.

B Dans le dernier paragraphe, Chrystine Brouillet fait observer que «le Parisien est un être éminemment paradoxal». La phrase relevée en A le démontre. **RELÈVE** trois autres phrases à l'aide desquelles Chrystine Brouillet souligne encore le comportement contradictoire du Parisien, puis **ENCADRE** le coordonnant qui permet d'exprimer ce rapport d'opposition.

Pour appliquer *mes* connaissances lorsque *j'écris*

Appliquer tes connaissances sur la juxtaposition et la coordination en écriture suppose que tu es capable :

- d'établir un rapport de sens entre des éléments à l'aide de la coordination ou de la juxtaposition, et de vérifier l'emploi du coordonnant;
- de vérifier la construction d'éléments coordonnés ou juxtaposés;
- de coordonner et de juxtaposer des éléments dans tes propres textes, d'évaluer le rapport de sens entre ces éléments et de vérifier la construction de ces éléments.

Les trois blocs d'activités qui suivent te permettront de vérifier si tu maîtrises ces habiletés.

J'ÉTABLIS UN RAPPORT DE SENS ENTRE DES ÉLÉMENTS À L'AIDE DE LA COORDINATION ET JE VÉRIFIE L'EMPLOI DU COORDONNANT

1 Chacune des phrases ci-dessous est formée de deux phrases coordonnées à l'aide du coordonnant *et*.

① *Paris a déjà été un petit village sur une île de la Seine* **et**, *aujourd'hui, Paris compte plus de deux millions d'habitants.* ② *Le 14 juillet, on a assisté au traditionnel défilé sur les Champs-Élysées* **et** *on a admiré le feu d'artifice clôturant les festivités.* ③ *En France, vous devez toujours avoir avec vous une pièce d'identité* **et** *on peut vous contrôler n'importe quand pour n'importe quel motif.*

ÉVALUE le rapport de sens entre les phrases coordonnées, puis :

- **REMPLACE** le coordonnant *et* par un coordonnant plus précis (*puis*, *mais*, *donc*, *car*, etc.);

REPORTE-toi au tableau des pages 234-235 de *Ma grammaire* pour te rappeler le sens habituel des principaux coordonnants.

- **ASSURE**-toi que les coordonnants autres que *et*, *ou* et *ni* sont précédés d'une virgule.

2 **A** Afin de préciser le rapport de sens entre les phrases en couleur ci-après, **RÉCRIS**-les en remplaçant par un coordonnant le signe de ponctuation qui les joint ou qui les sépare.

Ex. : *Chrystine Brouillet critique Paris, Paris en fait autant avec elle.*
→ *Chrystine Brouillet critique Paris, mais Paris en fait autant avec elle.*

① *En 1887, de nombreux artistes et écrivains s'opposent à la construction de la tour Eiffel. Vers 1910, la tour devient leur muse.* ② *La tour Eiffel est utile : elle supporte des antennes et un laboratoire météorologique.* ③ *La tour Eiffel, érigée pour l'Exposition universelle de 1889, devait être détruite 20 ans plus tard. Le fait d'être utile lui sauva «la vie».* ④ *Gustave Eiffel fut choisi parmi 700 concurrents : il était l'un des meilleurs spécialistes de la construction métallique.* ⑤ *En 1910, la tour assure le service de l'heure internationale. En 1957, la télévision y dresse son antenne.*

B Dans les phrases construites en A :

- **METS** entre crochets les phrases coordonnées;
- **ENCADRE** le coordonnant qui sert à joindre les phrases entre crochets, puis **VÉRIFIE** le choix du coordonnant;

Si nécessaire, **REPORTE**-toi au tableau des pages 234-235 de *Ma Grammaire* pour te rappeler le sens habituel des principaux coordonnants.

Attention ! Le coordonnant *et* peut parfois être remplacé par un coordonnant plus précis.

- **ASSURE**-toi que les coordonnants autres que *et*, *ou* et *ni* sont précédés d'une virgule.

Ex. : [*Chrystine Brouillet critique Paris*] ~~*et*~~ *, mais* [*Paris en fait autant avec elle*].

JE VÉRIFIE LA CONSTRUCTION D'ÉLÉMENTS COORDONNÉS ET D'ÉLÉMENTS JUXTAPOSÉS

3 A **TRANSCRIS** les phrases ci-dessous, puis :

- **METS** entre crochets les phrases coordonnées ou juxtaposées;
- **ENCADRE** le coordonnant ou le signe de ponctuation qui sert à joindre les phrases entre crochets.

① *Paris est la capitale de la France, mais Paris est aussi l'une des plus grandes métropoles du monde.* ② *Les Parisiens aiment jardiner, les Parisiens adorent aller pique-niquer, et les Parisiens s'accommodent de toutes sortes d'animaux domestiques.* ③ *Janvier, février et mars sont froids et humides; avril et mai sont agréablement doux; juin, juillet et août sont très chauds.* ④ *Durant les mois les plus chauds, bon nombre de Parisiens quittent la capitale, aussi, durant ces mois, les Parisiens sont moins nombreux dans la capitale.* ⑤ *Le métro de Paris compte 365 stations et près de quatre millions de voyageurs utilisent le métro de Paris chaque jour.*

B **SOULIGNE** les répétitions dans les phrases données en A, puis, si cela est possible, **BARRE** un ou des mots ou groupes de mots et, s'il y a lieu, remplace-les par un pronom.

Ex. : [*Chrystine Brouillet adore Paris*], *pourtant* [~~*Chrystine Brouillet*~~ *elle* *ne peut vivre* ~~*à Paris*~~ *y* *toute l'année*].

J'ÉCRIS

4 A La phrase ci-dessous est agrammaticale. À partir de chaque phrase coordonnée, **CONSTRUIS** une phrase qui peut fonctionner seule.

Ex. : **Chrystine Brouillet aime* et *est fière de son pays.*
Chrystine Brouillet aime son pays. Chrystine Brouillet est fière de son pays.

**Elle a fait la découverte* et *a flâné au cimetière du Père-Lachaise tout l'après-midi.*

B Dans les deux phrases que tu as construites en A, **RELÈVE** le ou les éléments qui ont été supprimés dans la phrase agrammaticale.

C **COORDONNE** les phrases construites en A de façon à former une phrase grammaticale et à éviter la répétition.

Ex. : *Chrystine Brouillet aime son pays. Chrystine Brouillet est fière de son pays.*
→ *Chrystine Brouillet aime son pays* et *en est fière.*

5 A À partir de chacune des séries de phrases numérotées ci-dessous, **CONSTRUIS** une nouvelle phrase dans laquelle tu coordonneras ou juxtaposeras les groupes prépositionnels (GPrép) en couleur.

Ex. : *Paris est la ville de la fine cuisine. Paris est la ville des beaux monuments. Paris est la ville des grands musées.*
→ *Paris est la ville de la fine cuisine, des beaux monuments et des grands musées.*

① *Le mois de septembre est marqué par le retour des Parisiens dans la capitale. Le mois de septembre est marqué par l'ouverture de la saison théâtrale.* ② *Lorsqu'on se balade à Saint-Germain-des-Prés, on pense aux chansons de Juliette Gréco. Lorsqu'on se balade à Saint-Germain-des-Prés, on pense à la trompette de Boris Vian.* ③ *D'anciens hôtels parisiens ont été transformés en musées. D'anciens hôtels parisiens ont été transformés en bibliothèques.* ④ *Le jardin du Luxembourg est le domaine favori des étudiants. Le jardin du Luxembourg est le domaine favori des enfants. Le jardin du Luxembourg est le domaine favori des amateurs de jogging.* ⑤ *Avec ses pelouses, le bois de Boulogne constitue le «poumon vert» de l'Ouest parisien. Avec ses jardins, le bois de Boulogne constitue le «poumon vert» de l'Ouest parisien. Avec ses sous-bois, le bois de Boulogne constitue le «poumon vert» de l'Ouest parisien.*

B Dans les phrases construites en A :

- **METS** entre crochets les GPrép coordonnés ou juxtaposés;
- **ENCADRE** le coordonnant ou le signe de ponctuation qui sert à joindre les GPrép entre crochets;
- **BARRE** la préposition qui commence le GPrép chaque fois que cela est possible.

Ex. : *Paris est la ville* [*de la fine cuisine*] , [*des beaux monuments*] et [*des grands musées*].

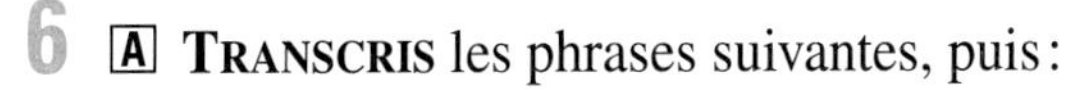

6 [A] **TRANSCRIS** les phrases suivantes, puis :

- **ENCADRE** le ou les coordonnants ou signes de ponctuation qui servent à joindre des groupes de mots ;
- **REPÈRE** les GPrép qui commencent par la préposition *à* (ou les déterminants contractés *au/aux*), *de* (ou les déterminants contractés *du/des*) ou *en* et, si ces GPrép sont coordonnés ou juxtaposés à d'autres groupes de mots, **METS** ces GPrép entre crochets, ainsi que le ou les groupes de mots auxquels ils sont coordonnés ou juxtaposés.

Attention ! Erreurs.

① Paris est située au cœur du Bassin parisien et la région appelée Île-de-France. ② La célébrité des Champs-Élysées tient sans doute à ses galeries marchandes, ses cinémas, ses cabarets, ses théâtres et ses cafés. ③ Les touristes choisissent souvent Paris comme destination avant de partir à la découverte de la France ou l'Europe. ④ À l'intérieur et l'extérieur de la cathédrale de Paris, on peut contempler les magnifiques vitraux des trois célèbres roses. ⑤ Au bois de Boulogne, on peut se promener de toutes sortes de façons : en voiture ou bateau, à pied, à bicyclette ou à cheval.

[B] S'il y a lieu, **CORRIGE** la construction des groupes de mots que tu as mis entre crochets en [A].

J'ÉCRIS UN TEXTE, J'ÉVALUE LE RAPPORT DE SENS ENTRE LES ÉLÉMENTS COORDONNÉS ET ENTRE LES ÉLÉMENTS JUXTAPOSÉS, ET JE VÉRIFIE LA CONSTRUCTION DE CES ÉLÉMENTS

Voici une stratégie de révision qui t'amènera à te questionner sur le rapport de sens entre les éléments que tu coordonnes ou que tu juxtaposes et sur la construction des éléments coordonnés ou juxtaposés dans tes textes.

J'ÉVALUE LE RAPPORT DE SENS ENTRE LES ÉLÉMENTS COORDONNÉS ET ENTRE LES ÉLÉMENTS JUXTAPOSÉS, ET JE VÉRIFIE LA CONSTRUCTION DE CES ÉLÉMENTS

❶ **VÉRIFIE** si tu peux coordonner ou juxtaposer des éléments afin de préciser le rapport de sens qui existe entre eux.

Ex. : Les phrases : *Chrystine Brouillet critique Paris. Paris en fait autant avec elle.*
peuvent être coordonnées ainsi : *Chrystine Brouillet critique Paris, mais Paris en fait autant avec elle.*
ou être juxtaposées : *Chrystine Brouillet critique Paris, Paris en fait autant avec elle.*

❷ Dans les phrases contenant une coordination ou une juxtaposition :

- **ENCADRE** le coordonnant ou le signe de ponctuation qui sert à joindre des éléments ;
- **METS** entre crochets les éléments coordonnés ou les éléments juxtaposés.

S'il s'agit de groupes prépositionnels, n'**OUBLIE** pas d'inclure la préposition.

❸ **ÉVALUE** le **rapport de sens** entre les éléments coordonnés et entre les éléments juxtaposés, puis, si cela est pertinent :

- **REMPLACE** le coordonnant par un autre qui convient mieux ;

Si nécessaire, **REPORTE**-toi au tableau des pages 234-235 de *Ma grammaire* pour te rappeler le sens habituel des principaux coordonnants.

Attention ! Le coordonnant *et* peut parfois être remplacé par un coordonnant plus précis.

, mais

Ex. : *Un fleuve* [*magnifique*] ~~*et*~~ [*très pollué*] *traverse la ville de Paris.*

- **REMPLACE** le signe de ponctuation par un coordonnant.

, car

Ex. : [*Elle ne pourrait vivre dans cette grande ville toute l'année*] , [*elle a besoin de tranquillité*].

❹ **ASSURE**-toi que les coordonnants autres que *et*, *ou* et *ni* sont précédés d'une **virgule**.

❺ Dans les phrases coordonnées :

- **SOULIGNE** les **répétitions**, puis, si cela est possible, **BARRE** un ou des mots ou groupes de mots et, s'il y a lieu, remplace-les par un pronom ;

y

Ex. : [*Elle adore Paris*], *pourtant* [*elle ne peut vivre ~~à Paris~~ toute l'année*].

- si, pour éviter une répétition, un groupe de mots a été supprimé dans le groupe du verbe de la première phrase coordonnée :
  - **ASSURE**-toi que le groupe du nom sujet de la seconde phrase coordonnée a été supprimé ; si ce n'est pas le cas, **SUPPRIME**-le ;

    Ex. : [*Elle connaît*] *et* [~~*elle*~~ *apprécie les habitudes des Parisiens*].
  - **ASSURE**-toi que le groupe de mots supprimé et le groupe de mots non supprimé ont la même fonction et, s'il s'agit de groupes prépositionnels (Gprép), que ces Gprép commencent par la même préposition ; si ce n'est pas le cas, **CORRIGE** la construction des phrases coordonnées.

    Ex. : [*Elle adore*] *et* [*parle de cette ville avec passion*].

    Correction : [*Elle adore cette ville*] *et* [*en parle avec passion*].

❻ **REPÈRE** les GPrép qui commencent par la **préposition *à*** (ou les déterminants contractés *au/aux*), ***de*** (ou les déterminants contractés *du/des*) ou ***en*** et, si ces GPrép sont coordonnés ou juxtaposés à d'autres groupes de mots, **ASSURE**-toi que les **prépositions *à*, *de*** ou ***en*** sont répétées au début de chaque groupe ; s'il y a lieu, **CORRIGE** la construction du ou des GPrép coordonnés ou juxtaposés.

Ex. : *Lorsqu'elle se balade à Saint-Germain-des-Prés, elle pense* [*aux chansons de Juliette Gréco*]

à

et [*la trompette de Boris Vian*].

Activité de révision

APPLIQUE au texte ci-dessous la stratégie de révision J'ÉVALUE LE RAPPORT DE SENS ENTRE LES ÉLÉMENTS COORDONNÉS ET ENTRE LES ÉLÉMENTS JUXTAPOSÉS, ET JE VÉRIFIE LA CONSTRUCTION DE CES ÉLÉMENTS, en suivant l'exemple.

Attention ! Erreurs.

Le Marais est le quartier de Paris que je préfère. Quand on songe [à ses rues tortueuses] , [à ses magnifiques demeures] , [à ses cours exceptionnelles] et [à sa place des Vosges], on ne se doute pas qu'il y a à peine 50 ans, ce quartier menaçait [de devenir un immense taudis] et [de tomber en ruine].

Il y a quatre siècles, le Marais était déjà un quartier très à la mode. Plus tard, la création de la place Royale (aujourd'hui appelée place des Vosges) attire dans le Marais les aristocrates, qui choisissent d'y bâtir leurs riches demeures et développer ce quartier. Après la mort de Louis XIV, le Marais est déserté par l'aristocratie. Les somptueuses demeures sont alors livrées au vandalisme et pillage. Au début du siècle, le Marais est un immense quartier insalubre et, heureusement, le Marais est sauvé *in extremis* par la loi Malraux (loi française pour la sauvegarde des quartiers historiques). À partir de 1964, une longue et fructueuse rénovation remet en valeur les trésors oubliés du Marais. En restaurant les vieilles demeures et recréant les jardins, les Parisiens ont redonné vie au Marais et les Parisiens ont fait du Marais l'un des plus beaux quartiers historiques de Paris.

Activité d'écriture

Mise en situation

Dans sa dernière lettre, ton correspondant ou ta correspondante te pose la question suivante : Où aimerais-tu vivre si tu en avais le choix ?

Parmi les endroits que tu as déjà visités (un quartier de ta ville, un village voisin du tien, une autre ville ou un autre pays, etc.), **CHOISIS** celui qui t'a particulièrement plu. **PENSE** ensuite à la façon dont tu pourrais en parler à ton correspondant ou à ta correspondante afin de lui communiquer le plaisir que tu as eu à découvrir cet endroit, ce que tu y as observé d'original, etc.

Contraintes d'écriture

Ton texte doit :

- comprendre au moins 10 phrases;

- être écrit à double interligne;
- comprendre une phrase à l'intérieur de laquelle on doit trouver un élément juxtaposé pouvant être interprété comme :
  - une addition,
  - une opposition;
- comprendre une phrase à l'intérieur de laquelle on doit trouver un élément coordonné pouvant être interprété comme :
  - une addition ou une succession,
  - une opposition,
  - une cause.

Si nécessaire, **REPORTE**-toi au tableau des pages 234-235 de *Ma grammaire* pour te rappeler le sens habituel des principaux coordonnants.

Étape de révision

VÉRIFIE d'abord si tu as bien respecté les contraintes d'écriture, puis **RÉVISE** ton texte à l'aide de la stratégie de révision J'ÉVALUE LE RAPPORT DE SENS ENTRE LES ÉLÉMENTS COORDONNÉS ET ENTRE LES ÉLÉMENTS JUXTAPOSÉS, ET JE VÉRIFIE LA CONSTRUCTION DE CES ÉLÉMENTS (pages 245-246).

Atelier 9

LA PHRASE 2

LES PHRASES À CONSTRUCTION PARTICULIÈRE

Leur construction

Leur fonctionnement

Leur emploi

Toujours Il qui pleut et qui neige
Toujours Il qui fait du soleil
Toujours Il
Pourquoi pas Elle
Jamais Elle

Jacques Prévert

j'observe et je découvre

Lis les deux textes suivants, dans lesquels l'auteur, Jacques Prévert, a employé des constructions de phrases qui ne font pas partie de celles que tu as déjà étudiées et qui diffèrent parfois beaucoup du modèle de la PHRASE DE BASE. Dans les deux textes, la plupart de ces constructions sont en couleur; il s'agit de phrases impersonnelles, de phrases à présentatif, de phrases non verbales et de phrases infinitives. Tu remarqueras sans doute que certaines de ces constructions apportent aux textes une expressivité et une vivacité particulières.

TEXTES D'OBSERVATION

Refrains enfantins

Des petites filles courent dans les couloirs du théâtre, en chantant.

[...]

① Il **pleut** ② Il **pleut**
③ Il **fait beau**
④ Il **fait du soleil**
⑤ Il est tôt
⑥ Il se fait tard
⑦ Il
Il
Il
toujours Il
Toujours Il qui pleut et qui neige
Toujours Il qui fait du soleil
⑧ Toujours Il
⑨ Pourquoi pas Elle
⑩ Jamais Elle
Pourtant Elle aussi
souvent se fait belle !

Jacques Prévert, *Spectacle*, © Gallimard, 1951.

L'addition

LE CLIENT

① Garçon, l'addition !

LE GARÇON

② Voilà. *(Il sort son crayon et note.)* Vous avez… deux œufs durs, un veau, un petit pois, une asperge, un fromage avec beurre, une amande verte, un café filtre, un téléphone.

LE CLIENT

③ Et puis des cigarettes !

LE GARÇON *(il commence à compter).*

④ C'est ça même… des cigarettes…
… Alors ça fait…

LE CLIENT

N'insistez pas, mon ami, ⑤ c'est inutile, vous ne réussirez jamais.

LE GARÇON

!!!

LE CLIENT

On ne vous a donc pas appris à l'école que ⑥ c'est ma-thé-ma-ti-que-ment impossible d'⑦ **additionner des choses d'espèce différente** !

LE GARÇON

!!!

LE CLIENT, *élevant la voix.*

Enfin, tout de même, de qui se moque-t-on ?… ⑧ Il faut réellement ⑨ **être insensé** pour oser essayer de tenter d'« additionner » un veau avec des cigarettes, des cigarettes avec un café filtre, un café filtre avec une amande verte et des œufs durs avec des petits pois, des petits pois avec un téléphone… Pourquoi pas un petit pois avec un grand officier de la Légion d'honneur, pendant que vous y êtes !

Il se lève.

⑩ Non, mon ami, croyez-moi, n'insistez pas, ne vous fatiguez pas, ça ne donnerait rien, vous entendez, rien, absolument rien… pas même le pourboire !

Et il sort en emportant le rond de serviette à titre gracieux.

Jacques Prévert, *Histoires et d'autres histoires*, © Gallimard, 1963.

Dans les activités qui suivent, tu feras des apprentissages sur la construction, le fonctionnement et l'emploi de la phrase impersonnelle, de la phrase à présentatif, de la phrase non verbale et de la phrase infinitive, que nous appellerons *les phrases à construction particulière.*

J'OBSERVE...

LA PHRASE	
LA CONSTRUCTION DES PHRASES À CONSTRUCTION PARTICULIÈRE	●
LE FONCTIONNEMENT ET L'EMPLOI DES PHRASES À CONSTRUCTION PARTICULIÈRE	

LA CONSTRUCTION DES PHRASES À CONSTRUCTION PARTICULIÈRE

1 A **RELÈVE** le groupe du nom sujet (GNs) qui se retrouve dans les phrases ①, ②, ③, ④, ⑤ et ⑥ du poème *Refrains enfantins*.

B Le GNs relevé en A fait-il référence à une personne ? à une chose ? ou ne fait-il référence ni à l'un ni à l'autre ?

C Le GNs relevé en A peut-il être remplacé par un autre pronom ou groupe du nom (GN) ?

D **Les phrases dans lesquelles le GNs est le pronom *il* qui ne désigne ni une personne ni une chose et qui ne peut être remplacé par un autre Pron ou GN sont des phrases impersonnelles, et le verbe dont le sujet est ce pronom *il* est un verbe impersonnel.**

Les **verbes impersonnels** en couleur et en gras dans les phrases impersonnelles ①, ②, ③ et ④ du poème *Refrains enfantins* sont-ils employés avec ou sans expansion ?

E **REPÈRE** la phrase impersonnelle contenue dans le texte *L'addition*, puis **RELÈVES**-y le verbe ayant pour sujet le pronom *il* qui ne représente ni une personne ni une chose.

F Le verbe impersonnel relevé en E pourrait-il être employé sans expansion ?

2 A Les phrases ④, ⑤ et ⑥ du texte *L'addition* commencent par la même **expression qu'on appelle présentatif**. **RELÈVE** ce présentatif.

B Le ou les groupes de mots qui suivent chacun des présentatifs contenus dans les phrases à présentatif ④ et ⑤ du texte *L'addition* sont des **expansions du présentatif**. **RELÈVE** ces expansions.

C **INDIQUE** à quel groupe de mots correspond chacune des expansions relevées en B : groupe du nom (GN), groupe prépositionnel (GPrép), groupe de l'adjectif (GAdj), groupe de l'adverbe (GAdv).

D Le présentatif relevé en A pourrait-il s'employer sans expansion ?

E La phrase à présentatif ② du texte *L'addition* est constituée d'un présentatif employé sans expansion. **RELÈVE** ce présentatif.

3 **A** Les phrases ①, ③ et ⑩ du texte *L'addition* sont-elles construites avec ou sans verbe ?

B **Les phrases construites sans verbe sont des phrases non verbales.**

Parmi les phrases du poème *Refrains enfantins*, **RELÈVE** le numéro de celles qui sont des phrases non verbales.

C La phrase non verbale ① du texte *L'addition* contient deux phrases non verbales juxtaposées (c'est-à-dire jointes l'une à l'autre à l'aide d'un signe de ponctuation seul). En effet, chacune de ces phrases pourrait constituer à elle seule une phrase non verbale.

> *Garçon !*
> *L'addition !*

OBSERVE la phrase non verbale ⓐ ci-dessous, puis **INDIQUE** si chacune des constructions juxtaposées pourrait constituer à elle seule une phrase non verbale.

> ⓐ *Délicieux, ce repas !*

D De combien de groupes de mots est constituée chacune des trois phrases non verbales données en **C** ?

E Quel signe de ponctuation sépare les groupes de mots dans la phrase non verbale ⓐ donnée en **C** ?

4 **A** Les deux phrases ci-dessous correspondent à une recommandation que pourrait contenir un texte informatif sur la nutrition.

> ① *Vous boirez un jus d'orange frais tous les matins.*
> ② *Boire un jus d'orange frais tous les matins.*

RELÈVE le verbe de chacune des phrases ci-dessus, puis **INDIQUE** le mode de ce verbe.

B Chacun des verbes relevés en **A** est le noyau d'un groupe du verbe (GV), et l'expansion du verbe noyau du GV de la phrase ① est identique à celle du verbe noyau du GV de la phrase ②. **RELÈVE** cette expansion.

C La phrase ① comporte un groupe complément de phrase (Gcompl. P) identique à celui de la phrase ②. **RELÈVE** ce Gcompl. P.

D **RELÈVE** le groupe du nom sujet (GNs) qui accompagne le GV de la phrase ①, puis **INDIQUE** si le GV de la phrase ② est aussi accompagné d'un GNs.

E **Le GV dont le noyau est un verbe à l'infinitif s'appelle groupe du verbe à l'infinitif (GVinf), et la phrase dont le GV a pour noyau un verbe à l'infinitif s'appelle phrase infinitive.**

RELÈVE le verbe à l'infinitif qui se trouve au début de chacune des **phrases infinitives** ⑦ et ⑨ en couleur et en gras dans le texte *L'addition*.

F Dans chacun des GVinf ayant pour noyau les verbes relevés en E, **RELÈVE**, s'il y a lieu, l'expansion du verbe noyau.

G Les **phrases infinitives** ⑦ et ⑨ du texte *L'addition* comportent-elles un Gcompl. P ?

H Le GVinf des **phrases infinitives** ⑦ et ⑨ du texte *L'addition* est-il accompagné d'un GNs ?

J'AI DÉCOUVERT...

LA CONSTRUCTION DES PHRASES À CONSTRUCTION PARTICULIÈRE

n° 1

Dans la phrase impersonnelle, le groupe du nom sujet (GNs) est le pronom ✎ qui ne fait référence ni à une ✎ ni à une ✎, et qui ne peut être remplacé par un autre ✎ ou ✎.

Certains verbes impersonnels comme ✎, ✎, ✎ peuvent s'employer sans ✎. D'autres verbes impersonnels comme le verbe ✎ ne peuvent s'employer sans ✎.

La phrase à présentatif contient un ✎ généralement suivi d'une ✎ qui peut prendre, entre autres, la forme d'un groupe du nom (GN), d'un groupe prépositionnel (GPrép), d'un groupe de l'adjectif (GAdj) ou d'un groupe de l'adverbe (GAdv). Le présentatif ✎ s'emploie toujours avec une ✎, alors que le présentatif ✎ peut s'employer sans ✎.

La phrase non verbale est une phrase qui se construit sans ✎. Elle peut être constituée d'un ou de deux ✎ ; lorsqu'elle contient deux ✎, ceux-ci peuvent être séparés par une ✎. La phrase non verbale peut se terminer, entre autres, par un ✎.

La phrase infinitive est une phrase dont le verbe est au mode ✎. Ce verbe est le noyau d'un ✎. En plus du verbe noyau, ce groupe peut contenir ou non une ✎ et, généralement, il n'est pas accompagné d'un ✎. D'autre part, la phrase infinitive peut comporter ou non un ✎.

J'OBSERVE...

LA PHRASE	
LA CONSTRUCTION DES PHRASES À CONSTRUCTION PARTICULIÈRE	✔
LE FONCTIONNEMENT ET L'EMPLOI DES PHRASES À CONSTRUCTION PARTICULIÈRE	●

LE FONCTIONNEMENT ET L'EMPLOI DES PHRASES À CONSTRUCTION PARTICULIÈRE

1 A Dans les phrases ci-dessous, les constructions en couleur sont des phrases impersonnelles.

① *Il fait beau, et je me sens en vacances.*

② *Je pense qu'il pleuvra demain.*

③ *Le soleil est aveuglant: il faut que je porte mes verres fumés.*

④ *Il fait tellement chaud!*

Pour chacune des phrases impersonnelles ci-dessus, **INDIQUE** si elle est:

ⓐ employée seule;

ⓑ juxtaposée à une autre phrase (c'est-à-dire jointe à une autre phrase à l'aide d'un signe de ponctuation seul);

ⓒ coordonnée à une autre phrase (c'est-à-dire jointe à une autre phrase à l'aide d'un coordonnant);

ⓓ subordonnée à une autre phrase (c'est-à-dire insérée dans une autre phrase de niveau supérieur appelée *phrase matrice*).

B **INDIQUE** si les phrases impersonnelles ①, ②, ③, ④, ⑤ et ⑥ du poème *Refrains enfantins* (page 250) et la phrase impersonnelle ⑧ du texte *L'addition* (page 251) sont:

ⓐ employées seules;

ⓑ juxtaposées à une autre phrase;

ⓒ coordonnées à une autre phrase;

ⓓ subordonnées à une autre phrase.

C Les phrases impersonnelles ①, ②, ③ et ④ du poème *Refrains enfantins* ont été employées pour exprimer un phénomène naturel. De quelle sorte de phénomène naturel s'agit-il?

2 A Pour chacune des phrases à présentatif ②, ④, ⑤ et ⑥ du texte *L'addition* (page 251), **INDIQUE** si elle est:

ⓐ employée seule;

ⓑ juxtaposée à une autre phrase;

ⓒ coordonnée à une autre phrase;

ⓓ subordonnée à une autre phrase.

B **INDIQUE** l'emploi qui correspond à chacune des phrases à présentatif énumérées en **A**, en tenant compte du sens de la phrase ou du contexte dans lequel elle se trouve :

ⓐ constater simplement quelque chose;

ⓑ désigner (c'est-à-dire faire voir ou présenter) une personne ou une chose dans la situation de communication;

ⓒ répondre à un ordre ou à une question.

3 **A** **INDIQUE** si les phrases non verbales ⑦, ⑧, ⑨ et ⑩ du poème *Refrains enfantins* (page 250) et les phrases non verbales ③ et ⑩ du texte *L'addition* (page 251) sont subordonnées ou non à une autre phrase.

B Pour chacune des phrases non verbales ③ et ⑩ du texte *L'addition*, **INDIQUE** si elle est :

ⓐ employée seule;

ⓑ juxtaposée à une autre phrase;

ⓒ coordonnée à une autre phrase.

C Les phrases ci-dessous, construites avec des verbes, ont respectivement le même message que la phrase non verbale ⑨ du poème *Refrains enfantins* et que les phrases non verbales ① et ③ du texte *L'addition*.

ⓐ *Pourquoi n'est-ce pas Elle qui pleut, qui neige et qui fait du soleil ?*

ⓑ *Garçon, j'aimerais avoir l'addition !*

ⓒ *Et puis j'ai pris des cigarettes !*

COMPARE ces mêmes phrases non verbales ⑨, ① et ③ avec les phrases ci-dessus, construites avec des verbes, puis **INDIQUE** lesquelles permettent d'énoncer quelque chose avec une économie de mots.

D Quelles phrases ont le plus d'expressivité et de vivacité : les phrases ⓐ, ⓑ ⓒ données en **C** ou les phrases non verbales correspondantes dans le poème *Refrains enfantins* et le texte *L'addition* ?

4 **A** L'une des phrases suivantes est une phrase infinitive, et les autres contiennent plusieurs phrases infinitives.

① *Additionner les nombres ci-dessous, diviser le total par deux, puis encadrer la réponse.*

② *Dans la liste suivante, encercler tous les nombres pairs.*

③ *Encercler les nombres pairs et souligner les nombres impairs de la liste ci-dessous.*

Parmi les phrases infinitives ci-dessus, **INDIQUE** laquelle ou lesquelles sont :

ⓐ employées seules;

ⓑ juxtaposées à une autre phrase;

ⓒ coordonnées à une autre phrase.

B Parmi les emplois suivants, **INDIQUE** celui qui correspond aux phrases infinitives données en **A** :

ⓐ inciter quelqu'un à agir (donner un ordre, un conseil, indiquer des choses à faire);

ⓑ poser une question;

ⓒ exprimer avec force un sentiment, un jugement, un fait.

C **INDIQUE** si les **phrases infinitives** ⑦ et ⑨ du texte *L'addition* sont:

ⓐ employées seules;

ⓑ juxtaposées à une autre phrase;

ⓒ coordonnées à une autre phrase;

ⓓ insérées dans une autre phrase de niveau supérieur.

D Les **phrases infinitives** ⑦ et ⑨ du texte *L'addition* sont des phrases subordonnées infinitives.

VÉRIFIE si ces phrases subordonnées infinitives sont précédées ou non d'une préposition, puis, s'il y a lieu, **RELÈVE** le numéro de la ou des phrases subordonnées infinitives contenues dans un groupe prépositionnel (GPrép).

E La phrase subordonnée infinitive qui n'est pas contenue dans un GPrép apporte une information essentielle au sens d'un mot contenu dans la phrase matrice. **RELÈVE** ce mot, puis **INDIQUE** à quelle classe de mots il appartient.

J'AI DÉCOUVERT...

LE FONCTIONNEMENT ET L'EMPLOI DES PHRASES À CONSTRUCTION PARTICULIÈRE

La **phrase impersonnelle** est une phrase qui peut être employée ✎, être ✎ à une autre phrase (c'est-à-dire jointe à une autre phrase à l'aide d'un signe de ponctuation seul), être ✎ à une autre phrase (c'est-à-dire jointe à une autre phrase à l'aide d'un coordonnant) ou être ✎ à une autre phrase (c'est-à-dire insérée dans une autre phrase de niveau supérieur appelée *phrase matrice*).

On peut employer la phrase impersonnelle, entre autres, pour exprimer un ✎ météorologique.

La **phrase à présentatif** est une phrase qui peut être employée ✎, être ✎ ou être coordonnée à une autre phrase, ou encore être ✎ à une autre phrase.

On peut employer la phrase à présentatif pour ✎ simplement quelque chose, pour ✎ (c'est-à-dire faire voir ou présenter) une personne ou une chose dans la ✎, ou pour répondre à un ✎ ou à une question.

La **phrase non verbale** est une phrase qui est employée ✎ la plupart du temps, mais elle peut aussi être ✎, coordonnée ou subordonnée à une autre phrase.

Généralement, on emploie une phrase non verbale plutôt qu'une autre construction de phrase parce que la phrase non verbale permet d'énoncer quelque chose avec une économie de ✎ et parce qu'elle a souvent plus d' ✎ et de ✎.

La **phrase infinitive** est une phrase qui peut être employée ✎, être ✎ à une autre phrase, être ✎ à une autre phrase ou être ✎ à une autre phrase. Quand une phrase infinitive est ✎ dans une autre ✎, on l'appelle **phrase subordonnée infinitive**.

On emploie généralement la phrase infinitive pour ✎ quelqu'un à agir (donner un ✎, un ✎, indiquer des ✎).

On emploie la phrase subordonnée infinitive pour apporter une information ✎ au sens d'un ✎.

MA GRAMMAIRE

Connaître les différentes constructions de phrases nous permet de rendre nos propos et nos écrits plus efficaces et plus expressifs. Reconnaître ces constructions peut nous aider à bien saisir les intentions de la personne qui parle ou qui écrit et, ainsi, à mieux interpréter ses propos.

1 LA CONSTRUCTION DES PHRASES À CONSTRUCTION PARTICULIÈRE

Certaines constructions de phrases s'éloignent beaucoup du modèle de la PHRASE DE BASE; c'est pourquoi elles ne sont pas définies par comparaison avec ce modèle. Il s'agit de:

- la **phrase impersonnelle**;
- la **phrase à présentatif**;
- la **phrase non verbale**;
- la **phrase infinitive**.

1.1 LA CONSTRUCTION DE LA PHRASE IMPERSONNELLE

C'est le groupe du nom sujet (GNs) de la phrase impersonnelle qui caractérise cette phrase: ce GNs est toujours le pronom *il* qui ne représente ni une personne ni une chose. On appelle ce pronom *il impersonnel*. Le verbe dont le sujet est le pronom *il* impersonnel est appelé verbe impersonnel.

Ex.: *Il neige rarement à Neuilly-sur-Seine, le lieu de naissance de Jacques Prévert.*
Il a fallu que Jacques Prévert gagne sa vie à 15 ans.

Remarques:

1º Contrairement au GNs ***il*** d'une construction autre qu'impersonnelle, le GNs *il* de la phrase impersonnelle ne peut être remplacé par aucun autre **groupe du nom** ou **pronom**.

Ex.: ***Il*** *est né à Neuilly-sur-Seine.* → ***Cet homme*** *est né à Neuilly-sur-Seine.*
→ ***Celui-ci*** *est né à Neuilly-sur-Seine.*

Il a fallu qu'il gagne sa vie à 15 ans. → ****Cet homme*** *a fallu qu'il gagne sa vie à 15 ans.*
→ ****Cela*** *a fallu qu'il gagne sa vie à 15 ans.*

2º Dans la phrase impersonnelle, on peut trouver:

- des **marques d'interrogation** comme *est-ce que*, des mots interrogatifs, l'inversion du pronom *il* et du verbe;

Ex.: ***Est-ce qu'****il neige à Neuilly-sur-Seine ?*
Quand *neigera-**t-**il ?*

- un **mot exclamatif**;

  Ex. : ***Comme*** *il a neigé cet hiver !*

- des **mots de négation**;

  Ex. : *Il* ***ne*** *neige* ***pas*** *souvent à Neuilly-sur-Seine.*

- un groupe de mots mis en relief à l'aide de ***c'est… que*** ou à l'aide de son détachement et de la présence d'un **pronom** faisant référence au groupe de mots détaché.

  Ex. : *C'est à Neuilly-sur-Seine* ***qu'****il a neigé.*
  De la neige, il ***en*** *tombe peu à Neuilly-sur-Seine.*

1.1.1 LE VERBE IMPERSONNEL

Il existe deux catégories de verbes impersonnels :

- les **verbes toujours impersonnels**, qui s'emploient uniquement avec le pronom *il* impersonnel dans une phrase impersonnelle, soit :
  - des verbes exprimant un phénomène météorologique (*pleuvoir, neiger, venter,* etc.),
  - des verbes comme *advenir, falloir, s'agir*;

Ex. : *Il neige rarement à Neuilly-sur-Seine.*
Il a fallu que Jacques Prévert gagne sa vie à 15 ans.

- les **verbes occasionnellement impersonnels**, qui peuvent s'employer dans une phrase impersonnelle, mais également dans d'autres constructions de phrases. Dans une phrase autre qu'impersonnelle, ces verbes peuvent donc avoir comme sujet un groupe du nom sujet (GNs) autre que le pronom *il* impersonnel.

Ex. : *Il paraît de nombreux recueils de poèmes tous les jours.* (Phrase impersonnelle)
De nombreux recueils de poèmes paraissent tous les jours. (Phrase de type déclaratif)

Dans le groupe du verbe (GV) d'une phrase impersonnelle, seuls les verbes impersonnels exprimant un phénomène météorologique peuvent s'employer sans **expansion**. Tous les autres verbes impersonnels doivent être accompagnés d'au moins une **expansion**.

Remarque : Lorsqu'une phrase impersonnelle contient un verbe occasionnellement impersonnel, il est possible de transformer cette phrase en une phrase qui n'est pas impersonnelle ; il suffit de remplacer le pronom *il* impersonnel par l'**expansion** du verbe impersonnel (sans oublier d'accorder le verbe avec son nouveau **sujet**).

Ex. : *Il* *arriva* ***des événements fâcheux.***
ø ***Des événements fâcheux*** *arrivèrent.*
effacement *déplacement*

Inversement, lorsqu'une phrase qui n'est pas impersonnelle contient un verbe occasionnellement impersonnel, il est parfois possible de transformer cette phrase en une phrase impersonnelle en remplaçant le **GNs** par le pronom *il* impersonnel; le **GNs** remplacé devient alors l'**expansion** du verbe impersonnel.

Ex. : *Des événements fâcheux arrivèrent.*

Il arriva des événements fâcheux.

addition — *déplacement*

1.1.2 LA CONSTRUCTION ET LA FONCTION DE L'EXPANSION DU VERBE IMPERSONNEL

Dans le groupe du verbe (GV) de la phrase impersonnelle, l'**expansion** du verbe impersonnel peut se présenter sous diverses constructions : un **groupe du nom** (GN), un **groupe prépositionnel** (GPrép), un **groupe de l'adverbe** (GAdv), une **phrase subordonnée** (Phrase sub.), un **pronom** (Pron).

L'expansion du verbe impersonnel		
Construction de l'**expansion**	**Fonction** de l'**expansion**	*Exemples*
GN (placé après le verbe)	**Complément du verbe**	*Il arriva **une catastrophe**.*
GPrép (placé après le verbe)	**Complément du verbe**	*Il s'agissait **de l'annonce d'une guerre**.*
GAdv (placé après le verbe)	**Modificateur du verbe**	*Il fallait **absolument** que les jeunes hommes s'enrôlent dans l'armée.*
Phrase sub. (placée après le verbe)	**Complément du verbe**	*Il fallait **que les jeunes hommes s'enrôlent dans l'armée**.*
Pron (placé avant ou après le verbe)	**Complément du verbe**	*Il **leur** fallait du courage.* *Il arriva **cela**.*

1.2 LA CONSTRUCTION DE LA PHRASE À PRÉSENTATIF

La phrase à présentatif est caractérisée par la présence du présentatif *c'est*, *il y a*, *voici* ou *voilà*.

Ex. : *Voici un recueil de poèmes.*

Il y a deux cents poèmes dans ce recueil.

C'est impressionnant.

Remarques :

1° Le verbe *être* dans le présentatif *c'est* et le verbe *avoir* dans le présentatif *il y a* peuvent varier en temps et en mode.

Ex. : *Ce sera amusant.*

Il y avait deux poèmes à apprendre par cœur.

2º Dans la phrase à présentatif contenant le présentatif *c'est* ou *il y a*, et parfois *voici* ou *voilà*, on peut trouver :

- des **marques d'interrogation** comme *est-ce que*, des mots interrogatifs, l'inversion des pronoms *il* ou *ce* (*c'*) et du verbe *avoir* ou *être* dans les présentatifs *il y a* et *c'est* ;

  Ex. : ***Est-ce qu'****il y a deux cents poèmes dans ce recueil ?* ***Est-ce que*** *c'est impressionnant ?*
  Combien *y a***-t-***il de poèmes dans ce recueil ?* ***Pourquoi*** *est-ce impressionnant ?*

- un **mot exclamatif** ;

  Ex. : ***Que de*** *poèmes amusants il y a dans ce recueil !* ***Comme*** *c'est impressionnant !*

- des **mots de négation** ;

  Ex. : *Il* ***n'****y a* ***pas*** *deux cents poèmes dans ce recueil. Ce* ***n'****est* ***pas*** *impressionnant.*

- un groupe de mots mis en relief à l'aide de ***c'est… que*** ou à l'aide de son détachement et de la présence d'un **pronom** faisant référence au groupe de mots détaché.

  Ex. : ***C'est*** *dans ce recueil* ***qu'****il y a la poésie de Jacques Prévert.* ***C'est*** *en vers* ***que*** *c'est écrit.*
  Des poèmes amusants, il y ***en*** *a dans ce recueil. Amusant, ce* ***l'****est certainement.*
  Le recueil de Jacques Prévert, ***le*** *voici.*

1.2.1 LE **PRÉSENTATIF**

Dans la phrase à présentatif, le présentatif *(c'est, il y a, voici* ou *voilà)* est généralement suivi d'une **expansion**. Seuls les présentatifs *voici* et *voilà* peuvent s'employer sans expansion.

Ex. : – *C'est un recueil amusant.*
expansion
– *Peux-tu me le prêter ?*
– *Voilà.*

1.2.2 LA **CONSTRUCTION** ET LA **FONCTION DE L'EXPANSION** DU PRÉSENTATIF

Dans la phrase à présentatif, l'**expansion** du présentatif peut se présenter sous différentes constructions : un **groupe du nom** (GN), un **groupe prépositionnel** (GPrép), un **groupe de l'adjectif** (GAdj), un **groupe de l'adverbe** (GAdv), une **phrase subordonnée** (Phrase sub.), un **pronom** (Pron).

L'expansion du présentatif		
Construction de l'**expansion**	**Fonction** de l'**expansion**	*Exemples*
GN (placé après le présentatif)	**Complément du présentatif**	*Chez les Prévert, il y avait* ***trois garçons.***
GPrép (placé après le présentatif)		*C'était* ***à Neuilly-sur-Seine.***
GAdj (placé après le présentatif)		*C'était* ***accueillant.***
GAdv (placé après le présentatif)		*C'était* ***là-bas.***

L'expansion du présentatif *(suite)*		
Construction de l'expansion	**Fonction** de l'expansion	*Exemples*
Phrase sub. (placée après le présentatif)	**Complément du présentatif**	*En 1900, voilà **que naît un grand poète**.*
Pron (placé avant ou après le présentatif)		***Le** voici.* *C'est **lui**.*

1.3 LA CONSTRUCTION DE LA **PHRASE NON VERBALE**

La phrase non verbale est caractérisée par le fait qu'elle se construit sans verbe.

Ex. : *Bonjour !*
Amusant, ce poème.

Remarque : Dans la phrase non verbale, on peut trouver :

- des **marques d'interrogation** comme des mots interrogatifs ou simplement un **point d'interrogation** ;
  Ex. : ***De qui**, ce poème ? Amusant, ce poème ?*
- un **mot exclamatif** ;
  Ex. : ***Quel** poème amusant !*
- un ou des **mots de négation**.
  Ex. : ***Pas** possible !*

La phrase non verbale peut être constituée d'**un seul groupe de mots**, soit principalement : un **groupe du nom** (GN), un **groupe prépositionnel** (GPrép), un **groupe de l'adjectif** (GAdj), un **groupe de l'adverbe** (GAdv). Elle peut également être constituée de **deux groupes de mots** généralement juxtaposés.

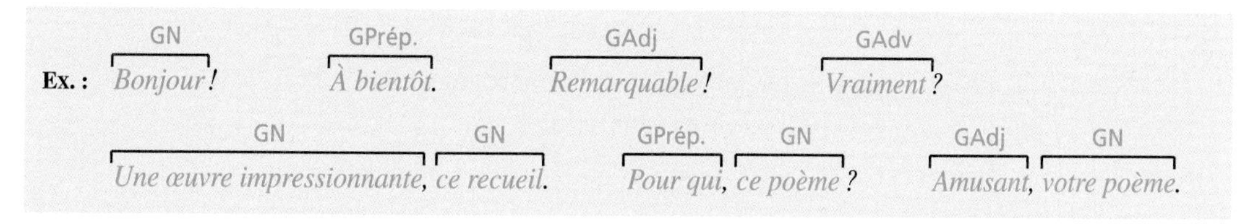

Remarque : Généralement, les deux groupes de mots qui forment une phrase non verbale pourraient, dans une autre construction, être reliés par le verbe <u>*être*</u> ou des expressions comme <u>*il est*</u> ou <u>*il y a*</u> ; dans ce cas, ils se suivraient souvent dans l'ordre inverse de celui de la phrase non verbale.

Ex. : *Amusant, votre poème.* → *Votre poème <u>est</u> amusant.*

P Lorsque la phrase non verbale est constituée de deux groupes de mots, ceux-ci sont généralement séparés par une **virgule**.

Ex. : *Prolifique, cet écrivain.*
Une réussite, ce lancement.

Une phrase non verbale peut parfois être formée de deux phrases non verbales, jointes par un **deux-points**, particulièrement lorsque la deuxième phrase indique une cause, une conséquence, une explication ou une synthèse par rapport à la première phrase.

Ex. : *Lancement réussi : deux cents recueils de vendus en une journée.*
explication

1.4 LA CONSTRUCTION DE LA PHRASE INFINITIVE

C'est le verbe de la phrase infinitive qui caractérise cette phrase : ce verbe est à l'infinitif et constitue le noyau d'un groupe du verbe à l'infinitif (GVinf).

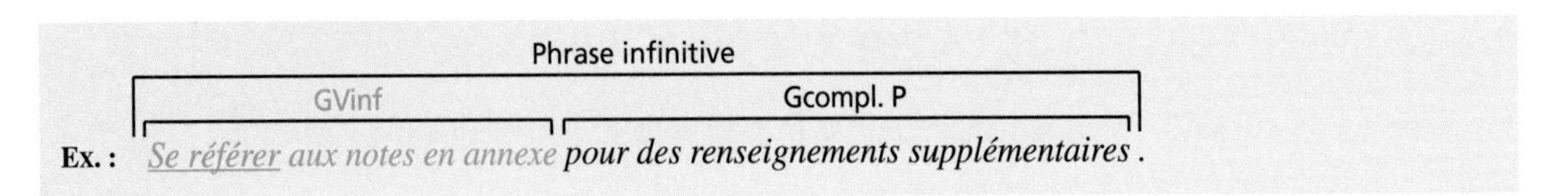

La phrase infinitive peut être constituée d'un GVinf seul, ou elle peut comporter, en plus du GVinf, un ou plusieurs groupes compléments de phrase (Gcompl. P).

Phrase infinitive / GVinf

Ex. : *Lire attentivement les deux poèmes suivants* .

Phrase infinitive / GVinf / Gcompl. P

Lire attentivement les deux poèmes suivants ***pour le prochain cours*** .

Remarques :

1º Dans la phrase infinitive, le groupe du nom sujet (GNs) du verbe à l'infinitif n'est généralement pas exprimé, mais on peut deviner, de façon plus ou moins précise, à quelle(s) personne(s), à quelle(s) chose(s), à quel(s) fait(s), etc., ce GNs non exprimé fait référence.

Ex. : *Lire attentivement les deux poèmes suivants.* (Le GNs non exprimé du verbe *lire* fait référence aux élèves à qui s'adresse cette consigne.)

Toutefois, il peut arriver que le **GNs** du verbe à l'infinitif soit exprimé. Dans ce cas, la relation entre ce **GNs** et le verbe à l'infinitif n'est pas marquée par un accord.

Ex. : *Tout jeune, Jacques Prévert écoutait* ***les artistes*** *discuter dans les bistrots.*

2º Dans la phrase infinitive, on peut trouver :

- des **marques d'interrogation** comme des mots interrogatifs, ou simplement le **point d'interrogation** ;

  Ex. : ***Pourquoi*** *lire mon poème tout haut ?*
  Lire mon poème tout haut devant la classe **?**

- des **mots de négation** ;

  Ex. : ***Ne pas*** *entrer dans la salle durant le spectacle.*

- un groupe de mots mis en relief à l'aide de son détachement et de la présence d'un **pronom** faisant référence au groupe de mots détaché.

  Ex. : *Mon poème,* ***le*** *lire tout haut devant la classe ?*

1.4.1 LE **VERBE À L'INFINITIF**

Dans le groupe du verbe à l'infinitif (GVinf), le verbe à l'infinitif noyau peut constituer à lui seul le GVinf ou il peut être accompagné d'une ou de plusieurs **expansions**.

1.4.2 LA **CONSTRUCTION** ET LA **FONCTION DE L'EXPANSION** DU VERBE À L'INFINITIF

Dans le groupe du verbe à l'infinitif (GVinf), l'expansion du verbe à l'infinitif peut se présenter sous les mêmes constructions et avoir les mêmes fonctions que l'expansion des verbes conjugués à un autre mode dans un groupe du verbe (GV).

▶ **Voir à l'atelier 3 : Le groupe du verbe, page 83.**

2 LE **FONCTIONNEMENT** DES PHRASES À CONSTRUCTION PARTICULIÈRE

Comme les phrases de types déclaratif, impératif, interrogatif ou exclamatif, les phrases à construction particulière peuvent être :

- **employées seules** ;
- **juxtaposées** à une autre phrase (c'est-à-dire jointes à une autre phrase à l'aide d'un signe de ponctuation seul);
- **coordonnées** à une autre phrase (c'est-à-dire jointes à une autre phrase à l'aide d'un coordonnant).

Le fonctionnement des phrases à construction particulière			
Phrases à construction particulière	Les phrases à construction particulière peuvent être…		
	employées seules	juxtaposées à une autre phrase	coordonnées à une autre phrase
Phrase impersonnelle	**Ex. :** *Il arriva une catastrophe.*	**Ex. :** *Il arriva une catastrophe* [:] *la guerre avait été déclarée.*	**Ex. :** *Il s'agissait de la Première Guerre mondiale,* [*et*] *Jacques Prévert a dû y participer.*

Le fonctionnement des phrases à construction particulière *(suite)*			
Phrases à construction particulière	Les phrases à construction particulière peuvent être…		
	employées seules	juxtaposées à une autre phrase	coordonnées à une autre phrase
Phrase à présentatif	**Ex. :** *Voici Jacques Prévert.*	**Ex. :** *Voici Jacques Prévert* ; *il est accompagné de son jeune frère.*	**Ex. :** *Il y avait plusieurs bistrots à Paris,* *et* *Jacques Prévert aimait les fréquenter.*
Phrase non verbale	**Ex. :** *Amusants, ces poèmes.*	**Ex. :** *Dommage* , *beaucoup de gens ne connaissent pas ce poète.*	**Ex. :** *Encore une journée,* *et* *je termine la lecture de ce recueil de Jacques Prévert.*
Phrase infinitive	**Ex. :** *Pour des renseignements supplémentaires, se référer aux notes en annexe.*	**Ex. :** *Lire le poème* , *encercler les erreurs,* *puis* *les corriger.*	

La phrase impersonnelle, la phrase à présentatif et la phrase infinitive peuvent également être insérées dans une autre phrase de niveau supérieur (appelée *phrase matrice*). Elles **font** alors **partie d'une phrase subordonnée** ou, dans le cas des phrases infinitives, elles peuvent **constituer une phrase subordonnée**.

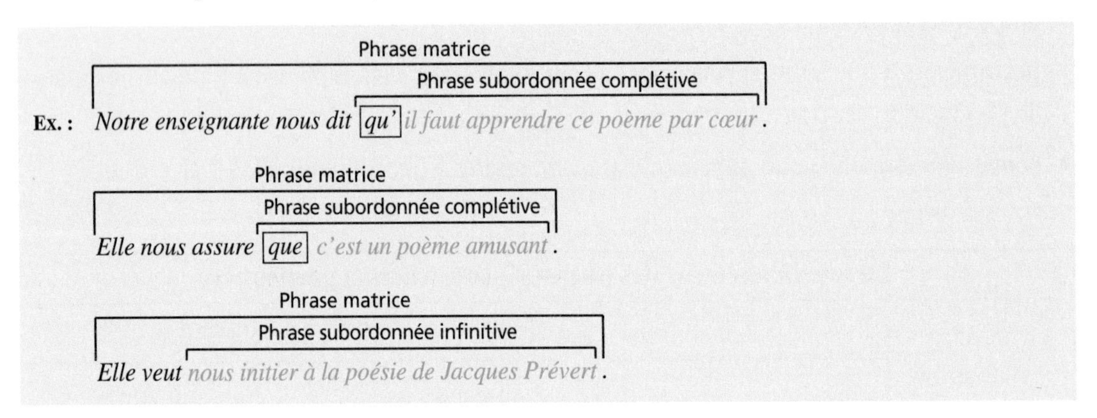

Remarque : Lorsqu'elle est insérée dans une autre phrase de niveau supérieur (appelée *phrase matrice*), la phrase infinitive constitue une phrase subordonnée infinitive. Contrairement à la subordonnée relative, à la subordonnée complétive ou à la subordonnée circonstancielle, la phrase subordonnée infinitive ne commence pas par un subordonnant.

Lorsqu'elles sont insérées dans une phrase de niveau supérieur, la phrase impersonnelle et la phrase à présentatif ont un fonctionnement différent de celui de la phrase subordonnée infinitive.

- La phrase impersonnelle et la phrase à présentatif sont insérées dans une phrase à l'aide d'un subordonnant, et c'est la subordonnée ainsi formée qui a une **fonction** dans la phrase.

Sub. circ. **compl. de P**

Ex. : *Quand il pleut, j'écris des poèmes.*

Sub. complét. **compl. dir. du V**

J'ai découvert qu'il y avait des poèmes amusants dans le recueil de Jacques Prévert.

- La phrase subordonnée infinitive est insérée dans une autre phrase sans l'aide d'un subordonnant et elle a une **fonction** dans la phrase, soit celle de **complément direct du verbe** (compl. dir. du V).

Phrase subordonnée infinitive **compl. dir. du V**

Ex. : *J'aime lire les poèmes de Jacques Prévert.*

- Lorsque la phrase subordonnée infinitive est précédée d'une <u>préposition</u>, elle forme avec cette <u>préposition</u> un groupe prépositionnel (GPrép), et c'est ce GPrép qui a une **fonction** dans la phrase.

GPrép **compl. indir. du V**

Ex. : *À 28 ans, Jacques Prévert décide <u>de</u> se consacrer résolument à l'écriture.*

3 L'EMPLOI DES PHRASES À CONSTRUCTION PARTICULIÈRE

L'emploi des phrases à construction particulière permet, entre autres, de varier l'expression de nos énoncés et, dans certains cas, de leur donner une vivacité et un rythme particuliers.

3.1 L'EMPLOI DE LA PHRASE IMPERSONNELLE

On emploie la phrase impersonnelle, entre autres, pour exprimer un phénomène météorologique, mettre en évidence une <u>information</u> en la plaçant à la fin de la phrase, ou indiquer à une ou plusieurs personnes, sans désigner directement ces personnes, la nécessité ou l'importance de faire une chose.

Ex. : *Il neige rarement à Neuilly-sur-Seine.*
Aujourd'hui, il s'est vendu <u>deux cents exemplaires de ce recueil</u>.
Il faut lire ce poème à voix haute. (Au lieu de : *Vous devez lire ce poème à voix haute.*)

3.2 L'EMPLOI DE LA **PHRASE À PRÉSENTATIF**

On peut employer la phrase à présentatif, entre autres, pour constater simplement quelque chose, désigner (c'est-à-dire faire voir ou présenter) une personne ou une chose dans la situation de communication, ou répondre à une question ou à un ordre avec une économie de mots.

Ex. : *Durant l'adolescence de Jacques Prévert, il y a eu une guerre en Europe.*
Voici le recueil de Jacques Prévert.
C'est son frère. (Réponse donnée à la question : *Qui accompagne Jacques Prévert sur cette photo ?*)
Voilà. (Parole prononcée en réponse à l'ordre : *Remets-moi ton poème, s'il te plaît.*)

3.3 L'EMPLOI DE LA **PHRASE NON VERBALE**

La phrase non verbale s'emploie très fréquemment à l'oral, mais elle occupe également une place importante à l'écrit, particulièrement dans les titres de livres, d'articles de journaux, de films, dans les proverbes, dans des descriptions poétiques, etc.

On emploie généralement la phrase non verbale pour énoncer quelque chose avec une économie de mots et, parfois, avec plus d'expressivité.

Ex. : *Documents en réserve. Pour consultation seulement.*
Très beau, ce poème !
Silence !

3.4 L'EMPLOI DE LA **PHRASE INFINITIVE**

On emploie la phrase infinitive principalement pour inciter quelqu'un à agir (donner un ordre, un conseil, indiquer des choses à faire).

Ex. : *Pour un poème réussi, suivre la procédure suivante.*

Quant à la phrase subordonnée infinitive, elle constitue l'un des moyens dont on dispose pour apporter une information essentielle au sens du verbe dans un groupe du verbe (GV).

GV

Ex. : *Déjà, dans l'enfance, Jacques Prévert adorait lire.*

Lorsque la phrase subordonnée infinitive est précédée d'une préposition, le groupe prépositionnel (GPrép) ainsi formé peut apporter une information essentielle au sens:

- d'un nom ou d'un pronom dans un groupe du nom (GN);
- d'un adjectif dans un groupe de l'adjectif (GAdj);
- d'un verbe dans un groupe du verbe (GV);
- d'une phrase.

GAdj
GPrép

Ex.: *Jacques Prévert fut capable de lire dès sa plus tendre enfance.*

Remarques:

1° La phrase subordonnée infinitive est parfois employée pour désigner ce dont on parle dans une phrase. Dans cette phrase, elle correspond alors à l'un des groupes constituants obligatoires: le groupe du nom sujet (GNs).

Ex.: *Écrire des scénarios de films fut l'un des gagne-pain de Jacques Prévert.*

2° On peut parfois employer un groupe prépositionnel (GPrép) contenant une phrase subordonnée infinitive à la place d'une subordonnée circonstancielle (Sub. circ.) quand cette subordonnée et la phrase qu'elle complète ont des **GNs** qui font référence à la même réalité.

Sub. circ.

Ex.: *Avant qu'il écrive des scénarios de films,* ***Jacques Prévert*** *a tenu un petit rôle au cinéma.*

GPrép

→ *Avant d'écrire des scénarios de films, Jacques Prévert a tenu un petit rôle au cinéma.*

Dans certains cas, l'emploi du GPrép contenant une phrase subordonnée infinitive est obligatoire.

Sub. circ.

Ex.: *****Jacques Prévert*** *a écrit des sketches politiques pour qu'****il*** *dénonce certaines situations.*

GPrép

→ *Jacques Prévert a écrit des sketches politiques pour dénoncer certaines situations.*

Pour appliquer *mes* connaissances lorsque *je* lis et lorsque *j'*écris

Appliquer tes connaissances sur les phrases à construction particulière en lecture et en écriture suppose que tu es capable:

- de reconnaître la phrase impersonnelle, la phrase à présentatif, la phrase non verbale et la phrase infinitive, d'en décrire la construction et le fonctionnement, et d'en évaluer l'emploi dans le texte;
- d'employer la phrase impersonnelle, la phrase à présentatif, la phrase non verbale et la phrase infinitive.

Les deux blocs d'activités qui suivent te permettront de vérifier si tu maîtrises ces habiletés.

Lis le texte ci-dessous, dans lequel Jacques Prévert a utilisé des phrases à construction particulière pour raconter une petite histoire où il fait parler des animaux.

Le dromadaire mécontent

① Un jour, il y avait un jeune dromadaire qui n'était pas content du tout.

La veille, il avait dit à ses amis: «Demain, je sors avec mon père et ma mère, nous allons ② entendre une conférence, ③ voilà comme je suis, moi!»

Et les autres avaient dit: «Oh, oh, il va ④ entendre une conférence, ⑤ c'est merveilleux», et lui n'avait pas dormi de la nuit tellement il était impatient et ⑥ voilà qu'il n'était pas content parce que la conférence n'était pas du tout ce qu'il avait imaginé: ⑦ il n'y avait pas de musique et il était déçu, il s'ennuyait beaucoup, il avait envie de pleurer.

Depuis une heure trois quarts un gros monsieur parlait. ⑧ Devant le gros monsieur, il y avait un pot à eau et un verre à dents sans la brosse et de temps en temps, le monsieur versait de l'eau dans le verre, mais il ne se lavait jamais les dents et, visiblement irrité, il parlait d'autre chose, c'est-à-dire des dromadaires et des chameaux.

Le jeune dromadaire souffrait de la chaleur, et puis sa bosse le gênait beaucoup; elle frottait contre le dossier du fauteuil; il était très mal assis, il remuait.

Alors sa mère lui disait: «Tiens-toi tranquille, laisse ⑨ parler le monsieur», et elle lui pinçait la bosse. Le jeune dromadaire avait de plus en plus envie de ⑩ pleurer, de s'en aller…

Toutes les cinq minutes, le conférencier répétait: «⑪ Il ne faut surtout pas ⑫ confondre les dromadaires avec les chameaux, j'attire, mesdames, messieurs et chers dromadaires, votre attention sur ce fait: le chameau a deux bosses, mais le dromadaire n'en a qu'une!»

Tous les gens de la salle disaient: «⑬ Oh, oh, très intéressant», et les chameaux, les dromadaires, les hommes, les femmes et les enfants prenaient des notes sur leur petit calepin.

Et puis le conférencier recommençait: «Ce qui différencie les deux animaux, c'est que le dromadaire n'a qu'une bosse, tandis que, chose étrange et utile à ⑭ savoir, le chameau en a deux…»

À la fin, le jeune dromadaire en eut assez et se précipitant sur l'estrade, il mordit le conférencier: «⑮ Chameau!» dit le conférencier furieux.

Et tout le monde dans la salle criait: «⑯ Chameau, sale chameau, sale chameau!»

⑰ Pourtant c'était un dromadaire, et il était très propre.

Jacques Prévert, *Histoires et d'autres histoires*, © Gallimard, 1963.

JE LIS ET J'ÉCRIS

JE RECONNAIS LES PHRASES À CONSTRUCTION PARTICULIÈRE, J'EN DÉCRIS LA CONSTRUCTION ET LE FONCTIONNEMENT, ET J'EN ÉVALUE L'EMPLOI DANS LE TEXTE

1 [A] **RELÈVE** le numéro de la phrase impersonnelle en couleur contenue dans le texte *Le dromadaire mécontent*, puis, à côté de ce numéro, **TRANSCRIS** le verbe impersonnel employé dans la phrase.

Attention ! Les phrases qui contiennent le présentatif *il y a* ne sont pas des phrases impersonnelles.

[B] **INDIQUE** si le verbe transcrit en [A] est un verbe toujours impersonnel ou un verbe occasionnellement impersonnel, puis, pour justifier ta réponse, **TRANSCRIS** la phrase impersonnelle contenant ce verbe en y remplaçant le groupe du nom sujet (GNs) *il* par un autre groupe du nom (GN).

[C] S'il y a lieu, **RELÈVE** l'expansion ou les expansions du verbe impersonnel relevé en [A], puis, pour chaque expansion, **INDIQUE** s'il s'agit :

- d'un GN;
- d'un groupe prépositionnel (GPrép);
- d'un groupe de l'adverbe (GAdv);
- d'une phrase subordonnée (Phrase sub.);
- d'un pronom (Pron).

[D] **INDIQUE** si la phrase impersonnelle contenue dans le texte *Le dromadaire mécontent* est :

ⓐ employée seule;

ⓑ juxtaposée à une autre phrase;

ⓒ coordonnée à une autre phrase;

ⓓ subordonnée à une autre phrase.

[E] La phrase suivante présente le même message que la phrase impersonnelle contenue dans le texte *Le dromadaire mécontent*.

Confondre les dromadaires avec les chameaux est une chose que vous ne devez surtout pas faire.

EXPLIQUE pourquoi l'information «confondre les dromadaires avec les chameaux» est davantage mise en évidence dans la phrase impersonnelle contenue dans le texte *Le dromadaire mécontent* que dans la phrase ci-dessus.

[F] **OBSERVE** les mots de la phrase donnée en [E], qui sont différents de ceux de la phrase impersonnelle contenue dans le texte *Le dromadaire mécontent*, puis **EXPLIQUE** pourquoi les gens de l'auditoire pourraient se sentir plus personnellement visés par la phrase donnée en [E].

2 [A] **INSCRIS**, les uns sous les autres, les numéros des sept phrases à présentatif contenues dans le texte *Le dromadaire mécontent*, puis **TRANSCRIS** à côté de chaque numéro le présentatif employé dans la phrase correspondante (avec les mots de négation qui accompagnent le présentatif, s'il y a lieu).

B Pour chacun des présentatifs transcrits en **A**, **INDIQUE** s'il est employé avec ou sans expansion.

C Dans le texte *Le dromadaire mécontent*, les phrases à présentatif servent-elles à constater simplement quelque chose, ou à répondre à une question ou à un ordre avec une économie de mots ?

3 **A** **REPÈRE** les trois phrases non verbales en couleur contenues dans le texte *Le dromadaire mécontent*, puis **INSCRIS**, les uns sous les autres, les numéros de ces phrases.

B À côté de chacun des numéros inscrits en **A**, **INDIQUE** de quel(s) groupe(s) de mots est constituée la phrase non verbale correspondante (ne tiens pas compte de l'expression *Oh, oh*) :

- GN ;
- GAdj ;
- GPrép ;
- GAdv.

C Dans le texte *Le dromadaire mécontent*, les phrases non verbales sont employées pour rapporter des paroles telles qu'elles ont été prononcées. **RELIS** ces phrases, puis **INDIQUE** pourquoi, à l'oral, on emploie fréquemment des phrases non verbales pour énoncer quelque chose.

D Dans un dictionnaire usuel, on trouve les deux définitions suivantes du mot *chameau* :

ⓐ sens propre : «Grand mammifère ruminant *(camélidés)* à bosses dorsales, à pelage laineux» ;

ⓑ sens figuré : «Personne méchante, désagréable».

INDIQUE laquelle des deux définitions ci-dessus s'applique au mot *chameau* dans les phrases non verbales ⑮ et ⑯ du texte *Le dromadaire mécontent*, puis **JUSTIFIE** ta réponse.

4 **A** **TRANSCRIS** les six phrases infinitives en couleur contenues dans le texte *Le dromadaire mécontent*, puis, dans chacune de ces phrases :

- **SOULIGNE** le verbe à l'infinitif ;
- s'il y a lieu, **ENCERCLE** le GNs ;
- s'il y a lieu, **METS** entre parenthèses le ou les groupes compléments de phrase (Gcompl. P) ;
- **SURLIGNE** le groupe du verbe à l'infinitif (GVinf).

B **INDIQUE** si chacune des phrases infinitives transcrites en **A** constitue ou non une phrase subordonnée infinitive, c'est-à-dire une phrase insérée dans une autre phrase de niveau supérieur (appelée *phrase matrice*).

C **RELÈVE** le numéro des phrases subordonnées infinitives qui sont contenues dans un GPrép.

D Chacun des GPrép contenant les phrases subordonnées infinitives relevées en **C** apporte une information essentielle au sens d'un mot contenu dans une phrase de niveau supérieur. **RELÈVE** chacun de ces mots.

E Chacune des phrases subordonnées infinitives qui ne sont pas contenues dans un GPrép apporte une information essentielle au sens d'un mot contenu dans une phrase de niveau supérieur. **RELÈVE** chacun de ces mots.

J'EMPLOIE DES PHRASES À CONSTRUCTION PARTICULIÈRE

5 **IMAGINE**, puis **DÉCRIS**, à l'aide de quatre phrases impersonnelles, les circonstances dans lesquelles s'est tenue la conférence à laquelle assistait le dromadaire dont il est question dans le texte *Le dromadaire mécontent* (pages 270-271). Voici ce que doivent indiquer tes phrases impersonnelles :

- les conditions météorologiques au moment de la conférence : **EMPLOIE** un verbe impersonnel à l'imparfait et **COMPLÈTE** la phrase impersonnelle d'un groupe complément de phrase (Gcompl. P);
- l'heure à laquelle avait lieu la conférence : **EMPLOIE** un verbe impersonnel à l'imparfait;
- ce que le conférencier répétait;

  Pour construire cette phrase impersonnelle, **REPRENDS** le verbe impersonnel de la phrase ⑪ du texte *Le dromadaire mécontent*, mais change le contenu de cette phrase.

  Comme Jacques Prévert, **PUISE** dans ton imagination et **VAS**-y d'un peu d'humour.
- le fait qu'il y a eu un incident à un certain moment.

  Pour construire cette phrase impersonnelle, **TRANSFORME** la phrase suivante en phrase impersonnelle : *À la fin, un événement inattendu s'est produit.*

  EX. : *Avant son retour, un long moment s'écoula.*
  → *Avant son retour, il s'écoula un long moment.*

6 **IMAGINE** que le texte des pages 270-271 s'intitule *Le chameau satisfait* (plutôt que *Le dromadaire mécontent*). Ci-dessous, tu devras construire des phrases qui tiennent compte du sens de ce nouveau titre.

A À la manière de la phrase ① du texte, **CONSTRUIS** une phrase à présentatif qui constate l'existence d'un jeune chameau. Dans cette phrase, l'expansion du présentatif doit être constituée d'un groupe du nom (GN) contenant une subordonnée relative.

B À la manière de la phrase ⑥ du texte, **CONSTRUIS** une phrase à présentatif qui constate la bonne humeur du jeune chameau tout en donnant la cause de cette humeur.

C À la manière de la phrase ⑧ du texte, **CONSTRUIS** une phrase à présentatif qui désigne un objet situé près du conférencier et qui indique l'endroit où est situé cet objet.

D À l'aide du présentatif *c'est*, **CONSTRUIS** une phrase à présentatif qui exprime ce que le jeune chameau satisfait pense des propos du conférencier.

7 **A** À la manière de la phrase ⑬ du texte, **CONSTRUIS** une phrase non verbale contenant :

- à la place de *Oh, oh,* une expression qui exprime l'indifférence ou l'insatisfaction ;
- un groupe de l'adjectif (GAdj) qui exprime le contraire de celui employé dans la phrase ⑬.

B À partir de chacune des phrases suivantes, **CONSTRUIS** une phrase non verbale constituée de deux groupes de mots exprimant une opinion avec force.

Cette soirée a été très instructive.

Cet auditoire était extrêmement attentif.

Notre conférencier est une véritable encyclopédie.

Attention à la ponctuation qui sépare les groupes de mots et qui termine la phrase non verbale !

Ex. : *Ce chameau est un effronté.*
→ *Un effronté, ce chameau !*

C Chacune des phrases ci-dessous est la réponse à une question. À l'aide du mot interrogatif entre parenthèses et d'une partie des mots de chaque réponse, **CONSTRUIS** une phrase non verbale qui pose une question.

J'ai cet intérêt pour les chameaux parce qu'ils sont tout simplement fascinants. (Pourquoi)

Il donnera sa prochaine conférence dans deux semaines. (À quand)

La conférence sur les grands mammifères à bosses dorsales aura lieu à 19 heures. (À quelle)

Attention à la ponctuation qui termine la phrase non verbale !

Ex : *J'ai écrit ce poème pour Sébastien.* (Pour qui)
→ *Pour qui, ce poème ?*

D Écrite à la manière d'un titre d'article de journal, chacune des phrases non verbales ci-dessous est formée de deux phrases non verbales, constituée chacune d'un groupe du nom (GN). **TRANSCRIS** chacune de ces phrases non verbales à double interligne, puis :

- **SOULIGNE** le deuxième GN;
- au-dessus du GN souligné, **INDIQUE** s'il exprime une **cause**, une **conséquence** ou une **explication** par rapport au premier GN;
- **METS** le signe de ponctuation qui convient entre les deux GN.

Attention ! Erreurs.

① *Manifestation houleuse arrestation de trois dromadaires.*

② *Difficile sélection des candidats trop de chameaux talentueux.*

③ *Propos controversés du conférencier vives réactions dans la salle.*

④ *Incident inusité conférencier mordu par un dromadaire furieux !*

8 **Lis** cet extrait d'un poème de Jacques Prévert.

Pour faire le portrait d'un oiseau

Peindre d'abord une cage
avec une porte ouverte
peindre ensuite
quelque chose de joli
5 quelque chose de simple
quelque chose de beau
quelque chose d'utile
pour l'oiseau
placer ensuite la toile contre un arbre
10 dans un jardin
dans un bois
ou dans une forêt
se cacher derrière l'arbre
sans rien dire
15 sans bouger...
Parfois l'oiseau arrive vite
mais il peut aussi bien mettre de longues années
avant de se décider
[...]

Jacques Prévert, *Paroles*, © Gallimard, 1949.

Dans son poème, Jacques Prévert emploie essentiellement des phrases infinitives qui indiquent des choses à accomplir *pour faire le portrait d'un oiseau*, ce qui donne au poème le ton d'un mode d'emploi.

À la manière de Jacques Prévert, **construis** un poème qui indique des choses à faire pour réaliser quelque chose. Ton poème doit comporter :

- un titre commençant par *Pour faire...* ;
- cinq phrases infinitives contenant chacune un verbe à l'infinitif différent avec au moins une expansion;
- une Gcompl. P dans au moins deux des phrases infinitives;
- deux phrases subordonnées infinitives apportant chacune une information essentielle à un verbe conjugué.

Tu peux t'inspirer de la construction de la phrase subordonnée infinitive contenue dans la dix-septième ligne du poème de Jacques Prévert.

9 **CONSTRUIS** un petit texte dans lequel tu rends compte d'une activité à laquelle tu as participé. Il peut s'agir d'une activité artistique, sportive, culturelle, gastronomique, etc.

Contraintes d'écriture

Ton texte doit comprendre :

- au moins dix phrases ;
- au moins cinq phrases à construction particulière parmi lesquelles on doit trouver :
  - une phrase impersonnelle,
  - une phrase à présentatif,
  - une phrase non verbale,
  - une phrase subordonnée infinitive.

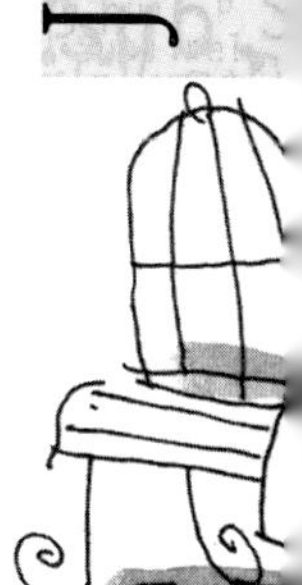

FICHES ORTHOGRAPHIQUES

On ou *on n'* ?

À l'écrit, dans une phrase de forme négative dont le groupe du nom sujet (GNs) est ***on***, on oublie souvent d'employer le mot de négation *ne (n')* quand le verbe noyau du groupe du verbe (GV) (ou l'auxiliaire si le verbe est conjugué à un temps composé) commence par une voyelle.

Ex. : **On a jamais su la vérité.*

Correction : ***On** n'a jamais su la vérité.*

Cette erreur est courante parce que la prononciation de ***on*** + verbe commençant par une **voyelle** et de ***on** n'* + verbe commençant par une **voyelle** est la même.

Remarque : Il arrive aussi qu'on oublie d'employer le mot de négation *ne (n')* lorsque la préposition ***en*** introduit un verbe au participe présent commençant par une **voyelle**, car la prononciation de ***en*** + verbe au participe présent commençant par une **voyelle** et de ***en** n'* + verbe au participe présent commençant par une **voyelle** est la même.

Ex. : ****En** arrêtant pas au feu rouge, ce cycliste a pris un risque.*

Correction : ***En** n'arrêtant pas au feu rouge, ce cycliste a pris un risque.*

Voici une stratégie de révision qui te permettra de vérifier l'emploi du mot de négation *ne (n')* dans la phrase négative dont le GNs est ***on***.

Dans une phrase dont le groupe du nom sujet (GNs) est le pronom *on* ...

❶ **ENCERCLE** le GNs.

❷ **SOULIGNE** le verbe dont le pronom *on* est le sujet.

❸ Si le verbe (ou l'auxiliaire) commence par une voyelle, **ENCERCLE** cette voyelle.

❹ Si la phrase contient un mot de négation autre que *ne* (*pas*, *rien*, *personne*, *jamais*, *aucun*/*aucune*, etc.), **ASSURE**-toi que la phrase contient également le mot de négation *ne (n')*, puis **SURLIGNE** les deux mots de négation.

Ex. : *On n' a vu personne.*

EXERCICE

RÉCRIS les phrases ci-dessous en remplaçant les points de suspension par ***on*** ou ***on** n'*, puis **APPLIQUE** la stratégie de révision.

① ... apprend pas à un vieux singe à faire la grimace. ② ... appelle un chat un chat. ③ ... avait rien à se dire. ④ ... oublie jamais une bonne blague. ⑤ Jamais ... avait ri autant. ⑥ ... a compris aucune de ses explications. ⑦ ... est moins informés que ces gens. ⑧ ... est plus en retard que prévu. ⑨ ... a permis à personne de partir. ⑩ ... a évoqué de vieux souvenirs.

Leur ou *leurs* ?

Le mot *leur* peut appartenir à la classe du **déterminant** *(leur/leurs)* ou à la classe du pronom *(lui/leur)*, ou peut faire partie d'un **pronom complexe** *(le leur/la leur/les leurs)*.

- *Leur* (ou *leurs*) est un **déterminant** lorsqu'il introduit le **nom noyau** d'un groupe du nom (GN). Le déterminant *leur* est un *receveur d'accord*; il prend le nombre (S ou P) du **nom** qu'il introduit.

  GN S GN P

  Ex. : *Après le cours, les élèves rangent leur* ***classe*** *et leurs* ***pupitres***.

- *Leur* est un **pronom** lorsqu'il remplace un groupe de mots. Le pronom *leur* remplace un groupe prépositionnel (GPrép) comprenant un GN dont le **nom noyau** est au pluriel; il s'orthographie sans *s*.

  P

  Ex. : *J'ai demandé à tes enfants d'apporter des serviettes.*
  → *Je leur ai demandé d'apporter des serviettes.*

  Remarque : Pour remplacer un GPrép comprenant un GN dont le **nom noyau** est au singulier, on emploie le pronom *lui*.

  S

  Ex. : *J'ai demandé à ton enfant d'apporter une serviette.*
  → *Je lui ai demandé d'apporter une serviette.*

- *Le leur*, *la leur*, *les leurs* sont des **pronoms complexes**. Les pronoms *le leur*, *la leur* remplacent un GN dont le **nom noyau** est au singulier, le pronom *les leurs* un GN dont le **nom noyau** est au pluriel.

  S

  Ex. : *Nous avons nettoyé notre chambre et ils ont nettoyé leur* ***chambre***.
  → *Nous avons nettoyé notre chambre et ils ont nettoyé la leur.*

  P

  Nous avons fait nos achats et ils ont fait leurs ***achats***.
  → *Nous avons fait nos achats et ils ont fait les leurs.*

Voici une stratégie de révision qui te permettra de vérifier l'orthographe des mots *leur* et *leurs*.

❶ **SURLIGNE** les mots *leur* ou *leurs*.

❷ Si le mot surligné introduit le nom noyau d'un groupe du nom (GN), il s'agit d'un déterminant :

- **METS** un point au-dessus du nom noyau du GN et **DÉTERMINE** le nombre (S ou P) de ce nom;
- **METS** un triangle (▼) au-dessus du déterminant, **RELIE**-le au nom marqué d'un point, puis **CORRIGE**, s'il y a lieu, l'accord du déterminant.

  s P

  Ex. : *Les enfants ont cueilli des fleurs pour leur parents.*

❸ Si le mot surligné peut être remplacé par le pronom *lui*, il s'agit du pronom *leur*, qui s'orthographie sans *s*.

Si le remplacement par *lui* est possible, **INSCRIS** *lui* au-dessus du pronom, puis **CORRIGE**, s'il y a lieu, l'orthographe du pronom.

lui

Ex. : *Les enfants ont cueilli des fleurs pour leurs parents. Ils les leurs offriront au déjeuner.*

❹ Si le mot surligné <u>ne peut pas être remplacé par le pronom *lui*</u> et <u>est précédé de *le*, *la* ou *les*</u>, il forme un pronom complexe avec le mot *le*, *la* ou *les*.

SURLIGNE le pronom complexe *le leur*, *la leur* ou *les leurs*, puis corrige, s'il y a lieu, l'orthographe du pronom.

EX. : *Vos parents étaient ravis, mais les leur l'étaient encore plus.*

EXERCICE

RÉCRIS les phrases ci-dessous en remplaçant les points de suspension par *leur* ou *leurs*, puis **APPLIQUE** la stratégie de révision.

① Nous avons rencontré Julie et Léo et nous ... avons proposé de nous accompagner à un concert. ② Nous avions nos billets, mais ils n'avaient pas les ... . ③ Nous ... avons conseillé d'acheter ... billets à l'avance. ④ Nous ... avons dit aussi de se présenter au moins quinze minutes avant la représentation. ⑤ Ils ont fait à ... tête. ⑥ Ils ne sont pas arrivés à l'heure et n'avaient pas acheté ... billets. ⑦ Ils se sont excusés de ... retard et allaient partir quand ils ont aperçu deux personnes qui cherchaient à vendre ... billets. ⑧ Julie et Léo se sont empressés de les ... acheter. ⑨ Ils avaient maintenant chacun ... billet et pouvaient assister au concert.

Les verbes en *-cer* / *-ger* : *c* ou *ç* ? / *g* ou *ge* ?

Les verbes qui se terminent par *-cer* ou par *-ger* à l'infinitif ont une particularité orthographique lorsqu'ils sont conjugués :

- le *c* des verbes en *-cer* devient *ç* lorsqu'il se trouve devant les voyelles *a* et *o* ;

  Ex. : *placer → je place, je plaçais, nous placions, nous plaçons*

- le *g* des verbes en *-ger* est suivi d'un *e* lorsqu'il se trouve devant les voyelles *a* et *o*.

  Ex. : *manger → je mange, je mangeais, nous mangions, nous mangeons*

Voici une stratégie de révision qui te permettra d'orthographier correctement les verbes en *-cer* et en *-ger*.

❶ **REPÈRE** un verbe qui se termine par *-cer* ou par *-ger* à l'infinitif, puis **INSCRIS** au-dessus *-cer* ou *-ger*.
❷ Si le *c* ou le *g* se trouve devant la voyelle *a* ou *o*, **SOULIGNE** cette voyelle.
❸ **CORRIGE**, s'il y a lieu, l'orthographe du verbe en *-cer* ou en *-ger*. -cer c / -cer / -ger / -ger e / -ger **Ex. :** *il pinçe, elle pinçait, tu protèges, nous protégons, nous protégions*

EXERCICE

RÉCRIS les verbes suivants en remplaçant les points de suspension par *c* ou *ç*, ou encore par *g* ou *ge*, puis **APPLIQUE** la stratégie de révision ci-dessus.

① *vous na...ez* ② *nous ju...ons* ③ *elle bou...ait* ④ *je ber...ais* ⑤ *il fati...uait* ⑥ *elle proté...ait* ⑦ *ils divor...eront* ⑧ *j'en...rais* ⑨ *nous tra...ions* ⑩ *tu vain...ras* ⑪ *ils renon...èrent* ⑫ *nous bou...ons* ⑬ *elle tra...ait* ⑭ *nous distin...uons* ⑮ *il ron...ait* ⑯ *je voya...erai* ⑰ *vous avez ber...é* ⑱ *tu son...ais* ⑲ *elle renon...a* ⑳ *nous rempla...ions*

Les verbes en *-yer* / *-eler* / *-eter* : *y* ou *i* ? / *l* ou *ll* ? / *t* ou *tt* ?

Les verbes qui se terminent par *-yer*, par *-eler* ou par *-eter* à l'infinitif ont une particularité orthographique lorsqu'ils sont conjugués :

- le *y* des verbes en *-yer* devient *i* lorsqu'il se trouve devant un *e* muet (il s'agit d'un *e* que l'on ne prononce pas ou que l'on prononce *e*, c'est-à-dire que l'on ne prononce ni comme un *é* ni comme un *è*);

  Ex. : *nettoyer → je nettoyais, je nettoie, nous nettoyions, nous nettoierons, vous nettoyez*

  Exceptions : *envoyer (renvoyer) → j'enverrai, tu enverras, il enverra, nous enverrons, vous enverrez, ils enverront; j'enverrais, tu enverrais, il enverrait, nous enverrions, vous enverriez, ils enverraient*

- le *l* des verbes en *-eler* devient *ll* lorsqu'il se trouve devant un *e* muet;

  Ex. : *appeler → j'appelais, j'appelle, j'appellerai, vous appelez, ils appellent*

  Exceptions : *celer (déceler, harceler, receler), ciseler, démanteler, écarteler, geler (dégeler, congeler, surgeler), marteler, modeler, peler*

- le *t* des verbes en *-eter* devient *tt* lorsqu'il se trouve devant un *e* muet.

  Ex. : *jeter → je jetais, je jette, je jetterai, vous jetez, ils jettent*

  Exceptions : *acheter (racheter), corseter, crocheter, fileter, fureter, haleter*

Voici une stratégie de révision qui te permettra d'orthographier correctement les verbes en *-yer*, en *-eler* et en *-eter*.

❶ **Repère** un verbe qui se termine par *-yer*, par *-eler* ou par *-eter* à l'infinitif et qui ne fait pas partie des exceptions énumérées ci-dessus, puis **inscris** au-dessus *-yer*, *-eler* ou *-eter*.

❷ Si le *y*, le *l* ou le *t* se trouve devant un *e* muet, **souligne** ce *e*.

❸ **Corrige**, s'il y a lieu, l'orthographe du verbe en *-yer*, *-eler* ou *-eter*.

❹ Si le verbe se terminant par *-eler* ou par *-eter* à l'infinitif fait partie des exceptions énumérées ci-dessus, mets un seul *l* ou un seul *t*.

-yer -yer -eler -eler -eter

Ex. : *ils appuyent, elles appuyaient, tu rappeles, vous rappellez, nous jeterons, tu gèlles, nous achètterons*

EXERCICE

Récris les verbes suivants en remplaçant les points de suspension par *y* ou *i*, par *l* ou *ll*, ou encore par *t* ou *tt*, puis **applique** la stratégie de révision ci-dessus.

① ils ont appe...é ② vous rappe...erez ③ elle feuille...ait ④ tu netto...es ⑤ elles renouve...ent ⑥ elle reje...era ⑦ ils achè...eront ⑧ il se no...era ⑨ nous modè...erons ⑩ tu je...es ⑪ je rou...e ⑫ elles appe...ent ⑬ nous pè...erons ⑭ je proje... e ⑮ il bro...ait ⑯ je pa...erai ⑰ nous netto...ions ⑱ tu effra...ais ⑲ nous je...erions ⑳ vous appu...iez

Les verbes en -e + CONSONNE + er / -é + CONSONNE + er : e ou è ? / é ou è ?

Les verbes qui se terminent par *-e* + CONSONNE + *er* ou par *-é* + CONSONNE + *er* à l'infinitif ont une particularité orthographique lorsqu'ils sont conjugués :

- le *e* des verbes en *-e* + CONSONNE + *er* devient *è* lorsqu'il se trouve devant une **syllabe qui contient un e muet** (il s'agit d'un *e* que l'on ne prononce pas ou que l'on prononce *e*, c'est-à-dire que l'on ne prononce ni comme un *é* ni comme un *è*);

  Ex. : *peser → je pesais, je pè**se**, je pè**se**rai, vous pesez, ils pè**sent***

Attention ! Parmi les verbes en *-eler* et en *-eter*, il n'y a que les verbes ci-dessous qui suivent cette règle : *celer (déceler, receler), ciseler, démanteler, écarteler, geler (dégeler, congeler, surgeler), marteler, modeler, peler ; acheter (racheter), corseter, crocheter, fileter, fureter, haleter*

- le *é* des verbes en *-é* + CONSONNE + *er* devient *è* lorsqu'il se trouve devant une **syllabe qui contient un e muet et qui est placée à la toute fin du verbe.**

  Ex. : *répéter → je répétais, vous répétez, je répéterai, je répè**te**, ils répè**tent***

Voici une stratégie de révision qui te permettra d'orthographier correctement les verbes en *-e* + CONSONNE + *er* et en *-é* + CONSONNE + *er*.

❶ **REPÈRE** un verbe qui se termine par *-e* + CONSONNE + *er* ou par *-é* + CONSONNE + *er* à l'infinitif, puis **INSCRIS** au-dessus *-e CONS. er* ou *-é CONS. er*.

S'il s'agit d'un verbe en *-eler* ou en *-eter*, **ASSURE**-toi qu'il fait partie de la liste ci-dessus.

❷ Si le *e (è)* se trouve devant une syllabe qui contient un *e* muet, **SOULIGNE** ce *e* muet, puis **SURLIGNE** la syllabe qui le contient.

❸ Si le *é (è)* se trouve devant une syllabe qui contient un *e* muet, **SOULIGNE** ce *e* muet, puis **SURLIGNE** la syllabe qui le contient seulement si cette syllabe se trouve à la toute fin du verbe.

❹ **CORRIGE,** s'il y a lieu, l'orthographe du verbe en *-e* + CONSONNE + *er* ou en *-é* + CONSONNE + *er* à l'infinitif.

-e CONS. er | -e CONS. er | -e CONS. er | -é CONS. er | -é CONS. er | -é CONS. er

Ex. : *il sèmera, elles pèsent, vous pesiez, nous rouspétons, il rouspète, je rouspéterai*

EXERCICE

RÉCRIS les verbes suivants en remplaçant les points de suspension par *e*, *é* ou *è*, puis **APPLIQUE** la stratégie de révision ci-dessus.

① *vous c...dez* ② *elles consid...rent* ③ *tu emm...nais* ④ *j'enl...verai* ⑤ *ils l...vent* ⑥ *elle rép...tait* ⑦ *elle prot...geait* ⑧ *nous prot...gerons* ⑨ *je rej...tte* ⑩ *tu ach...tes* ⑪ *ils sugg...rent* ⑫ *nous succ...derons* ⑬ *elle soul...vait* ⑭ *vous app...llerez* ⑮ *vous p...lez* ⑯ *je p...serai* ⑰ *vous prom...nez* ⑱ *elles mod...rent* ⑲ *elle enl...va* ⑳ *nous consid...rions*

AIDE-MÉMOIRE

Le nom

Caractéristiques sémantiques (sens)

- Le nom peut désigner une **réalité concrète** ou **abstraite**.

  Après mûre réflexion, cet homme a pris une décision.

- Le nom peut avoir les **traits** :
  - **commun** ou **propre** : *un fleuve / le Saint-Laurent* ;
  - **animé** ou **non animé** : *un enfant / un arbre* ;
  - **comptable** ou **non comptable** : *une pomme / du jus* ;
  - **individuel** ou **collectif** : *une personne / une foule*.
- Le nom peut avoir une **valeur** :
  - **générique** : *un fruit* ;
  - **spécifique** : *une pêche, une pomme, une banane*.

Caractéristiques morphologiques (forme)

- Le nom peut avoir :
  - une **forme simple** : *une pomme, un arc, le fleuve* ;
  - une **forme complexe** : *une pomme de terre, un arc-en-ciel, le Saint-Laurent*.
- Le nom commun a une **forme variable**; il varie en **nombre**.

  un pommier / des pommiers

ANNEXE *La formation du pluriel des noms et des adjectifs*, page 305.

- Certains noms (ayant le **trait animé**) **varient** en **genre**.

  un ami / une amie

ANNEXE *La formation du féminin des noms et des adjectifs*, pages 303-304.

Caractéristiques syntaxiques (fonctionnement)

- Le **nom** est le **noyau** du groupe du nom (GN); il est **non supprimable** dans ce groupe de mots.

  *Cet **homme** mange une **pomme** juteuse.* → * *Cet ø mange une ø juteuse.*

  - Généralement, le **nom** noyau du GN est introduit par un déterminant.

    *Cet **homme** mange une **pomme**.*

    Dans certains GN (souvent un GN dont le noyau est un nom propre), le **nom** noyau n'est pas introduit par un déterminant. **Ex. :** *Émile jette son cœur de pomme.*

  - Le **nom** noyau peut être accompagné d'une ou de plusieurs expansions dans le GN.

    *Cet **homme** mange une grosse **pomme** juteuse.*
    (grosse : expansion ; juteuse : expansion)

- Le **nom** est un ***donneur d'accord***.

  3SM ; FS

  Cet homme mange une grosse pomme juteuse.

ORTHOGRAPHE GRAMMATICALE 1. *Les accords dans le groupe du nom*, pages 297-299.
2. *Les accords dans le groupe du verbe*, pages 299-302.

Le déterminant

Caractéristiques sémantiques (sens)

- Le déterminant peut exprimer :
  - une **quantité précise** : *Il y a trois oiseaux sur la branche. Je peindrai ces oiseaux.*
  - une **quantité imprécise** : *Je mets beaucoup de temps à choisir des couleurs.*
- Le déterminant peut indiquer que le nom qu'il introduit :
  - désigne quelque chose que le lecteur **ne peut pas identifier** (par exemple, parce qu'on en parle pour la première fois dans le texte)

    Il a vu un oiseau gigantesque.

    ou :

    sert à **catégoriser** ce dont on parle.

    Cet oiseau était un aigle.

    Il s'agit alors d'un **déterminant non référent**.
  - désigne quelque chose que le lecteur **peut identifier** (soit parce que le contexte le permet ou que le nom désigne quelque chose de connu ou de supposé connu de tous).

    Il a vu un oiseau gigantesque. Cet oiseau guettait une proie en tournoyant dans le ciel.

    Il s'agit alors d'un **déterminant référent**.

Les **déterminants non référents** sont généralement :
- les déterminants indéfinis : *un*, *une*, *des* ; *chaque* ; *plusieurs* ; *quelques* ; *certains*, *certaines* ; *différents*, *différentes* ; *divers*, *diverses* ; *tout*, *toute*, *tous*, *toutes* ; *beaucoup de* ; *énormément de* ; etc. ;
- les déterminants numéraux : *un*, *deux*, *trois*, *quatre*, *cinq*, *six*, etc. ;
- les déterminants négatifs : *aucun*, *aucune* ; *nul*, *nulle* ; *pas un*, *pas une* ;
- les déterminants partitifs : *du*, *de la*, *de l'*, *des*.

Les **déterminants référents** sont généralement :
- les déterminants définis : *le (l')*, *la (l')*, *les* ;
- les déterminants contractés : *au*, *aux* ; *du*, *des* ;
- les déterminants démonstratifs : *ce (cet)*, *cette*, *ces* ;
- les déterminants possessifs : *mon*, *ma*, *mes* ; *ton*, *ta*, *tes* ; *son*, *sa*, *ses* ; *notre*, *nos* ; *votre*, *vos* ; *leur*, *leurs* ;
- les déterminants exclamatifs : *quel*, *quelle*, *quels*, *quelles* ; *que de* ;
- les déterminants interrogatifs : *quel*, *quelle*, *quels*, *quelles* ; *combien de*.

Caractéristiques morphologiques (forme)

- Le déterminant peut avoir :
  - une **forme simple** : *le*, *ce*, *mon*, *quel*, *un*, *deux*, *trois*, *chaque*, *plusieurs*, *quelques*, *aucun*, etc. ;
  - une **forme complexe** : *que de*, *combien de*, *beaucoup de*, *un peu de*, *énormément de*, *trop de*, *n'importe quel*, *pas un*, etc.

- Le déterminant a une **forme variable**; il peut varier:
  - en **nombre**: *cet oiseau / ces oiseaux*;
  - en **genre**: *cette perruche / cet aigle, ce paon.*

Attention ! Seul le déterminant singulier varie en genre; le déterminant pluriel, lui, ne varie pas en genre *(ces perruches / ces aigles).*
Attention ! Certains déterminants sont **invariables** *(les quatre oiseaux / chaque oiseau).*

Caractéristiques syntaxiques (fonctionnement)

- Le **déterminant** introduit le nom noyau du groupe du nom (GN):
  - il se trouve toujours avant le nom noyau dans le GN;

    Il a vu **un oiseau gigantesque.*
  - contrairement aux expansions du nom noyau, il est **non supprimable** dans le GN.

    *Il a vu **un** oiseau ~~gigantesque~~.* → **Il a vu ø oiseau gigantesque.*
- Le **déterminant** est un ***receveur d'accord*** dans le GN.

  FS MP
  ***Cette** jeune fille **peint** **des** oiseaux.*

ORTHOGRAPHE GRAMMATICALE 1. *Les accords dans le groupe du nom*, pages 297-299.

L'adjectif

Caractéristiques sémantiques (sens)

- L'adjectif peut désigner :
  - une **qualité** : *un petit / gros oiseau; un oiseau superbe / horrible;*
  - une **classe**, un **ensemble** : *un oiseau terrestre / marin.*
- L'adjectif peut avoir une **valeur** :
  - **expressive** : *un oiseau superbe / horrible;*
  - **neutre** : *un petit / gros oiseau; un oiseau terrestre / marin.*

Caractéristiques morphologiques (forme)

- L'adjectif peut avoir :
  - une **forme simple** : *un oiseau bleu;*
  - une **forme complexe** : *un oiseau bleu ciel qui a les yeux mi-clos.*
- L'adjectif a une **forme variable** ; il peut varier en **genre** et en **nombre**.

  un oiseau bleu /une plume bleue / des oiseaux bleus / des plumes bleues

ANNEXES *La formation du féminin des noms et des adjectifs*, pages 303-304.
La formation du pluriel des noms et des adjectifs, page 305.

Caractéristiques syntaxiques (fonctionnement)

- L'**adjectif** est le **noyau** du groupe de l'adjectif (GAdj).

  *Ce livre sur les oiseaux est très **intéressant**.*

  - L'**adjectif noyau** peut constituer à lui **seul** le GAdj.

    *Ce livre sur les oiseaux est **intéressant**.*

  - L'**adjectif noyau** peut être accompagné d'une ou de plusieurs expansions dans le GAdj.

    *Ce livre sur les oiseaux est très **facile** à consulter.*
    (très : expansion; à consulter : expansion)

- L'**adjectif** est un ***receveur d'accord*** dans le groupe du nom.

  MP
  *J'ai consulté un livre sur les oiseaux **tropicaux**.*

ORTHOGRAPHE GRAMMATICALE 1. *Les accords dans le groupe du nom*, pages 297-299.

- L'**adjectif** est un ***receveur d'accord*** dans le groupe du verbe.

  MP
  *Ces ouvrages sur les oiseaux sont très **faciles** à consulter.*

ORTHOGRAPHE GRAMMATICALE 2. *Les accords dans le groupe du verbe*, pages 299-302.

Caractéristiques sémantiques (sens)

- Le pronom peut désigner :
  - un élément dont on a déjà parlé dans le texte (on appelle cet élément antécédent).

    La carapace des tortues terrestres est plus bombée que celle des tortues d'eau.

    Il s'agit alors d'un **pronom avec antécédent**.
  - un élément de la situation de communication.

    J'adore les tortues. Et vous ?

    Il s'agit alors d'un **pronom sans antécédent**.

Certains pronoms sans antécédent ne désignent pas un élément de la situation de communication.
Ex. : *Personne ne sait exactement combien de temps peut vivre une tortue.*

Les **pronoms avec antécédent** sont généralement :

- les pronoms personnels suivants : *il*, *elle*, *ils*, *elles* ; *le (l')*, *la (l')*, *les* ; *lui*, *leur* ; *lui*, *elle*, *eux*, *elles* ; *en* ; *y* ;
- certains pronoms indéfinis : *aucun*, *aucune* ; *certains*, *certaines* ; *chacun*, *chacune* ; etc ;
- les pronoms possessifs : *le mien*, *la mienne*, *les miens*, *les miennes* ; *le tien*, etc ;
- les pronoms relatifs : *qui* ; *que* ; *dont* ; *où* ; *lequel*, etc ;
- les pronoms démonstratifs : *ce (c')*, *ça*, *ceci*, *cela* ; *celui*, *celle*, *ceux*, *celles* ; *celui-ci*, etc ;
- les pronoms numéraux : *un*, *deux*, *trois*, *quatre*, etc ; *le premier*, *le deuxième*, etc ;
- les pronoms interrogatifs : *qui* ; *que* ; *quoi* ; *lequel*, *laquelle*, *lesquels*, *lesquelles* ; etc.

Les **pronoms sans antécédent** sont généralement :

- les pronoms personnels suivants : *je (j')*, *me (m')*, *moi* ; *tu*, *te (t')*, *toi* ; *on* ; *nous* ; *vous* ;
- certains pronoms indéfinis : *on* ; *rien* ; *personne* ; *quelqu'un* ; *quelque chose* ; etc.

Caractéristiques morphologiques (forme)

- Le pronom peut avoir :
  - une **forme simple** : *je (j')*, *il*, *rien*, *chacun*, *qui*, *ce (c')*, *deux*, etc. ;
  - une **forme complexe** : *le mien*, *la plupart*, *quelques-uns*, *celui-ci*, *le premier*, etc.
- Le pronom a une **forme variable** ; il peut varier :
  - en **genre** : *il* / *elle* ; *le sien* / *la sienne* ;
  - en **nombre** : *il* / *ils* ; *le sien* / *les siens* ;
  - en **personne** : *le mien* / *le tien* / *le sien*.

Le pronom

Caractéristiques syntaxiques (fonctionnement)

- Le **pronom avec antécédent** remplace un groupe de mots ou un ensemble de mots.

  Léo a interrogé un erpétologue qui lui a parlé des tortues avec passion.

  Dans l'exemple, *qui* remplace le groupe du nom (GN) *cet erpétologue*, et *lui* remplace le groupe prépositionnel (GPrép) *à Léo*.

  Le **pronom sans antécédent** est l'équivalent d'un groupe de mots ou d'un ensemble de mots.

  Ex. : *J'ai interrogé un erpétologue qui m'a parlé des tortues avec passion.*

  Dans l'exemple, *je (j')* est l'équivalent d'un GN, et *me (m')* est l'équivalent d'un GPrép.

- Le **pronom noyau** d'un GN peut être accompagné d'une expansion.

  La carapace de la tortue est généralement très dure. Soudée au corps de l'animal, ***elle*** *est recouverte d'écailles cornées.*
  (Soudée au corps de l'animal : expansion)

  Les **pronoms** *celui*, *celle*, *ceux* et *celles* doivent obligatoirement être accompagnés d'une expansion.

  Ex. : *La carapace des tortues terrestres est plus bombée que* ***celle*** *des tortues d'eau.*
  (des tortues d'eau : expansion)

  → **La carapace des tortues terrestres est plus bombée que* ***celle*** *∅.*
  (∅ : expansion)

- Le **pronom** est un ***donneur d'accord***.

  La carapace de la tortue est généralement très dure.

  Soudée au corps de l'animal, elle est recouverte d'écailles cornées.

ORTHOGRAPHE GRAMMATICALE
1. *Les accords dans le groupe du nom*, pages 297-299.
2. *Les accords dans le groupe du verbe*, pages 299-302.

Caractéristiques sémantiques (sens)

Le verbe peut exprimer :

- un **état** : *Ce roman était très intéressant.*
- un **processus** (**action**, **activité**, **fait**, **événement**) qui peut progresser dans le temps : *La semaine dernière, j'ai lu ce roman.*

Caractéristiques morphologiques (forme)

- Le verbe peut avoir :
  - une **forme simple** : *avoir, être, faire, passer, prendre, recevoir, réussir,* etc. ;
  - une **forme complexe** : *avoir besoin, avoir faim, avoir l'air, avoir mal, avoir peur, être d'accord, faire face, faire faire, faire pitié, perdre patience, prendre garde, prendre peur,* etc.
- Le verbe a une **forme variable** ; il peut varier :
  - en **nombre** et en **personne** (en personne grammaticale) : *je lis / il lit /ils lisent* ;
  - en **temps** (simple ou composé) : *je lis / je lirai / j'aurai lu* ;
  - en **mode** : *je lis / que je lise.*

Seul le verbe au participe passé peut varier en **genre** et en **nombre**.
Ex. : *passé / passée / passés / passées ; lu / lue / lus / lues ; parti / partie / partis / parties*

Les verbes à l'infinitif et au participe présent ne varient ni en genre, ni en nombre, ni en personne.
Ex. : *Vous devez les lire. Les enfants, en lisant, ont appris de nouveaux mots.*

- Quand il est conjugué à un **temps simple**, le verbe est formé d'un radical et d'une **terminaison**.

il lit / qu'il lise / il lut

ANNEXE *Les terminaisons des verbes aux temps simples*, pages 307-308.

- Quand il est conjugué à un **temps composé**, le verbe est formé de l'**auxiliaire *avoir*** ou ***être*** et du participe passé du verbe conjugué.

*j'ai lu / je **suis** parti*

ANNEXE *L'emploi des auxiliaires de conjugaison*, pages 310-311.

Caractéristiques syntaxiques (fonctionnement)

- Le **verbe** est le **noyau** du groupe du verbe (GV); il est **non supprimable** dans ce groupe de mots.

*Elle fait ses devoirs le matin. → * Elle ø ses devoirs le matin.*

Lorsque le **verbe** est **à l'infinitif**, on dit qu'il est le **noyau** d'un groupe du verbe à l'infinitif (GVinf).
Ex. : *Elle préfère faire ses devoirs le matin.*

Lorsque le **verbe** est au **participe présent** ou au **participe passé**, on dit qu'il est le **noyau** d'un groupe du verbe au participe (GVpart).
Ex. : ***Ayant terminé** ses devoirs ce matin, elle a pu s'amuser après l'école.*

– Le verbe noyau peut parfois constituer à lui **seul** le GV.

Elle est partie. Elle partira.

– Le verbe noyau peut être accompagné d'une ou de plusieurs expansions dans le GV.

Cette semaine, elle ira sûrement au cinéma.
expansion expansion

Certains verbes doivent **obligatoirement** être accompagnés d'une ou de plusieurs expansions dans le GV.
Ex. : *Elle fait ses devoirs.* → **Elle fait ∅.*
expansion

- Le verbe est un ***receveur d'accord*** dans le GV.

1S 3S 3PF
J'irai au cinéma. Elle ira au cinéma. Elles sont allées au cinéma.

Le verbe

ORTHOGRAPHE GRAMMATICALE 2. *Les accords dans le groupe du verbe*, pages 299-302.

Caractéristiques sémantiques (sens)

L'adverbe peut exprimer différents rapports de sens :

- le **lieu** : *ailleurs, arrière, autour, avant, dedans, dehors, derrière, ici, là, loin, partout, près, quelque part,* etc. ;
- le **temps** : *aujourd'hui, bientôt, déjà, demain, encore, enfin, ensuite, hier, jamais, longtemps, maintenant, puis,* etc. ;
- la **manière** : *ainsi, bien, bon, debout, ensemble, mal, mieux, vite,* etc. et plusieurs adverbes en *-ment* : *lentement, gaiement,* etc. ;
- la **quantité** : *beaucoup, environ, peu, un peu, presque, tout,* etc. et certains adverbes en *-ment* : *énormément, suffisamment,* etc. ;
- la **comparaison** : *aussi, autant, davantage, moins, plus,* etc. ;
- etc.

L'adverbe

Caractéristiques morphologiques (forme)

- L'adverbe peut avoir :
  - une **forme simple** : *Elles ont vraiment faim.*

Parmi les adverbes ayant une forme simple, plusieurs sont formés à l'aide du suffixe *-ment*.

ANNEXE *La formation des adverbes en* -ment, page 306.

  - une **forme complexe** : *Elles ont un peu faim.*

- L'adverbe a une **forme invariable**.

  Elles étaient ensemble.

Attention ! Seul l'adverbe *tout* varie en **genre** et en **nombre** dans un contexte particulier.
Ex. : *Elles ont cueilli des bleuets tout ronds et des framboises toutes rouges.*

Caractéristiques syntaxiques (fonctionnement)

- L'**adverbe** est le **noyau** du groupe de l'adverbe (GAdv).

  *Elle s'habille **différemment** de ses amies.*

  - L'**adverbe noyau** peut constituer à lui **seul** le GAdv.

    *Elle s'habille **différemment**.*

  - L'**adverbe noyau** peut être accompagné d'une ou de plusieurs expansions dans le GAdv.

    *Elle s'habille très **différemment** de ses amies.*
    (très : expansion ; de ses amies : expansion)

- L'**adverbe** peut servir à **coordonner** des mots, des groupes de mots ou des phrases. Il a alors la **fonction** de **coordonnant**.

  *Elle s'est levée, **ensuite** elle s'est habillée.*

Caractéristiques sémantiques (sens)

- La préposition peut exprimer différents rapports de sens :
  - le **lieu** : *à, à côté de, chez, dans, de, dessus, en, jusqu'à, vers,* etc. *(Je l'ai rencontré à la bibliothèque.)*;
  - le **temps** : *à, après, avant, depuis, jusque, pendant, vers,* etc. *(Je l'ai rencontré à dix-sept heures.)*;
  - le **but** : *pour, afin de, de manière à,* etc. *(Je me suis dépêché pour ne pas être en retard.)*;
  - la **cause** : *à cause de, grâce à, pour,* etc. *(Grâce à toi, je suis arrivé à l'heure.)*;
  - la **comparaison** : *comme, à l'instar de,* etc. *(Nous avons couru comme des fous.)*;
  - etc.
- La préposition peut être vide de sens.

  Il craint de ne pas retrouver son livre.

Caractéristiques morphologiques (forme)

- La préposition peut avoir :
  - une **forme simple** : *Il pose son livre sur son oreiller.*
  - une **forme complexe** : *Il pose son livre à côté de son oreiller.*
- La préposition a une **forme invariable**.

  Ils sont sûrs d'avoir oublié les livres qui étaient sur les rayons de la bibliothèque.

- Les **prépositions *à*** et ***de*** sont incluses dans les déterminants contractés *au/aux* et *du/des* (*au* = ***à*** + *le* / *aux* = ***à*** + *les* et *du* = ***de*** + *le* / *des* = ***de*** + *les*).

  Le déterminant contracté a une **forme variable** ; il varie en **nombre**.

  Ils pensent au livre qu'ils liront. Ils pensent aux livres qu'ils liront.

  Ils parlent du livre qu'ils ont lu. Ils parlent des livres qu'ils ont lus.

  Attention ! Le mot *de* n'est pas toujours une préposition et les mots *du* et *des* n'incluent pas toujours une préposition :
  - le mot *de* peut être une forme des déterminants *un, une, des,* par exemple dans une phrase négative *(J'ai **un** livre. Je n'ai pas **de** livre. J'ai **des** livres)* ou lorsque le déterminant et le nom sont séparés par un adjectif *(J'ai **de** beaux livres.)*;
  - le mot *de* peut servir à former des déterminants complexes *(beaucoup **de**)*;
  - les suites *de la* et *de l'* et le mot *du* sont parfois des déterminants qui introduisent un nom non comptable *(J'ai **de la** peine. J'ai **du** courage).*

Caractéristiques syntaxiques (fonctionnement)

- La **préposition** est un élément **non supprimable** dans le groupe prépositionnel (GPrép).

  *Il pose son livre **sur** son oreiller.* → * *Il pose son livre ø son oreiller.*

  - La **préposition** ne s'emploie pas seule dans le GPrép ; elle introduit un groupe de mots ou une phrase subordonnée et forme avec eux un GPrép.

    *Il pose son livre **sur** son oreiller.* → * *Il pose son livre **sur** ø.*

    *Il craint **de** ne pas retrouver son livre.* → * *Il craint **de** ø.*

- La **préposition** est généralement placée au tout début du GPrép.

CARACTÉRISTIQUES SÉMANTIQUES (SENS)

- La conjonction peut exprimer plus d'un rapport de sens:
  - le **temps**: *après que, avant que, depuis que, jusqu'à ce que, quand,* etc.;
  - le **but**: *pour que, afin que, de manière que, de peur que,* etc.;
  - la **cause**: *car, parce que, puisque,* etc.;
  - la **comparaison**: *ainsi que, comme, de même que,* etc.;
  - l'**addition**: *et, ainsi que, outre que, sans compter que,* etc.;
  - etc.
- La conjonction peut être vide de sens.

  Il craint que je le fasse attendre.

CARACTÉRISTIQUES MORPHOLOGIQUES (FORME)

- La conjonction peut avoir:
  - une **forme simple**: *Quand tu es parti, je dormais.*
  - une **forme complexe**: *Après que tu sois parti, j'ai dormi.*
- La conjonction a une **forme invariable**.

CARACTÉRISTIQUES SYNTAXIQUES (FONCTIONNEMENT)

- La **conjonction** peut servir à **subordonner** une phrase à une autre phrase (appelée *phrase matrice*) ou à un groupe de mots à l'intérieur de cette phrase.

  La **conjonction** a alors la **fonction** de **subordonnant**.

  [[***Quand*** *tu es parti*], *je dormais.*]   [*Il craint* [***que*** *je le fasse attendre*].]
- La **conjonction** peut servir à **coordonner** des mots, des groupes de mots ou des phrases. Elle a alors la **fonction** de **coordonnant**.

  [*Tu es parti*] *et* [*je me suis endormi*].

LES ACCORDS DANS LE GROUPE DU NOM ET DANS LE GROUPE DU VERBE

Parmi les mots de la langue, certains ont une forme qui varie (on dit qu'ils sont **variables**), alors que d'autres ont une forme qui ne varie pas, qui est toujours la même (on dit qu'ils sont **invariables**).

EXEMPLES DE **MOTS VARIABLES**	EXEMPLES DE **MOTS INVARIABLES**
• des **noms:** *étranger/étrangère/étrangers/étrangères;* etc.; • des **pronoms:** *lui/elle/eux/elles;* etc.; • des **déterminants:** *un/une/des;* etc.; • des **adjectifs:** *beau/belle/beaux/belles;* etc.; • des **verbes conjugués:** *a/ont/aura; est/sont/sera; passe/passent/passera;* etc. et des **participes passés:** *passé/passée/passés/passées;* etc.	• des **adverbes:** *souvent; bien; généralement;* etc.; • des **prépositions:** *pour; contre; et; ou; parmi;* etc.; • des **conjonctions:** *que; lorsque; comme;* etc.; • des **verbes à l'infinitif:** *avoir; être; passer; sentir; vouloir; dire;* etc. et des **participes présents:** *ayant; prenant; passant; sentant; voulant; disant;* etc.

Parmi les mots de la langue qui sont variables, certains sont des ***donneurs d'accord*** et d'autres sont des ***receveurs d'accord***.

LE *DONNEUR D'ACCORD*	Le ***donneur d'accord*** est un mot qui peut donner son **genre** et son **nombre**, ou son **nombre** et sa **personne** à un ou à plusieurs autres mots (les **noms** et les **pronoms** sont des ***donneurs d'accord***).
LE *RECEVEUR D'ACCORD*	Le ***receveur d'accord*** est un mot qui peut recevoir le **genre** et le **nombre**, ou le **nombre** et la **personne** d'un autre mot (les **déterminants**, les **adjectifs**, les **verbes conjugués** et les **participes passés** sont des ***receveurs d'accord***).

Pour faire les accords dans un groupe du nom ou dans un groupe du verbe, il faut être capable:

- d'identifier le ou les ***receveurs d'accord;***
- d'identifier le ***donneur d'accord*** pour chaque ***receveur d'accord***, et de déterminer le **genre** (M ou F) et le **nombre** (S ou P), ou le **nombre** et la **personne** (1S, 2S, 3S, 1P, 2P, 3P) de ce ***donneur d'accord;***
- s'il y a lieu, d'accorder chaque ***receveur d'accord*** avec son ***donneur d'accord*** et de choisir les marques de **genre** et de **nombre**, ou de **nombre** et de **personne** appropriées.

1 LES ACCORDS DANS LE GROUPE DU NOM

Dans le groupe du nom (GN), les ***receveurs d'accord*** sont :

- le **déterminant** ;
- l'**adjectif** ;
- le **participe passé** employé comme un adjectif.

Ces ***receveurs d'accord*** reçoivent le **genre** et le **nombre** du nom ou du pronom noyau du GN dont ils font partie.

Attention ! Parmi les ***receveurs d'accord***, certains mots sont invariables; c'est le cas, par exemple, des déterminants *quatre* et *chaque* et de certains adjectifs de couleur comme *orange* et *marron*.

1.1 L'ACCORD DU DÉTERMINANT

Le **nom noyau** du groupe du nom (GN) est le plus souvent introduit par un **déterminant**.
Généralement, le **déterminant** reçoit le **genre** (M ou F) et le **nombre** (S ou P) du **nom** qu'il introduit.

FS GN

Ex. : *Roald Dahl a écrit **une autobiographie** intitulée* Escadrille 80*; on y trouve*

GN MP FP GN

***des récits** captivants parsemés de **certaines anecdotes** particulièrement savoureuses*.

LA VARIATION EN GENRE ET EN NOMBRE DES DÉTERMINANTS	
La plupart des déterminants **varient en genre et en nombre.**	**Ex. :** *le (l') / la (l') / les; un / une / des; ce (cet) / cette / ces; mon / ma / mes; ton / ta / tes; son / sa / ses; tel / telle / tels / telles; certain / certaine / certains / certaines; tout le / toute la / tous les / toutes les*
Certains déterminants **varient en genre seulement**.	**Ex. :** *pas un / pas une; divers / diverses; différents / différentes*
Certains déterminants **varient en nombre seulement**.	**Ex. :** *notre / nos; votre / vos; leur / leurs*
Certains déterminants **sont invariables**.	**Ex. :** *zéro, deux, trois, quatre, cinq, mille; chaque; plusieurs; assez de; beaucoup de; énormément de; tant de; plein de; pas mal de; tellement de*

Attention ! À l'oral, la **marque du féminin ou du pluriel** de certains déterminants ne s'entend pas.
Ex. : *cet homme / cette histoire; leur roman / leurs romans*

Remarques :

1° Au pluriel, la plupart des déterminants ne varient pas en genre.

FP MP FP MP FP MP

Ex. : *les femmes / les hommes ; des femmes / des hommes ; ces femmes / ces hommes.*

2º Les **déterminants** ***mon***, ***ton***, ***son***, généralement masculins singuliers, s'emploient pour introduire un nom féminin singulier quand le mot qui les suit commence par une voyelle ou un *h* muet.

Ex. : *mon amie ; ton entière collaboration ; son histoire* (FS)

3º Les **déterminants contractés** ***au*** / ***aux*** et ***du*** / ***des*** incluent et une préposition et le déterminant *le* ou *les* : *à* + *le* = *au* / *à* + *les* = *aux* ; *de* + *le* = *du* / *de* + *les* = *des*.

1.2 L'ACCORD DE L'ADJECTIF OU DU PARTICIPE PASSÉ EMPLOYÉ COMME UN ADJECTIF

Dans le groupe du nom (GN), l'**adjectif** et le **participe passé** employé comme un adjectif **reçoivent** généralement le **genre** (M ou F) et le **nombre** (S ou P) du **nom** ou du **pronom noyau** du GN dont ils font partie.

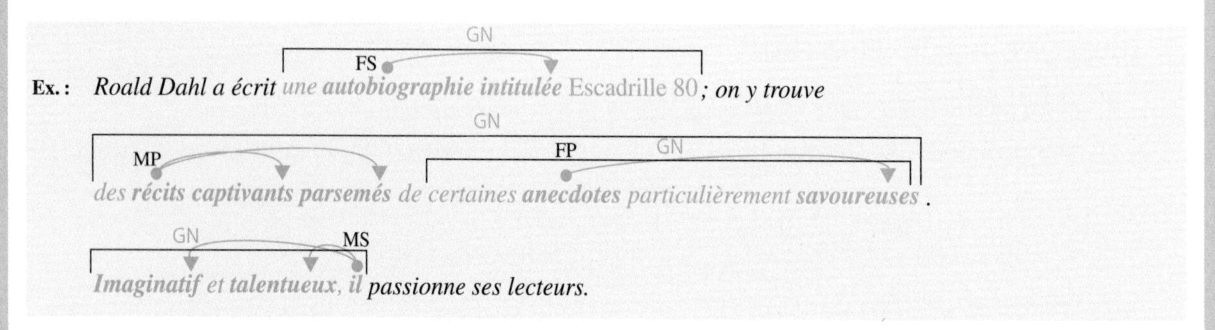

Attention ! L'**adjectif** et le **participe passé** employé comme un adjectif dans un GN ne s'accordent pas nécessairement avec le **nom** qui les précède dans la phrase.

Ex. : *J'ai acheté un livre d'****histoires insolites*** (FP) */ un* ***livre*** *d'histoires* ***endommagé*** (MS).

La variation en genre et en nombre des adjectifs et des participes passés employés comme des adjectifs	
La plupart des adjectifs et des participes passés employés comme des adjectifs **varient en genre et en nombre**.	**Ex. :** *captivant / captivante / captivants / captivantes; joli / jolie / jolis / jolies; joyeux / joyeuse / joyeux / joyeuses; intitulé / intitulée / intitulés / intitulées; reçu / reçue / reçus / reçues; dit / dite / dits / dites*
Certains adjectifs **varient en nombre seulement**. (Il s'agit des adjectifs qui se terminent par la lettre *e* au masculin singulier.)	**Ex. :** *facile / faciles; juste / justes; fidèle / fidèles; sympathique / sympathiques; pâle / pâles; rouge / rouges*
Certains adjectifs **sont invariables**.	**Ex. :** *angora; chic; pop; rococo; snob; orange; marron; turquoise; vidéo; audio*

Attention ! À l'oral, la **marque du féminin ou du pluriel** de certains adjectifs ou participes passés ne s'entend pas.
Ex. : *joli / jolie / jolis / jolies ; facile / faciles ; intitulé / intitulée / intitulés / intitulées*

Remarque : Les adjectifs masculins se terminant par *-s* ou par *-x* ne varient pas en **nombre**.

Ex. : *J'ai acheté un veston gris / des vestons gris.* (MS → MP)

ANNEXES

La formation du féminin des noms et des adjectifs, pages 303-304.
La formation du pluriel des noms et des adjectifs, page 305.

2 LES ACCORDS DANS LE GROUPE DU VERBE

Dans le groupe du verbe (GV), les ***receveurs d'accord*** sont :

- le **verbe conjugué** (ou l'auxiliaire d'un verbe conjugué à un temps composé);
- le **participe passé** ;
- l'**adjectif** noyau d'un groupe de l'adjectif (GAdj) attribut du sujet.

Attention ! Parmi les ***receveurs d'accord***, certains mots sont invariables ; c'est le cas, par exemple, des participes passés *fallu*, *plu*, *neigé*, *nui*, *lui*, *relui*, *ri*, *souri* et de certains adjectifs de couleur comme *orange* et *marron*.

2.1 L'ACCORD DU VERBE

Le **verbe noyau** du groupe du verbe (GV) (ou l'**auxiliaire** du verbe conjugué à un temps composé) reçoit le **nombre** et la **personne** (1S, 2S, 3S, 1P, 2P, 3P) du **nom** ou du **pronom** noyau du groupe du nom sujet (GNs) ou de l'ensemble des noyaux des GNs.

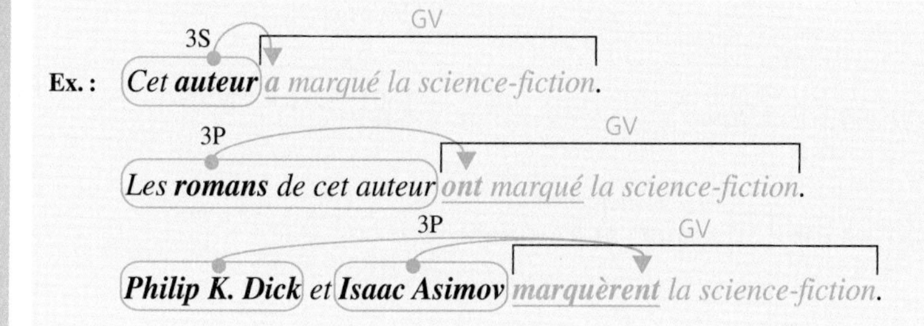

Le nombre et la personne du GNs ou de l'ensemble des GNs:	*Exemples*
1re personne du singulier (1S) • un GNs dont le **noyau** est le pronom ***je (j')*** ou ***moi***	1S *J' ai lu ce roman.* 1S *C'est **moi** qui ai lu ce roman.*
2e personne du singulier (2S) • un GNs dont le **noyau** est le pronom ***tu*** ou ***toi***	2S ***Tu** as lu ce roman.* 2S *C'est **toi** qui as lu ce roman.*
3e personne du singulier (3S) • un GNs dont le **noyau** désigne: – **un seul élément** de la 3e personne: *il / lui / elle; on; cela (ça); chacun / chacune; quelqu'un; n'importe qui;* etc.	3S ***Il** a lu ce roman.* 3S *C'est **lui** qui a lu ce roman.* 3S *Mon **père** lit ce roman.* 3S *On lit ce roman.*
– **une absence d'élément**: *nul; rien; personne; aucun / aucune; pas un / pas une;* etc.	3S ***Aucun** d'entre nous n'a lu ce roman.*
– **un ensemble d'éléments**: *une foule; le public; la majorité; un troupeau; une multitude; (tout) le monde;* etc.	3S *Tout le **monde** a lu ce roman.*
• une **subordonnée infinitive**	3S ***Lire des romans** est un vrai plaisir.*
• une **subordonnée complétive en *que***	3S ***Que vous aimiez ces romans** me fait plaisir.*
1re personne du pluriel (1P) • un GNs dont le **noyau** est le pronom ***nous***	1P ***Nous** lisons ce roman.* 1P *C'est **nous** qui lisons ce roman.*
• un ensemble de GNs comprenant les pronoms ***moi*** ou ***nous***	1P *Mon **ami**, **toi** et **moi** avons lu ce roman.*
2e personne du pluriel (2P) • un GNs dont le **noyau** est le pronom ***vous***	2P ***Vous** lisez ce roman.* 2P *C'est **vous** qui lisez ce roman.*
• un ensemble de GNs comprenant les pronoms ***toi*** ou ***vous***, mais non les pronoms *moi* ou *nous*	2P *Mon **ami** et **toi** avez lu ce roman.*
3e personne du pluriel (3P) • un GNs dont le **noyau** désigne plusieurs éléments de la 3e personne: *ils / eux / elles; plusieurs; certains / certaines; quelques-uns / quelques-unes;* etc.	3P ***Ils** lisent ce roman.* 3P *Ce sont **eux** qui lisent ce roman.* 3P ***Plusieurs** ont lu ce roman.* 3P ***Plusieurs** d'entre vous ont lu ce roman.*
• un ensemble de GNs, mais sans les pronoms *moi, toi, nous* ou *vous*	3P *Mon **ami**, ma **mère** et mon **voisin** ont lu ce roman.*

Remarque : Le **pronom relatif *qui*** prend le **nombre** et la **personne** du **GN** ou des **GN qu'il remplace** dans la subordonnée relative.

Mes amis et moi avons lu ce roman.

1P

Ex. : *Mes amis et moi,* ***qui*** *avons lu ce roman, l'avons adoré.*

2.2 L'ACCORD DU PARTICIPE PASSÉ

Le participe passé **employé avec l'auxiliaire *être* ou avec un verbe attributif**

Lorsqu'il est employé avec l'auxiliaire *être* ou avec un verbe attributif, le **participe passé** reçoit le **genre** (M ou F) et le **nombre** (S ou P) du **nom** ou du **pronom** noyau du groupe du nom sujet (GNs) ou de l'ensemble des noyaux des GNs.

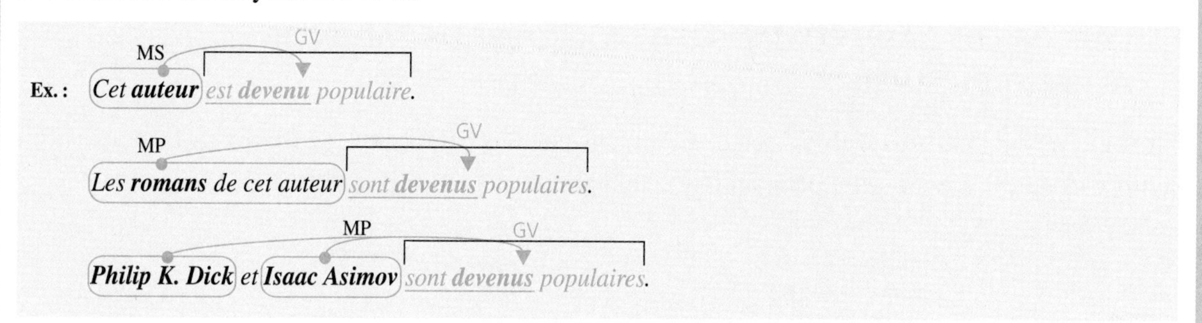

Le participe passé **employé avec l'auxiliaire *avoir***

Lorsqu'il est employé avec l'auxiliaire *avoir*, le **participe passé** ne s'accorde pas s'il n'est pas accompagné d'un groupe du nom (GN) complément direct du verbe (compl. dir. du V) ou si ce complément direct est placé après le verbe.

Le **participe passé** employé avec l'auxiliaire *avoir* reçoit le **genre** (M ou F) et le **nombre** (S ou P) du **nom** ou du **pronom** noyau du GN complément direct du verbe (compl. dir. du V) si ce complément direct est placé avant le verbe.

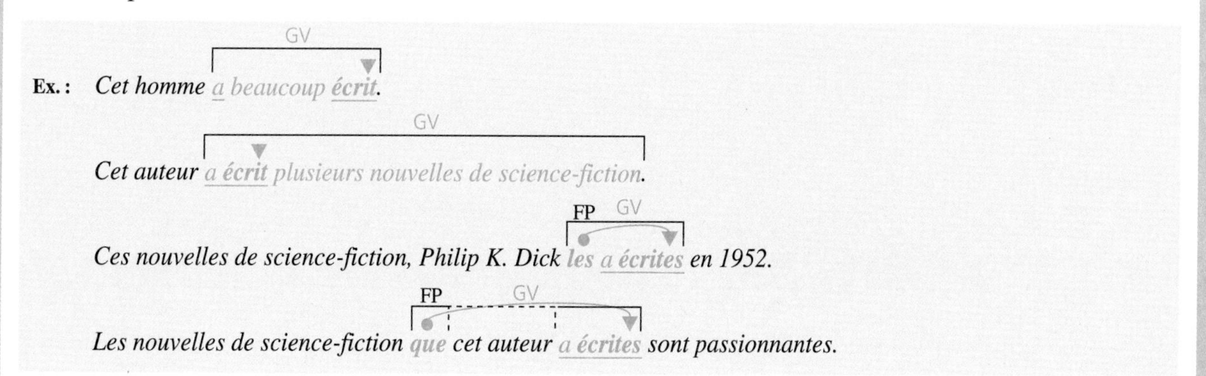

Remarque : Le pronom relatif *que* prend le **genre** et le **nombre** du GN qu'il remplace dans la subordonnée relative.

FP

Cet auteur a écrit ces nouvelles de science-fiction.

FP

Ex. : *Les nouvelles de science-fiction que cet auteur a écrites sont passionnantes.*

Attention ! Le participe passé de certains verbes (comme *peser*, *coûter*, *courir*, etc.) est invariable lorsque le complément direct de ce verbe exprime une unité de mesure.

Ce roman m'a **coûté** vingt dollars.

Ex. : *Les vingt dollars que ce roman m'a coûté ne sont pas perdus.*

2.3 L'ACCORD DE L'ADJECTIF NOYAU D'UN GROUPE DE L'ADJECTIF ATTRIBUT DU SUJET

L'adjectif noyau d'un groupe de l'adjectif (GAdj) attribut du sujet reçoit le **genre** (M ou F) et le **nombre** (S ou P) du **nom** ou du **pronom** noyau du groupe du nom sujet (GNs) ou de l'ensemble des noyaux des GNs.

MS GV

Ex. : *Cet **auteur** est devenu **populaire**.*

MP GV

*Les **romans** de cet auteur sont devenus **populaires**.*

MP GV

***Philip K. Dick** et **Isaac Asimov** sont devenus **populaires**.*

ANNEXES

LA FORMATION DU FÉMININ DES NOMS ET DES ADJECTIFS

Le symbole ✍ signifie que, dans certains cas, la marque du féminin de l'écrit ne s'entend pas.

Formation du féminin	Exemples		Exceptions
	Masculin	Féminin	
+ e Formation générale du féminin des noms et des adjectifs.	*un ami* *un auteur* *un idiot* *un Américain* *cru* *pourri* *subtil*	✍ *une amie* *une auteure* *une idiote* *une Américaine* *crue* *pourrie* *subtile*	
Changements des dernières lettres • doublement du *n* + *e* Dans les noms et adjectifs en ***-(i)en*** et en ***-on*** + ***paysan***.	*un Canadi**en*** *un **lion*** *anci**en*** ***bon***	*une Canadi**e**nne* *une **lio**nne* *anci**e**nne* ***bo**nne*	
• doublement du *t* + *e* Dans les noms et adjectifs en ***-et*** + ***chat***, ***sot***.	*un mu**et*** *un **chat*** *un **sot*** *coqu**et***	*une mu**e**tte* *une **cha**tte* *une **so**tte* *coqu**e**tte*	*désu**et** / désuète* *compl**et** / complète* *discr**et** / discrète* *concr**et** / concrète* *inqui**et** / inquiète* *secr**et** / secrète*
• doublement du *l* + *e* Dans les noms et adjectifs en ***-l***.	*un crimine**l*** *genti**l***	✍ *une criminelle* *gentille*	
• doublement du *s* + *e* Dans les noms et adjectifs en ***-s***.	*un métis* *bas*	✍ *une métisse* *basse*	
• ***-eau*** → *-elle*	*un nouv**eau*** ***beau** (bel)*	*une nouvelle* *belle*	
• ***-(i)er*** → *-(i)ère*	*un écol**ier*** *ch**er*** *lég**er***	✍ *une écolière* *chère* *légère*	
• ***-teur*** → *-trice*	*un ac**teur*** *protec**teur***	*une actrice* *protectrice*	→

(suite)

Formation du féminin	Exemples		Exceptions
	Masculin	Féminin	
• *-eur* → *-euse*	*un danseur* *rieur*	*une danseuse* *rieuse*	*un pécheur /* *une pécheresse* *enchanteur /* *enchanteresse*
• *-eux* → *-euse*	*un amoureux* *joyeux*	*une amoureuse* *joyeuse*	
• *-f* → *-ve*	*un sportif* *vif*	*une sportive* *vive*	*bref / brève*
• *-c* → *-que* → *-che*	*un Turc* *public* *un Blanc* *franc*	✍ *une Turque* *publique* *une blanche* *franche*	*un Grec / une Grecque* *sec / sèche*
autres formations	*aigu* *ambigu* *exigu* *favori* ***fou*** *(fol)* *vieux (vieil)* *un fils* *long* *frais* *malin* *bénin* *faux* *roux* *doux*	✍ *aiguë* *ambiguë* *exiguë* *favorite* *folle* *vieille* *une fille* *longue* *fraîche* *maligne* *bénigne* *fausse* *rousse* *douce*	
aucune marque Certains noms terminés par ***-e*** au masculin (et quelques autres noms) et tous les adjectifs terminés par ***-e*** au masculin (et quelques autres adjectifs).	un adulte un enfant facile chic	une adulte une enfant facile chic	un maître / une maîtresse un prince / une princesse un traître / une traîtresse

LA FORMATION DU PLURIEL DES NOMS ET DES ADJECTIFS

Le symbole ✍ signifie que, dans certains cas, la marque du pluriel de l'écrit ne s'entend pas.

Formation du pluriel	Exemples		Exceptions
	Singulier	Pluriel	
+ *s* Formation générale du pluriel des noms et des adjectifs.	*un chandail* *un clou* *un œuf* *un bœuf* *facile* *vieille*	✍ *des chandails* *des clous* *des œufs* *des bœufs* *faciles* *vieilles*	*un **oeil** / des yeux* *un **bail** / des baux* *un cor**ail** / des coraux* *un ém**ail** / des émaux* *un soupir**ail** / des soupiraux* *un trav**ail** / des travaux* *un vitr**ail** / des vitraux* ✍ *un bij**ou** / des bijoux* *un caill**ou** / des cailloux* *un ch**ou** / des choux* *un gen**ou** / des genoux* *un hib**ou** / des hiboux* *un jouj**ou** / des joujoux* *un pou / des poux*
+ *x* Les noms et les adjectifs en ***-eau***, en ***-au*** et en ***-eu***.	*un gât**eau*** *un tuy**au*** ***beau*** *hébr**eu***	✍ *des gâteaux* *des tuyaux* *beaux* *hébreux*	✍ *un land**au** / des landaus* *un pn**eu** / des pneus* *bl**eu** / bleus*
changement des dernières lettres Les noms et les adjectifs en ***-al***.	*un journ**al*** *famili**al*** *norm**al***	*des journ**aux*** *famili**aux*** *norm**aux***	✍ *un b**al** / des bals* *un carnav**al** / des carnavals* *un chac**al** / des chacals* *un chor**al** / des chorals* *un festiv**al** / des festivals* *un récit**al** / des récitals* *un rég**al** / des régals* *ban**al** / banals* *banc**al** / bancals* *fat**al** / fatals* *nat**al** / natals* *nav**al** / navals*
aucune marque Tous les noms terminés par ***-z***, et les noms et les adjectifs terminés par ***-s*** ou ***-x***.	*un héros* *une voix* *un nez* *gros* *peureux*	*des héros* *des voix* *des nez* *gros* *peureux*	

LA FORMATION DES ADVERBES EN *-MENT*

Formation des adverbes en *-ment*		Exemples			Exceptions
		Ajdectif	→	Adverbe	
• à partir d'un adjectif se terminant par une **voyelle** au masculin	adjectif masculin + ***ment***	*rar**e*** *pol**i*** *vra**i*** *éperd**u*** *passionn**é***	→ → → → →	*rare**ment*** *poli**ment*** *vrai**ment*** *éperdu**ment*** *passionné**ment***	*gai**ement*** *traîtr**eusement*** *énorm**ément*** *goul**ûment*** etc.
• à partir d'un adjectif se terminant par une **consonne** au masculin	adjectif féminin + ***ment***	*sérieu**x** / sérieuse* *bruta**l** / brutale*	→ →	*sérieuse**ment*** *brutale**ment***	*genti**ment*** *briè**vement*** *profond**ément*** *précis**ément*** etc.
• à partir d'un adjectif se terminant par ***-ant*** au masculin	radical de l'adjectif + ***amment***	*abond**ant***	→	*abond**amment***	
• à partir d'un adjectif se terminant par ***-ent*** au masculin	radical de l'adjectif + ***emment***	*évid**ent***	→	*évid**emment***	

Remarque : Certains adverbes en ***-ment*** sont formés à partir d'un nom (EX. : *vache* → *vache**ment***), d'un autre adverbe (EX. : *quasi* → *quasi**ment***), d'un déterminant (EX. : *aucun* → *aucune**ment***) ou d'un verbe au participe présent (EX. : *notant* → *not**amment***).

LES TERMINAISONS DES VERBES AUX TEMPS SIMPLES

Mode et temps	Infinitif du verbe	Personnes grammaticales					
		Singulier			Pluriel		
		1re (je)	2e (tu)	3e (il/elle/on)	1re (nous)	2e (vous)	3e (ils/elles)
Indicatif présent	les verbes en ***-er*** + ***cueillir***, ***couvrir***…	*-e*	*-es*	*-e*	*-ons*	*-ez*	*-ent*
	les autres verbes	*-s*	*-s*	*-t*	*-ons*	*-ez*	*-ent*
Impératif présent	les verbes en ***-er*** + ***cueillir***, ***couvrir***…		*-e*		*-ons*	*-ez*	
	les autres verbes		*-s*		*-ons*	*-ez*	
Indicatif imparfait	tous les verbes	*-ais*	*-ais*	*-ait*	*-ions*	*-iez*	*-aient*
Indicatif futur	tous les verbes	*-rai*	*-ras*	*-ra*	*-rons*	*-rez*	*-ront*
Indicatif conditionnel présent	tous les verbes	*-rais*	*-rais*	*-rait*	*-rions*	*-riez*	*-raient*
Subjonctif présent	tous les verbes	*-e*	*-es*	*-e*	*-ions*	*-iez*	*-ent*
Indicatif passé simple	les verbes en ***-er***	*-ai*	*-as*	*-a*	*-âmes*	*-âtes*	*-èrent*
	presque tous les verbes en ***-ir*** et la plupart des verbes en ***-re*** + ***voir*** et ***asseoir***	*-is*	*-is*	*-it*	*-îmes*	*-îtes*	*-irent*
	presque tous les verbes en ***-oir*** et certains verbes en ***-re*** + ***mourir*** et ***courir***	*-us*	*-us*	*-ut*	*-ûmes*	*-ûtes*	*-urent*

Attention ! Seul le radical des verbes en ***-er*** et des verbes *cueillir*, *accueillir* et *recueillir* prend un ***e*** devant les terminaisons du futur et du conditionnel présent.

Ex. : *crier → je crierai / je crierais (mais écrire → j'écrirai / j'écrirais)*
cueillir → je cueillerai / je cueillerais (mais couvrir → je couvrirai / je couvrirais)

Voici un tableau regroupant quelques exceptions.

MODE ET TEMPS	INFINITIF DU VERBE	PERSONNES GRAMMATICALES					
		SINGULIER			PLURIEL		
		1re (*je*)	2e (*tu*)	3e (*il/elle/on*)	1re (*nous*)	2e (*vous*)	3e (*ils/elles*)
Indicatif présent	*aller*	*vais*	*vas*	*va*			*vont*
	avoir	*ai*		*a*			*ont*
	être				*sommes*	*êtes*	*sont*
	pouvoir	*peux*	*peux*				
	vouloir	*veux*	*veux*				
	valoir	*vaux*	*vaux*				
	faire					*faites*	*font*
	dire					*dites*	
	prendre, vendre…			*prend*			
	vaincre			*vainc*			
	convaincre			*convainc*			
Impératif présent	*aller*		*va*				
	avoir		*aie*				
	savoir		*sache*				
	vouloir		*veuille*				
Subjonctif présent	*avoir*			*ait*	*ayons*	*ayez*	
	être	*sois*	*sois*	*soit*	*soyons*	*soyez*	
Indicatif passé simple	*tenir*	*tins*	*tins*	*tint*	*tînmes*	*tîntes*	*tinrent*
	venir	*vins*	*vins*	*vint*	*vînmes*	*vîntes*	*vinrent*

LES PARTICULARITÉS ORTHOGRAPHIQUES DE CERTAINS VERBES EN *-ER*

FORMATION DES VERBES EN ...		EXEMPLES		EXCEPTIONS
• *-cer*	c → ç devant les voyelles a et o	*placer* →	*je place* *je plaçais* *nous placions* *nous plaçons*	
• *-ger*	g → ge devant les voyelles a et o	*manger* →	*je mange* *je mangeais* *nous mangions* *nous mangeons*	
• *-yer*	y → i devant un e muet*	*nettoyer* →	*je nettoyais* *je nettoie* *nous nettoyions* *nous nettoierons*	*envoyer (renvoyer)* → *j'enverrai / j'enverrais* *tu enverras / tu enverrais* *il enverra / il enverrait* *nous enverrons / nous enverrions* *vous enverrez / vous enverriez* *ils enverront / ils enverraient*
• *-eler*	l → ll devant un e muet*	*appeler* →	*j'appelais* *j'appelle* *j'appellerai* *vous appelez* *ils appellent*	*celer (déceler, harceler, receler), ciseler, démanteler, écarteler, geler (dégeler, congeler, surgeler), marteler, modeler, peler* VOIR FORMATION DES VERBES EN *-e* + CONSONNE + *er*
• *-eter*	t → tt devant un e muet*	*jeter* →	*je jetais* *je jette* *je jetterai* *vous jetez* *ils jettent*	*acheter (racheter), corseter, crocheter, fileter, fureter, haleter* VOIR FORMATION DES VERBES EN *-e* + CONSONNE + *er*
• *-e* + CONSONNE + *er*	e → è devant une **syllabe qui contient un *e* muet***	*peser* →	*je pesais* *je pèse* *je pèserai* *vous pesez* *ils pèsent*	
• *-é* + CONSONNE + *er*	é → è devant une **syllabe qui contient un *e* muet* et qui est placée à la toute fin du verbe**	*répéter* →	*je répétais* *vous répétez* *je répéterai* *je répète* *ils répètent*	

* Un *e* muet est un *e* que l'on ne prononce pas ou que l'on prononce *e* (c'est-à-dire que l'on ne prononce ni comme un *é* ni comme un *è*).

L'EMPLOI DES AUXILIAIRES DE CONJUGAISON

ON EMPLOIE L'AUXILIAIRE *ÊTRE* POUR FORMER LES TEMPS COMPOSÉS...	EXEMPLES
• des verbes du type ***s'****amuser*, ***se*** *laver*, ***se*** *faire mal*, etc. (il s'agit de verbes pronominaux).	*Je* ***me*** *suis acheté un roman hier.* **Je* ***m'****ai acheté un roman hier.*
• de certains verbes qui sont employés sans complément direct du verbe et qui expriment : – un changement d'état : *décéder, devenir (redevenir), mourir, naître* ; – un mouvement : *aller, arriver, descendre (redescendre), échoir, entrer (rentrer), partir (repartir), rester, retourner, sortir (ressortir), tomber (retomber), venir (revenir)* et certains verbes de la famille de *venir* : *intervenir, parvenir, survenir*. **Remarque :** Certains des verbes exprimant un mouvement peuvent s'employer avec un **complément direct du verbe** (compl. dir. du V) ; ils sont alors **transitifs directs** et forment leurs temps composés à l'aide de l'auxiliaire *avoir*. Ex. : *J'ai sorti* ***cinq romans policiers*** *de la bibliothèque.* (compl. dir. du V : *cinq romans policiers*)	*Ce romancier est décédé en 1980.* **Ce romancier a décédé en 1980.* *Je suis sorti pour prendre l'air.* **J'ai sorti pour prendre l'air.*

Remarque : En plus d'être employé comme auxiliaire de conjugaison, le verbe *être* peut aussi servir à former un verbe passif, qu'on utilise dans la construction d'une phrase de forme passive (ou phrase passive). Le verbe passif est formé du verbe *être* et du **participe passé** d'un verbe transitif direct, verbe qui s'emploie avec un **complément direct du verbe** (compl. dir. du V) dans une phrase de forme active (phrase active).

Ex. : *Tous les élèves connaissent* ***cette auteure****.* (phrase active) → *Cette auteure est connue de tous les élèves.* (phrase passive) (compl. dir. du V : *cette auteure*)

ON EMPLOIE L'AUXILIAIRE *AVOIR* POUR FORMER LES TEMPS COMPOSÉS...	EXEMPLES
• des verbes employés avec un **complément direct du verbe** (compl. dir. du V) ou avec un **complément indirect du verbe** (compl. indir. du V) (il s'agit de verbes transitifs directs). **Attention !** Certains verbes qui s'emploient avec un **complément indirect du verbe** désignant un **lieu** forment leurs temps composés à l'aide de l'auxiliaire *être*. Ex.: *Cet auteur est allé* ***à Paris*** *.* (compl. indir. du V : à Paris)	*Cet auteur prolifique a écrit* ***cinquante romans*** *.* (compl. dir. du V : cinquante romans) *Cette personne aurait consacré* ***tout son temps à l'écriture*** *.* (compl. dir. du V : tout son temps ; compl. indir. du V : à l'écriture) *Ce roman de science-fiction a plu* ***à tous les élèves*** *.* (compl. indir. du V : à tous les élèves)
• de la plupart des verbes employés sans complément du verbe (il s'agit de verbes intransitifs).	*Certains auteurs ont voyagé pour trouver l'inspiration.*
• des verbes toujours impersonnels (le verbe toujours impersonnel s'emploie uniquement dans une phrase impersonnelle; il a pour sujet le pronom ***il*** impersonnel qui ne représente ni une personne ni une chose).	*Il a neigé la nuit dernière.* *Il m'aura fallu beaucoup de temps pour terminer mon roman.*

L'EMPLOI DU TRAIT D'UNION

ON EMPLOIE LE TRAIT D'UNION ...	EXEMPLES
• **pour joindre les éléments qui constituent de nombreux noms de forme complexe. Ces noms peuvent être:**	
– **des noms communs;**	*un porte-clés, un arc-en-ciel, un va-et-vient, un beau-frère, un avant-goût*
– **des noms propres désignant:**	
– un prénom composé ou un nom de famille composé;	*Jean-Pierre Langlois-Lavigne*
– un peuple;	*une Nord-Américaine, un Néo-Québécois*
– un lieu géographique délimité par une administration (rue, parc, ville, province, pays, etc.);	*le boulevard René-Lévesque, la ville de Trois-Rivières*
– un établissement, un monument.	*l'école Jules-Verne, la statue de Jeanne-Mance*
• **pour joindre *saint (sainte)* au nom qu'il précède et avec lequel il constitue:**	
– **un nom commun;**	*un saint-bernard, un saint-honoré*
– **un nom propre désignant une fête, une ville, une rue, etc.** *Saint (Sainte)* prend alors la majuscule.	*la fête de la Saint-Jean, la ville de Sainte-Catherine*
Remarque: Quand on emploie le mot *saint* pour désigner un personnage, *saint* n'est pas joint par un trait d'union au nom du personnage et il commence par une minuscule. **Ex.:** *Ce film raconte la vie de sainte Thérèse.*	
• **pour joindre les éléments qui désignent un nombre inférieur à cent** (ce nombre pouvant faire partie d'un nombre supérieur à cent), sauf s'ils sont joints par ***et***. **Ex.:** *vingt **et** un, soixante **et** onzième* **Remarque:** Entre les éléments qui désignent un rang, on emploie le trait d'union de la même façon qu'entre les éléments qui désignent un nombre. **Ex.:** *vingt-deuxième, quatre-vingt-dix-neuvième, cent vingt-deuxième*	*vingt-deux, quatre-vingt-dix-neuf, cent vingt-deux, mille trois cent quatre-vingt-dix-neuf*
• **pour joindre *au* et *par* aux mots *dessus*, *dessous*, *dedans*, *dehors*, *devant*, *deçà* ou *delà*.** **Attention!** *en* ne se joint pas par un trait d'union aux mots énumérés ci-dessus. **Ex.:** *en dessous, en dehors, en deçà*	*au-dessus, au-dessous, au-dedans, par-devant, par-delà*

(suite)

On emploie le trait d'union …	Exemples
• **pour joindre les préfixes *auto* et *micro* au mot qu'ils précèdent quand ce mot commence par une voyelle.** **Remarque :** Les préfixes *auto* et *micro* sont joints sans trait d'union aux mots commençant par une **consonne**. Ex. : *une œuvre auto**b**iographique, un micro**c**limat*	*une étiquette auto-**a**dhésive,* *un micro-**o**rdinateur,*
• **pour joindre le préfixe *anti* au mot qu'il précède quand ce mot commence par la voyelle *i*.**	*un anti-inflammatoire*
• **pour joindre *mi*, *demi*, *semi*, *nu* et *sous* au mot qu'ils précèdent et avec lequel ils constituent un mot de forme complexe.** **Remarque :** Quand *demi* est précédé de la préposition *à*, il n'est pas joint au mot qui le suit par un trait d'union si on peut remplacer *à demi* par ***à moitié***. Sinon, *demi* est joint par un trait d'union au mot qui le suit. Ex. : *un verre à demi vide* → *un verre **à moitié** vide* *parler à demi-mot* → **parler **à moitié** mot*	*des yeux mi-clos, un demi-litre,* *une semi-remorque,* *marcher nu-pieds,* *un sous-marin*
• **pour joindre *non* et *quasi* au nom qu'ils précèdent et avec lequel ils constituent un mot de forme complexe.** **Remarque :** Lorsque *non* et *quasi* précèdent un adjectif, ils n'y sont pas joints par un trait d'union. Ex. : *une personne non fumeuse, une bouteille quasi pleine*	*un non-sens, la quasi-totalité*
• **pour joindre *même* aux pronoms *moi*, *toi*, *lui*, *elle*, *nous*, *vous*, *eux*, *elles* et *soi* quand il suit ces pronoms.**	*moi-même, soi-même*
• **pour joindre *ci* ou *là* :** – **aux pronoms *celui*, *celle*, *ceux* et *celles* avec lequel ils constituent un pronom de forme complexe ;** – **à un nom introduit par le déterminant *ce*, *cet* *(cette)* ou *ces*.**	*celui-ci, ceux-là* *ce livre-ci, cette règle-là*
• **pour joindre le <u>verbe</u> au pronom qui a été déplacé après le <u>verbe</u> :** – **dans la phrase de type impératif (ou phrase impérative) ;** **Remarque :** Dans la phrase de type impératif, le <u>verbe</u> peut être joint à deux pronoms par un trait d'union si ces deux pronoms sont placés devant le <u>verbe</u> dans la construction correspondant à celle de la PHRASE DE BASE. Ex. : TU LA LUI <u>PRÊTES</u> → *<u>Prête</u>-la-lui.*	TU LUI <u>PRÊTES</u> TA BICYCLETTE → *<u>Prête</u>-lui ta bicyclette.*

(suite)

On emploie le trait d'union …	Exemples
Attention ! Le pronom placé après le verbe à l'impératif n'est pas joint à ce verbe par un trait d'union **si ce pronom n'a pas été déplacé**, c'est-à-dire si ce pronom est déjà placé après le verbe conjugué dans la construction correspondant à celle de la PHRASE DE BASE. **Ex. :** TU OSES LE DIRE. → *Ose le dire.*	
– dans la phrase de type interrogatif (ou phrase interrogative). **Remarques :** **1°** Lorsque le verbe est à un temps composé, le pronom est déplacé après l'**auxiliaire** auquel il est joint par un trait d'union. **Ex. :** TU AS PRÊTÉ TA BICYCLETTE À TON AMIE → ***As**-tu prêté ta bicyclette à ton amie ?* **2°** Lorsqu'un pronom commençant par une voyelle (*il*, *elle* ou *on*) est déplacé après un verbe (ou après l'auxiliaire) se terminant par une **voyelle**, le pronom est joint au verbe (ou à l'auxiliaire) par un *t* **encadré de traits d'union**. **Ex. :** ELLE EMPRUNTE LA BICYCLETTE DE SON AMI → *Emprunte-**t**-elle la bicyclette de son ami ?* **3°** Lorsque le **groupe du nom sujet** (GNs) de la construction correspondant à celle de la PHRASE DE BASE n'est ni un pronom de conjugaison *(je/j', tu, il/elle/on, nous, vous, ils/elles)* ni le pronom *ce*, le **GNs** est repris par un pronom après le verbe (ou après l'auxiliaire) dans la phrase de type interrogatif. **Ex. :** **TON AMIE** EMPRUNTAIT SOUVENT TA BICYCLETTE → ***Ton amie** empruntait-elle souvent ta bicyclette ?*	TU PRÊTES TA BICYCLETTE À TON AMIE → *Prêtes-tu ta bicyclette à ton amie ?* TU LUI PRÊTES TA BICYCLETTE → *Lui prêtes-tu ta bicyclette ?*

Remarques :

1° En plus des cas énumérés dans le tableau, il existe, dans différentes classes de mots, certains mots de forme complexe constitués d'éléments joints par un trait d'union :

- la conjonction *c'est-à-dire* ;
- la préposition *vis-à-vis de* ;
- les pronoms *quelques-uns (quelques-unes)* et *grand-chose* ;
- certains adjectifs ;
  Ex. : *sourd-muet, aigre-doux,* etc.
- certains adverbes ;
  Ex. : *avant-hier, là-bas, peut-être,* etc.
- certains verbes.
  Ex. : *sous-titrer, s'entre-détruire,* etc.

2° Dans les différentes classes de mots, il existe aussi des **mots de forme complexe** constitués d'éléments qui ne sont pas joints par un trait d'union.

Ex. : *un **chemin de fer*** (nom), *un tableau **hors série*** (adjectif), ***la mienne*** (pronom), ***prendre garde*** (verbe), ***tout à fait*** (adverbe), ***avant de*** (préposition), ***parce que*** (conjonction).

Pour vérifier si un mot de forme complexe s'écrit avec ou sans trait d'union, il faut consulter un ouvrage de référence.

L'EMPLOI DES MOTS INTERROGATIFS

LE MOT INTERROGATIF OU L'ENSEMBLE PRÉPOSITION + MOT INTERROGATIF :	S'EMPLOIE DANS UNE PHRASE DE TYPE INTERROGATIF POUR REMPLACER :
qui Ex. : *Qui t'a vu ?* *Qui as-tu vu ?* *Qui êtes-vous ?*	un groupe du nom (GN) avec noyau animé, ayant la fonction de **sujet**, de **complément direct du verbe** ou d'**attribut du sujet**. Ex. : *Quelqu'un t'a vu. → Qui t'a vu ?* *Tu as vu quelqu'un. → Qui as-tu vu ?* *Vous êtes M. Untel. → Qui êtes-vous ?*
préposition + *qui* Ex. : *À qui penses-tu ?* *De qui es-tu fier ?*	une préposition + un GN avec noyau animé, ayant la fonction de **complément** (complément indirect du verbe, complément de l'adjectif, etc.). Ex. : *Tu penses à quelqu'un. → À qui penses-tu ?* *Tu es fier de quelqu'un. → De qui es-tu fier ?*
que (*qu'*) Ex. : *Qu'as-tu vu ?* *Qu'est devenue l'ancienne usine ?*	un GN avec noyau non animé, ayant la fonction de **complément direct du verbe** ou d'**attribut du sujet**. Ex. : *Tu as vu quelque chose. → Qu'as-tu vu ?* *L'ancienne usine est devenue un musée. → Qu'est devenue l'ancienne usine ?*
préposition + *quoi* Ex. : *À quoi penses-tu ?* *De quoi es-tu fier ?* *De quoi cette maison a-t-elle l'air ?*	une préposition + un GN avec noyau non animé, ayant la fonction de **complément** (complément indirect du verbe, complément de l'adjectif, etc.) ou d'**attribut du sujet**. Ex. : *Tu penses à quelque chose. → À quoi penses-tu ?* *Tu es fier de quelque chose. → De quoi es-tu fier ?* *Cette maison a l'air d'un petit château. → De quoi cette maison a-t-elle l'air ?*
où *quand* *comment* *combien* *pourquoi* Ex. : *Où vas-tu ?* *Quand travailleras-tu ?* *Comment vas-tu ?* *Combien êtes-vous ?*	un groupe de mots ou une subordonnée circonstancielle exprimant le lieu, le temps, la manière, une quantité, une cause ou un but et ayant la fonction de **complément indirect du verbe**, de **complément de phrase**, de **modificateur du verbe** ou d'**attribut du sujet**. Ex. : *Tu vas à cet endroit. → Où vas-tu ?* *Tu travailleras lorsque tu reviendras. → Quand travailleras-tu ?* *Tu vas bien. → Comment vas-tu ?* *Vous êtes quatre. → Combien êtes-vous ?*

(suite)

LE MOT INTERROGATIF OU L'ENSEMBLE PRÉPOSITION + MOT INTERROGATIF :	S'EMPLOIE DANS UNE PHRASE DE TYPE INTERROGATIF POUR REMPLACER :
préposition + *où* *quand* *combien* Ex. : *D'où arrives-tu ?* *À partir de quand travailleras-tu ?*	une préposition + un groupe de mots exprimant le lieu, le temps ou une quantité et ayant la fonction de **complément indirect du verbe** ou de **complément de phrase**. Ex. : *Tu arrives de cet endroit. → D'où arrives-tu ?* *Tu travailleras à partir de demain. → À partir de quand travailleras-tu ?*
combien de Ex. : *Combien de personnes as-tu vues ?*	un déterminant. Ex. : *Tu as vu cinq personnes. → Combien de personnes as-tu vues ?*
quel (*quels / quelle / quelles*) Ex. : *De quelle personne parles-tu ?* *Quelle est la capitale du Canada ?*	• un déterminant; Ex. : *Tu parles de cette personne. → De quelle personne parles-tu ?* • un GN (avec noyau généralement non animé), ayant la fonction d'**attribut du sujet**. Ex. : *La capitale du Canada est Ottawa. → Quelle est la capitale du Canada ?*
lequel (*lesquels / laquelle / lesquelles*) Ex. : *Laquelle t'a vu ?* *Laquelle as-tu vue ?* *Lequel est ton livre préféré ?*	un GN (avec noyau animé ou non animé), ayant la fonction de **sujet**, de **complément direct du verbe** ou d'**attribut du sujet**. Ex. : *Une de ces personnes t'a vu. → Laquelle t'a vu ?* *Tu as vu une de ces personnes. → Laquelle as-tu vue ?* *Ton livre préféré est celui-ci. → Lequel est ton livre préféré ?*
préposition + *lequel* (*lesquels / laquelle / lesquelles*) Ex. : *À laquelle penses-tu ?* *De laquelle es-tu fier ?*	une préposition + un GN (avec noyau animé ou non animé), ayant la fonction de **complément** (complément indirect du verbe, complément de l'adjectif, etc.). Ex. : *Tu penses à une de ces personnes. → À laquelle penses-tu ?* *Tu es fier d'une de ces personnes. → De laquelle es-tu fier ?* **Attention !** *Lequel*, *lesquels* et *lesquelles* s'unissent à la préposition *à* pour former *auquel*, *auxquels* et *auxquelles* ; et s'unissent à la préposition *de* pour former *duquel*, *desquels* et *desquelles*. Ex. : *Tu penses à plusieurs de ces personnes. → Auxquelles penses-tu ?*

Note : Ce tableau illustre les **principaux emplois** des mots interrogatifs dans la phrase de type interrogatif.

L'EMPLOI DES MOTS EXCLAMATIFS

LE MOT EXCLAMATIF :	S'EMPLOIE DANS UNE PHRASE DE TYPE EXCLAMATIF POUR REMPLACER :
quel (quels / quelle / quelles) *que de* *combien de* **Ex. :** *Quels yeux magnifiques elle a !* *Que de fois je lui ai demandé de se taire !* *Combien de fois je le lui ai répété !*	un déterminant. **Ex. :** *Elle a des yeux magnifiques. → Quels yeux magnifiques elle a !* *Je lui ai demandé de se taire plusieurs fois. → Que de fois je lui ai demandé de se taire !* *Je le lui ai répété tellement de fois. → Combien de fois je le lui ai répété !*
comme *que (qu')* *combien* **Ex. :** *Comme ses yeux sont beaux !* *Qu'il est bavard !* *Combien je l'aime !*	un adverbe. **Ex. :** *Ses yeux sont très beaux. → Comme ses yeux sont beaux !* *Il est extrêmement bavard. → Qu'il est bavard !* *Je l'aime tellement. → Combien je l'aime !*

L'EMPLOI DES MOTS DE NÉGATION

LE MOT DE NÉGATION :	S'EMPLOIE AVEC NE DANS UNE PHRASE DE FORME NÉGATIVE :
pas *point* *guère* *nullement* *aucunement* **Ex. :** *Il ne fait pas (point, guère, nullement, aucunement) confiance à cet adulte.*	où il s'ajoute à l'intérieur du groupe du verbe. **Ex. :** *Il fait confiance à cet adulte. → Il ne fait pas (point, guère, nullement, aucunement) confiance à cet adulte.*
nul (nuls / nulle / nulles) *pas un (pas une)* *plus un (plus une)* **Ex. :** *Nul / pas un / plus un enfant ne lui fait confiance.* *Nul (pas un, plus un) ne lui fait confiance.*	• pour remplacer un déterminant; **Ex. :** *Un enfant lui fait confiance. → Nul (pas un, plus un) enfant ne lui fait confiance.* • pour remplacer un groupe du nom (GN) ayant la fonction de **sujet**. **Ex. :** *Un enfant lui fait confiance. → Nul (pas un, plus un) ne lui fait confiance.*
aucun (aucune) **Ex. :** *Aucun enfant ne lui fait confiance.* *Aucun ne lui fait confiance.*	• pour remplacer un déterminant; **Ex. :** *Un enfant lui fait confiance. → Aucun enfant ne lui fait confiance.* • pour remplacer un GN. **Ex. :** *Plusieurs enfants lui font confiance. → Aucun ne lui fait confiance.*
personne *rien* **Ex. :** *Personne ne lui fait confiance.* *Il ne pense à rien.*	pour remplacer un GN. **Ex. :** *Quelqu'un lui fait confiance. → Personne ne lui fait confiance.* *Il pense à quelque chose. → Il ne pense à rien.*
plus *nulle part* *jamais* **Ex. :** *Il n'ira nulle part.* *Il ne lui fera jamais confiance.* *Il ne lui fait plus confiance.*	pour remplacer un mot ou un groupe de mots ayant la fonction de **complément indirect du verbe**, de **complément de phrase** ou de **modificateur du verbe**. **Ex. :** *Il ira à cet endroit. → Il n'ira nulle part.* *Il lui fera confiance un jour. → Il ne lui fera jamais confiance.* *Il lui fait encore confiance. → Il ne lui fait plus confiance.*

Note : Ce tableau illustre les **principaux emplois** des mots de négation dans la phrase de forme négative.

INDEX

D

E

F

G

O

P

Q

R

S

T

V

Y